デジタルエコノミーの罠

なぜ不平等が生まれ、
メディアは衰亡するのか

マシュー・ハインドマン 著
山形浩生 訳

The Internet Trap:
How the Digital Economy
Builds Monopolies and
Undermines Democracy
by Matthew Hindman

NTT出版

エリザベスに捧ぐ

図目次

表目次

謝辞

本書は長年の努力の賜物であり、執筆過程で負った知的負債は多岐にわたる。まず、第4章と第5章の共著者ブルース・ロジャーズには大いに感謝する。ブルースなくして本書が現在のような形をとることはなかった。確率的動学システムについて学んだことのほとんどはブルースから学んだものであり、このプロジェクトに数学者の厳密さと、複雑系の仕組みに関する深い好奇心をもたらしてくれた。本書の動学的な観察や関心経済のモデルが有益と思っていただけたなら、その功績の相当部分はブルースのものだ。

ジョージ・ワシントン大学公共問題学校では驚異的な同僚たちに恵まれている。このプロジェクトに対する彼らの長年の洞察や批判は、最終成果物をすさまじく強化してくれた。デイヴ・カープフィ、ニッキ・アッシャー、ケイティー・ベイラード、スティーブ・リビングストン、ケリック・ハーヴェイ、ジャネット・スティール、イーサン・ポーター、キム・グロス、ジェイソン・オスダー、ネイサン・カルモア、エマ・ブライアント、ピーター・ロッジ、シルヴィオ・ワイスボード、フランク・セスノはみんな本書を改善する貢献やコメントをくれた。ジョージ・ワシントン大学以外ではケン・クキエ、ダニエル・クレイス、クリス・アンダーソン、ラス・ニューマン、タリア・ストラウド、ジム・ウェブスター、ミゲル・マドゥーロ、アーロン・ショー、マグダレナ・ウォイシエザク、ホメロ・ギル・

デ・ズニーガ、アミット・シェジター、ジェイ・ハミルトン、フィル・ナポリ、エミリー・ベルは本書の議論と証拠を改善する手助けをしてくれた。彼らの支援に感謝する。この一覧に挙がった人々の中には、本書の結論すべてに賛成しない人もいるが、そうした人々の支援は特に感謝する。

第2章と第7章は、ハーバード大学ケネディ校におけるメディア・政治・公共政策ショレンスタインセンターのフェローだったときに草稿を書いた。マシュー・ボーム、トム・パターソン、ニコ・メレ、マイケル・イグナチエフ、セレスティーン・ボーレン、ヤヴズ・バイダル、ジョン・ゲデス、ジョン・ワイベイは、本書のそれらの部分についてことさら役に立ってくれた。どちらの章も、ハーバード大学ケネディ校時代の研究アシスタントを務めてくれたジョアンナ・ペンの支援を大いに受けている。

第3章の初期バージョンは、論文集『新技術と市民の関わり』(Routledge, 2015)に「パーソナリゼーションとニュースの未来」として発表された。この巻の編集者ホメロ・ギル・デ・ズニーガの思慮深いコメントや、その巻の他の著者たちからの思慮深いコメントのおかげで、この章を改善できたのを感謝する。

第5章は、共著者ブルース・ロジャーズからの不可欠な支援に加え、大学院時代にすらさかのぼる一連の会話に恩恵を受けている。エイドリアン・アナーとシンシア・ルーディンは特に、第5章に含まれる初期の思考形成を助けてくれた。

第6章は当初、連邦通信委員会(FCC)向け報告書として生まれた。この報告書は、「同じものが少なく――インターネット上の地方ニュースの不在」という似たような題名で、委員会のメディア所有ルールに関する4年ごとのレビューの一部として発表された。FCC職員、特にジョナサン・レヴィとトレーシー・ワルドンの、報告書執筆における有益なコメントや導きに感謝する。アイリス・チャイイの査読も報告を改善してくれた。

最後に、両親、兄、妻エリザベスに感謝する。あなたたちの愛情、支援、辛抱は絶え間ない贈り物であり、おかげで本書が可能になった。

2018年3月　ワシントンDC

第1章 関心経済を見直す

バラのアメリカンビューティーが、その華やかさと香りをもって生み出されるためには、そのまわりに育つ初期の蕾を犠牲にするしかないのだ。

——ジョン・D・ロックフェラー・ジュニア、信頼について、アイダ・ターベル『スタンフォード石油会社の歴史』での引用

2000年初頭に、グーグル社は初のオンライン実験の一つを実施した。大失敗だった。グーグル社のまちがいは単純な疑問から始まった。検索クエリーに対して、結果をいくつ返すべきだろうか？　若きグーグル社は、ずっと利用者に検索結果を10件返してきた。これはその前の検索の覇者アルタヴィスタが10件を返していたからだ。でもヤフー！など競合検索エンジンは、これを20件にしていたし、グループインタビューの結果を見ると、もっと増やすほうがいいように見えた[★1]。グーグルの研究者たちは、実地テストをしてみることにした。利用者集団をいくつかに分けて、結果を10件ではなく、20件、25件、30件受け取るようにしたのだ。でも1か月後に調べてみると——衝撃的なことに——結果を増やすとトラフィックが激減することがわかったのだった。30件表示グループの検索は2割以上減り、何万人もの利用者がそもそもグーグルを使わなくなった。研究者たちは、何が悪かったのか調べようと急いだ。利用者は結果が多すぎて圧倒されたのだろう

か？　データを見ても、そんな様子はない。利用者が単に「次の結果」ボタンを押す回数を減らしたのではないか？　でもそもそも「次の結果」をクリックする人は少ないので、この影響はわずかだった。

グーグルはやがて、このトラフィック減少の驚くべき原因をつきとめた。検索結果をたくさん返すには、ごくわずかだけ時間が余計にかかったから、なのだ。対照群は平均で0・4秒待たされ、25件の結果を見せる集団は0・9秒待たされた。1日、2日であれば、この追加の遅れにたいした意味はない。でも何週間もたつと、その余計な0・5秒の影響が何倍にもなった。人々がグーグルに来る回数は減り、来たときも検索の回数が減った。実験が終わってからも、速度が低下した（グループの）利用者はすぐには戻ってこなかった。やがて利用はまた増え始めたが、新しく下がった基準点からの回復になってしまった[★2]。

このグーグル社初期の実験から得られる教訓はいくつかあり、本書ではそれを詳しく解読しよう。でも最も重要な教訓は、オンラインでの優位性をどう理解するかについてのものだ。

デジタル世界での生き残りは、粘着性（stickiness）に左右される——企業が利用者を引きつけ、長く滞在させ、何度も繰り返し戻ってこさせる能力だ。粘着性は、永続複利のインターネット利率のようなもので、初期の成長におけるわずかな優位性が、巨大な長期ギャップにつながる。粘着性のちがいは累積するのではなく、累乗されるのだ。

グーグル社が、駆け出しから世界で最も価値ある企業へと上り詰めたのは、この教訓を学んだおかげだ。グーグルは何十億ドルもかけて、サイトを高速にした——でもそれをはるかに超えることもした。自社を単なる検索エンジンとしてではなく、オンラインで最も粘着性の高い活動の束として再発明し直したのだ。メール、動画、地図、モバイル、果てはオフィスソフトまで。そして利用者の関心のシェアをますます高めようとするなかで、グーグルはインターネットの根本的なインフラを再建した。それは空前の規模をもつ新しいデータセンター、新しい光ファイバーケーブル、ウェブ上で高度なアプリを走らせる新しい手法、それに対応した高速な新ブラウザ、新種のコンピュータチップ上で走る新しい形の人工知能、さらにはいまや実際に稼働しているスマホ20億台を動かす新しいモバイルOSさえつくった。

どうしてオンラインの観衆(audience)やデジタル収入がこんなに集中したのだろうか? この集中は、事業、政治、ニュース、果ては国家安全保障についてすら、どんな意味をもつだろうか? オンライン寡占は避けられないのか、それともインターネットの罠を逃れる方法はあるのだろうか? 本書が答えようとするのはこうした問題だ。今日の私たちにとっては、20年前のグーグル社にとってと同様、最初の教訓は次のとおり——急激に累乗される小さな影響は、小さな影響ではない。

関心の希少性

ワールド・ワイド・ウェブは、現代で最も驚愕の成功を遂げた技術だ。いまやこの技術が、社会的、経済的、政治的な生活の根底にある。たぶん本書もオンラインで注文しただろう——あるいは無線で携帯電話やタブレットやリーダーに配信させたはずだ。ウェブはあまりに人気があり、強力で、あらゆるところにあるので、それがもともとの狙いを実現するのにどれほどひどく失敗していたか、みんな忘れてしまっている。

ワールド・ワイド・ウェブは、コミュニケーションにおける階層性をなくすというはっきりとした狙いをもった試みとして構築された。この実現のため、同じ狙いをもった他の技術を組み合わせようとした。そうした技術の筆頭がハイパーテキストだ。これは1960年代に社会学者テッド・ネルソンが創始したもので、決まった順序に従わずに消費されるよう設計されていた。ハイパーテキスト内のリンクは、同じコンピュータ上にあって関連する他の文章、定義、画像、表、あるいは文書を示す。二つ目の技術はインターネットで、これは1980年代には大学や研究所ではどこにでも見られるようになっていた。インターネットはピア・ツー・ピアのネットワークとしてつくられ、中央ハブはない。それぞれのコンピュータは他のどのコンピュータともデータを送受信できた。

ウェブを考案したティム・バーナーズ＝リーは、ハイパーテキストをインターネットに相乗りさせればよいと見抜いた。1台のコンピュータ内に押し込められるかわりに、ハイパーテキストははるか彼方の大陸にあるコンピュータ上の文書にもリンクできる。バーナーズ＝リーはこのプロジェクトをワールド・ワイド・ウェブと呼んで、「どのノードも他のどんなノードともリンクできる」ということを強調し、「システムがリンクできる人々やコンピュータの分散性」を反映させるようにした[★3]。オンライン上に登場した最初のページの一つ、WWWのプロジェクト概要の冒頭で、バーナーズ＝リーはこう宣言した。「ウェブに頂点はない」。すべてのページ、すべてのサイトは、平等のはずだった。

1991年のワールド・ワイド・ウェブには「頂点」のサイトがなかったとしても、いまではまちがいなくある。一部のサイトやアプリが他のものよりはるかに人気があるという事実は、オンライン生活の最も重要な事実の一つだ。みんなフェイスブックでネットワークし、競合サイトはフェイスブックのトラフィックの1%にも満たない。ウェブ検索ではグーグルやBingを使い、他の競合検索エンジンの市場シェアはないも同然だ。メールはグーグルかヤフーかマイクロソフトで読み書きする。オークションにはイーベイを使い、本（そしてますますそれ以外のものも）はアマゾンで買う。ウェブ上の何億ものサイトの中で、四大インターネット企業――グーグル、フェイスブック、マイクロソフト、ヤフー！――はあらゆるウェブ訪問の3分の1を占める。

オンライン収入の集中ぶりはさらに劇的だ。十大デジタル企業は昔からデジタル広告を独占し、少なくとも1990年代半ばから広告売上の4分の3を支配してきた。でもモバイルと動画へのシフトで、最頂点への集中が激化した。2016年半ばの時点で、グーグル社とフェイスブック社はアメリカでのデジタル広告の73%を占めている。年商600億ドル産業に対する驚くべき二頭独占だ［★4］。

本書は根本的には関心経済《アテンション》についての本だ。これはお金と関心との相互作用に注目し、この二つがどのように交換されるかを検討する。デジタル企業が観衆を引きつけてつなぎとめるため、どんなお金の使い方をするか――それもすさまじい金額だ――を検討する。本書は、なぜサーバーファームや光ファイバーやバックエンドソフトへの投資がきわめて重要で、なぜコンテンツの多いデザインの優れたサイトがオンライン上での競争を自分たちに有利な方向に傾けられるのかを示そう。

本書はまた、観衆が広告とサブスクリプションを通じていかに売上へと交換されるかについても詳述する。この取引はきわめて不平等なものだ。いくつかの理由により、大きなサイトは小さなサイトよりもはるかに1人あたりの稼ぎが大きい。このお金と関心との互恵的な関係は、フィードバックループをつくり出し、初期に成功したサイトやアプリはさらに成功を高めるような投資ができる。関心経済という考え方自体は目新しいものではない。この概念の起源はしばしば、政治学者でノーベル賞経済学者でもあるハーバート・サイモンだとされる。1960年代に情報過多の問題についての文で、彼はこう書いている。

情報リッチな世界では、情報の豊富さは何か別のものの枯渇を意味する。その情報が消費するものが何であれ、それが希少となるのだ。情報が何を消費するかは、まあすぐにわかるだろう。それは受け手の関心を消費する。つまり情報が豊富になると、関心が乏しくなり、消費しそうな情報源の過剰の中で、その関心を効率的に配分する必要が生じる。[★5]

サイモンのこの件《くだり》はあまりに何度も繰り返されたので、もはや決まり文句の域に達している。グーグルによれば、この引用は450万以上のウェブページに見られるそうだ。

サイモンの議論を発展させたと主張する学者は多い。過去20年で、多くの本や記事が「関心の希少性」について書かれてきた。でもこの一語は、デジタルメディアについて全然ちがう発想を引き起こしている。一部の議論はビジネス用語やサイバーユートピア的レトリックにまみれている。初期の論説の一部などは、「関心取引」が伝統的なお金に替わるものとなるとすら宣言した[★6]。もっと最近の業績としてはジェームズ・ウェブスターの優れた『関心の市場』があるが、ウェブの理想化されたビジョンではなく、デジタルメディアが実際にどう消費されているかというデータに基づいている。

本書が既往の関心経済に関する文献とちがっている面はいろいろある。関心経済はあまりにしばしば、「古い」経済学がもはや通用しないという議論のために引き合いに出されてきた。デジタル世界はアナログ世界のくびきを振り捨てようとしている、というのがその主張だ。本書は新しいデータ源を使い、国際貿易や数理ファイナンスなどの経済分野から拝借したモデルを利用して、デジタル世界もじつはそんなにちがうわけではないことを示す。メディア大企業が支配的な理由は、経済学者たちには目新しいと同時にお馴染みのものだ。多様な選好は、観察を分散させるのではなく、集中させることもあるのだ。

もっと根本的なこととして、本書は「お金では関心を確実には買えない」[★7]という主張を疑問視する。デジタル関心は買えないという信念は、インターネットの学術研究や社会の議論に根深く入り込んでいる――でもこれははっきり、疑問の余地なくまちがっている。観察がいかに売買されているかをずばり示すことが、本書の主要なテーマの一つだ。

だが本書が既往文献と合意している重要な点が一つある。関心経済の理解が、デジタルメディアの社会的影響理解にとって不可欠だという点だ。ジェームズ・ウェブスターが述べたように「メディアは目的を果たす以前に観察を必要とする」[★8]。ここには商業的な利益よりずっと大きなものがかかっている。関心経済について考えれば、関心の政治経済について考えざるを得ない――つまり関心経済がどのように政治に影響し、そして政治がどのように関心経済に影響するか、ということだ。一方で、政治的選択と公共政策は、オンラインでの勝者と敗者の決定を左右する。逆に、デジタル関心経済はますます公共生活を形成し、どんなコンテンツが生成されるか、観衆がどこに向かうか、最終的にはどんなニュースや民主的な情報を市民が見るかも左右するようになるのだ。

集中をもたらす力

もっとましな関心経済学を構築する出発点は、ある重要な問題だ。私たちのインターネット理解が、偏っていたということだ。デジタル関心を分散させる力は広く理解されているのに、集中をもたらす力は理解されていない。

インターネット関連学問における理解の非対称性は、他の分野での歴史的に不均等な進歩とずいぶん似ている。地質学の歴史を考えよう。１７００年代末に地質学が科学分野としてまとまったとき、それはほとんど浸食の研究だった。地質学者たちはすぐに、風と水が山を削り取るやり方については学んだが、その山がそもそもどうやってできたかをつきとめるにはずいぶん時間がかかった。１９６０年代になって、突然プレートテクトニクスが解明されてから、やっと地質学は地質隆起のまともなモデルを持てた[★9]。地質学はいわば、１５０年にわたり半端な学問だったわけだ。

この種の偏った理解は社会科学でも起こった。ポール・クルーグマンが１９９７年に書いたように、経済地理学——生産と消費が空間的にどこで起こるかという研究——は、プレートテクトニクス発見以前の地質学のようだった。「経済学者たちは、なぜ経済活動が広がるかは理解していたが、なぜそれが集中するかは理解していなかった」[★10]。経済学者たちは、高い地価が経済活動を都心から遠くへ押しやるのは理解していた。これは経済学入門の需要供給で十分にモデル化できる〔★11〕。でもそうしたモデルには決定的な問題があった。なぜそもそも都市が形成されるかを説明できないのだ。都市形成のよいモデルが登場したのは、不完全競争が都市集中をつくり出せることを経済学者たちが理解してからだった――たとえば、ニューヨーク市のロウアーマンハッタンにいる証券マンたちが、カンサス州マンハッタンの証券マンより業績がよい理由が解明されたのだ。

今日デジタルメディアについて書く人々は、地質学や空間経済学を蝕んだのと同じような問題に直面している。オンライン観察の分布は、現実世界での人々の分布と同様に、集中の力と分散の力との綱引きになる。だが分散の力は広く理解されて称揚されてきたのに、観察を集中させる力は系統的に無視されてきた。

今日までのほとんどの著作は、デジタルメディアが観察の「遠心力的分散」〔★12〕をもたらすと想定してきた。評論家たちは幾度となく、ウェブが「ナローキャスティング」や「ポイントキャスティング」のメディアだと主張し、それが小規模なコンテンツ生産者に有利な状況をつくるのだ、と述べた。リノ対ＡＣＬＵ裁判〔１９９７〕での最高裁判決をパラフレーズするなら、それが万人をパンフレット発行者にする、というわけだ。「強大なマスメディアの帝国が解体して、無数のコテージ産業が増えつつある」〔★13〕という。インターネットは「ダビデの大群」〔★14〕〔法学者グレン・レイノルズの著作名。ダビデが巨人のゴリアテ（＝大きな政府や大きなメディア）を殺したという聖書の話に由来する〕に力を与え、インターネットは「ビッグの終焉」〔★15〕〔Nicco Meleの同名の著作〕を意味するのだ、と。各種の議論は観察が分散しているかどうかではなく、むしろその広がりがどのくらい拡大し、急速なのか、という点についてのものとなった。

だがトラフィックのデータを見ると、観衆は頑固に分散を拒み続けていることがわかる。本書の一部は、拙著『デジタル民主主義の神話』の延長だ。この本は、オンライン観衆は集中したべき乗則のパターンに従うことを示したものだった。一部の評者は、この集中の証拠が時期尚早だと一蹴し、それがインターネットの急成長を無視していると述べた。たとえばミカ・シフリーは「これほど若くダイナミックな空間について断言するのは危険だ」と述べた[★16]。オンラインで観衆が集中するという同書の証拠は、マット・バイによれば「ある特定時点だけを反映したものだ」[★17]という。

この「様子を見よう」的な議論は、オンライン観衆についての偏った理解の自然な結果だ。もしインターネット・トラフィックを形成する力が分散をもたらすものしかなければ、確かに待つほうがいい。やがてすべては平準化されるはずだ。『ゴドーを待ちながら』のウラジミールとエストラゴンのように多くの人は、待ち望んだようなインターネットがいつかやってくるという希望を捨てていない。いつかは……。

こうした評者はみんな、デジタルメディアでは昔ながらの集中の力が一部は機能しないという点では正しい。ウェブでは周波数帯域の希少性はない。デジタル専門メディア企業は印刷機や配送トラックをもつ必要はない。やる気のある市民は、放送免許がなくても動画を共有できる。ラップトップとスターバックスのラテさえあれば、ジャーナリストが1人で独自のデジタル出版を始めることも可能だ。

だが新しい小規模サイトにばかり注目していると、部屋の中の象〔皆が重要と認めていながらあえて触れずにいる問題のこと〕を見逃してしまう。その象とは、利用者たちが時間のほとんどを過ごす巨大デジタルプラットフォームだ。そうしたサイトは、オンライン利潤をほぼすべて独占している。市民ブログの増大をほめそやすときには、なぜその大半が放置されてだれにも読まれることがないのかについても理解すべきだ。遠心力と同様に、求心力にも注目してしかるべきなのだ。

だから本書の本文は、まず物語の残り半分を描くところから始まる。第2章では、巨大インターネット企業が各種の規模の経済を活用する方法を詳述する。これは単なるネットワーク効果にとどまるものではない。総じて、大規模サイトは読み込みが速い。きれいだし使いやすい。コンテンツも多く更新も速い。検索結果のランクも高い。確立したブランドを持ち、訪問者はそこをナビゲートするのに慣れている。広告プラットフォームとしても効率的だ。こうした要素が、個々のトラフィック集中をもたらすという大量の証拠がある。

第3章はさらに先に進んで、大企業や大ウェブサイトはコンテンツを利用者向けにパーソナライズするのがはるかに上手だということを示す。「デイリー・ミー（日刊じぶん）」で定義されるデジタルメディアは、多くの人の思いこみとはちがい、小規模コンテンツ生産者に有利にははたらかない。むしろ、リソースを持った人々に有利になる。お金、職員、データ、計算力、知的財産、固定した観察をもつサイトが有利なのだ。

モデルの改善

インターネットの観察を集中させる力を詳述するのが出発点ではある。でも特に必要とされてきたのは、新しい事実ではなく新しいモデル、つまりデジタルトラフィックの全体的なパターンを説明し、フェイスブックやグーグルから、ずっと下々の個人ブログまでの売上を説明する理論なのだ。必要なのは、ウェブのトップでのすさまじい集中と、小規模サイトの（すさまじい）ロングテールを両方とも説明できる、単純化されたお話だ。

第4章と第5章はモデル構築の作業を行う。それぞれで使う手法はちがうが、相補的なものだ。第4章は、オンラインコンテンツ生産の定式化された経済学モデルを構築する。この演繹モデルは、三つの主要な想定に基づく。一つは、大規模サイトはコンテンツ生産の面でも、またトラフィックを売上に変える能力の面でも、規模の経済をもつと想定する。第二に、利用者は少なくともある程度は多様性を選好するとされる。第三に、利用者は新しいコンテンツを探すときに、探索費用（サーチコスト）か切り替え費用（スイッチングコスト）に直面すると想定している。

個別に見れば、これらの想定は議論の余地があるものではない――でもこれらを組み合わせると、いくつか驚くような結果が出る。ポータルサイトやアグリゲーターは、こうした定式化した事実に対する市場の対応なのだ。小規模サイトが利用者の選好に完全にマッチした、優れたコンテンツを生産できたとしても、大規模サイトのほうが支配的になれる。フェイスブックが、他のサイトのニュース記事をホスティングしようと躍起になったり、コンテンツファームやいわゆるフェイクニュースがもつ経済的な論理は、この単純なモデルで見事に捉えられる。

第5章は別の取り組みをして、ウェブトラフィック変動のデータを使う。「様子を見よう」一派も、正しい点が一つはある。それは、ウェブがダイナミックなメディアであり、ウェブトラフィックがどのような変化を示すかについての理解には巨大なずれがある、という点だ。サイトは毎日のようにトラフィックを獲得し、失う。新しいサイトが絶えず生まれ、古いサイトが衰退して忘れられる。

永遠のインターネット楽観論者にとって、この入れ替わりこそが信念の礎となっている。フェイスブックをごらん、というわけだ。10年ほどの歴史しかないのに、いまやインターネットで最も訪問の多い場所となっている。あるいはハフィントン・ポストを見よう。2005年創業なのに、昔ながらのAOLに買収される前からすでに、オンラインニュースサイトとしてトップテンに入っていた。大規模ウェブ企業は特に、この主張を強硬にふりかざす。グーグルは何度も規制当局に対し、自分は規制を受ける必要はないと述べている。というのも「競合他社に1クリックで到達できる」からだ。

だがこうした見方には根本的な誤謬がある。そのまちがいを理解するいちばん簡単な方法は、絶え間ない集中と絶え間ない変化を特徴とする別の場所を考えることだ。その場所とは、株式市場だ。

何千もの株式が公開の取引所で取引されているが、市場価値の大半は、ほんの数十企業に集中している。アップル社、マイクロソフト社、グーグル社、エクソン社、ゼネラルエレクトリック社、バンク・オブ・アメリカなどの巨大ブルーチップ〔優良株〕企業だ。ブルーチップ企業は通常、中小企業よりは安全な投資先だ。ブルーチップ企業は、予想外の負のショックに出くわしても——たとえばメキシコ湾に何億ガロンもの石油をぶちまけるとか——株価はわずかしか下がらない。さらに、株式市場の構造は、個別株よりもずっと安定している。どの株が明日、第50位の株式になるかはわからないけれど、それが株式市場の他の株に比べてどのくらいの価値をもつかはわかる。

第5章では、ウェブトラフィックが驚くほど似たパターンをたどることを示す。大規模サイトのほうが観衆は安定している――日次変動も、月次変動も、年次変動も。小規模サイトはずっと不安定だ。個々のサイトは絶えず興亡を続けるが、ウェブトラフィックの全体的な構造はおおむね一定だ。明日、アクセス第100位になるのがどのサイトかは予測できない。でもそのサイトのトラフィックシェアがどれだけになるかはわかる。

フェイスブックやグーグルのトラフィックが、比率で見てCNN.comや『ニューヨーク・タイムズ』のトラフィックよりも安定しているというのは直感的にわかる。またNYTimes.comへのトラフィックが、小さなブログへのトラフィックより安定しているというのもわかる。ウェブトラフィックがこうした構造をもつ結果は、直感的にはわからなくても、きわめて大きなものだ。これから見るように、「規模が安定をもたらす」パターンは――それだけで――オンライン生活を支配するべき乗パターンを生み出せる。この観衆集積は数式的に決まる。そしてウェブが小規模サイトに有利だという主張の中で、ダイナミックに変わり続けるウェブという考えがしばしば持ち出されるものの、小規模サイトは大規模サイトよりはるかに入れ替わりが激しい。

ニュースと公共圏

本書が提案する関心経済のモデルは、かなり一般的なものだ。本書の最初の部分で示す証拠の大半は、コマーシャルなウェブとデジタルメディアの商業圏からきている。そこでは関心経済の力学がことさら熾烈だからだ。そしてそこでは、オンライン力学はお馴染みのオフラインでのパターンと大差ない。

だがこうしたモデルの最大の貢献というのは、純粋に商業的なコンテンツを超えたウェブの領域に光を当てることだ。関心経済の最も重要な含意は、公共圏に関するものだ――ニュースと情報、市民の議論と集合行動など、民主主義政治の中心にある混合物だ。だから本書の最後の数章は、オンライン公共圏、特にオンラインニュースに焦点をあわせる。

このニュースへの注目にはいくつかの理由がある。ニュースの健全性は、民主的に決定的な重要性をもつというだけではない。デジタル関心経済が最も大きく変えたのもその部分なのだ。アメリカの地方新聞は、常にアメリカのジャーナリズムの大半を生み出してきたし、アメリカの記者もほとんどはそこで雇われている。だがオンラインニュース消費が分水嶺に到達したところで、私たちは紙媒体の読者数と売上が歴史的な崩壊を迎えたのを目撃した。

ニュースの市民的な重要性や、ニュース事業の激変を考えなくても、ニュースコンテンツを見るべき理論的な理由がある。ニュースコンテンツは関心経済についてのモデルにとって最大の試金石を提供してくれるのだ。そしてこの分野こそ、本書の分析が既存の研究成果に最も強い疑問を提起する部分となっている。

だから第6章と第7章は、関心経済のレンズを通してニュースを眺める。第6章は、ウェブ上の地方ニュースを検討する。新聞や地元放送局が苦労した空白部分を、新しいオンラインニュース源が埋めてくれるのではと多くの人が期待した。トップ100の地元メディア市場における25万人以上のウェブ利用者のパネル調査に基づくコムスコア社(comScore)からのデータを使うことで、この章はオンライン地元ニュースに関する最も包括的な検討を提供している。

新聞版元は繰り返し、地元紙が抱えているのは売上問題であって、読者数の問題ではないと主張してきた。「人はたくさんやってきたのに、広告がついてこなかった」[★18]と。でも実際には、地元ニュースサイトは、ニューストラフィックのたった6分の1ほど、全トラフィックの中で0.5%ほどしか獲得できていない。地元ニュース市場のうち、新聞サイトやテレビのニュースサイトがほとんどあらゆる関心を吸収してしまう。ウェブだけの地元ニュースサイトはどれ一つとして――メディア市場トップ100のどこでも、どれ一つとして――標準的な新聞サイトや地元テレビサイトの足下にも及ばない程度のトラフィックしかない。新聞は弱体化してはいても、新興競合相手に比べればこうした満身創痍の巨人のほうがまだずっと大きいのだ。

第7章はさらに議論を進め、私たちのモデルが地元ジャーナリズムを強化するための、行動の元となる情報を提供してくれることを示す。地元ニュースの危機に対し、版元、技術リーダー、学者、政策担当者は、じつに多様で相互に矛盾する「解決策」をいろいろ提案してきた。今日に到るまで、そのほぼすべては、問題の診断をまちがえている。どうあがこうとも、地元ジャーナリズムを維持するには、新聞がデジタル時代に移行するのを支援するしかない。新聞は、読者がいなければそれを収益化することもできない。

地元ジャーナリズムを救う提案はすべて、デジタル観察のダイナミックな性質を出発点にしなければならない。地元新聞、特に小規模の地元新聞は、粘着性のあるサイト構築のルールを昔から一つ残らず破ってきた。全体として、読み込みが遅く、ごちゃごちゃして――ありていに言えば――醜いことが多い。そして新聞もデジタルトラフィックにだんだん注目はしているが、オンライン指標が何を意味しているのかわかっていないことが多い。

複合化した観察こそが、インターネットで最も強い力だ。地元ニュースがデジタル時代に成功するには、この複合化プロセスを活用するしかない。粘着性を計測して、それに向けて最適化するのだ。ニュース配信の「実験」や「イノベーション」を訴える無数のしつこい呼びかけとはちがい、本書は成功を図るための現実世界の指標を提供する。

無料の観察なんかいない

しっかりとした関心経済学を構築すると、ウェブについて「自明」なこともいろいろ見直すはめになる。そして、デジタル時代についての唯一最大の想定すら疑問視することになる。その想定とは、インターネットがコンテンツ配信をほぼ無料にする、という信念だ。

『ネットワークの富』の冒頭ページで、ヨハイ・ベンクラーはインターネットが、古い通信技術に適用される「工業」経済学を廃止した、と主張する。

19世紀半ば以来の通信、情報、文化生産を特徴づける中核的な要素は、効果的な通信を行うためには（……）ますます物理資本を大量に投下しなくてはならないということだった。流通部数の多い印刷機械、電信網、強出力なラジオや後にはテレビ送信機、ケーブル放送や衛星放送、そしてメインフレーム・コンピュータが、情報を生産してそれをきわめて限定された地域を越えた規模で伝達するために必要となった（……）情報と文化生産はこの時期に、情報の経済自体が必要とする以上に工業モデルを身につけていった。ネットワーク化された、コンピュータ仲介の通信環境は、この基本的な事実を変えた。[★19]

この顰《ひそ》みに倣った学者は多い。クレイ・シャーキーは『みんな集まれ！ ネットワークが世界を動かす』で、「マスアマチュア化」の問題は二つの大きな問いを核としているのだと主張した。その問いとは「複製と配信の費用が消えると何が起きるか？ 利用者が自分で刊行できるので、出版発行に独自性がまったくなくなると何が起きるか？」というものだ[★20]。ジェイ・ローゼンは、インターネットがジャーナリズムを改善すると論じる。なぜなら「それを人々に届ける費用がゼロに近づくし、高品質の制作のための資本要件も激減させるから」という[★21]。あるいは、ある本が述べたように「ある重要な部分で、インターネットはメディア企業とコンテンツ生産者の原価構成を引き下げている。配信費用を低下させているのだ」。

じつはこの最後の引用は私が書いたものだ[★22]。私はまちがっていた。そして本書は、その理由を説明しようとするものだ。

確かに、情報を動かし、貯蔵し、処理する1バイトあたりの費用は安くなったし、安くなり続けている。でもいまやじつに大量のデータを動かし、貯蔵し、処理しているので、かかっている総額はすさまじい金額だ。そうした費用をだれが負担するのか、というのが変わり、大きな影響が生じた。社会全体としてのウェブサーバーやサイト開発の費用は、インフレ分を除いても、電信線の費用や、印刷機や、テレビ送信機の費用よりはるかに大きい。グーグルのデータセンター——あるいはアマゾンやフェイスブックのデータセンター——はまさに、陳腐化するはずだった何十億、何千億ドルもの資本支出そのものなのだ。

だがデジタル配信の無料化を主張した人々のもっと深遠なまちがいは、どこまでを配信費用に含めるかを、ひどく狭く定義したことだった。ローゼンの引用からわかるように、配信費用はコンテンツを市民の目の前に届けるすべての費用を含めねばならない。でもこれは、データの費用やサーバーの費用だけではすまない。むしろデジタルコンテンツの配信費用というのは、何か月、何年もかけてデジタル観察を確保する総費用なのだ。

配信費用は、絶えず新しいコンテンツをポストする必要性を含む。というのも、新しいコンテンツの量は粘着性の大きな要因だからだ。サイトデザインも含むし、読者のエンゲージメントを高めるサイトの特性もすべて含む。コンテンツのパーソナライズ（ニュースの見出しを比較対照試験するだけであれ）に必要な職員や活動も含まれる。配信費用は検索エンジン最適化に使われる技能やインフラも含む。広告やリンク買収を通じてトラフィックを露骨に買う費用も含む。モバイルアプリをつくり、ウェブサイトをスマホ対応にする費用も含む。オンライン配信の費用が他のメディアとはちがっているからといって、それが少額だということにはならない。

オンライン観察を構築するのは、小さな穴の開いた風船に空気を入れるようなものだ。絶えずポンプを動かし、一定の投資水準を続けないと、それまでの成果はすぐに失われてしまう。こうした配信の間接費用は、オマケなどではない。ニュースサイトやブログにとって、平均以上の粘着性を維持できるかどうかは、サイトの生死に関わるのだ。

だから第8章は、最後にデジタル観衆の進化モデルを提示する。関心をめぐるダーウィン的競争は、多くの人々が想定したような博愛主義的なインターネットを生み出さない。というのも粘着性に必要な性質は平等には分け与えられていないからだ。粘着性でちょっとした優位性があれば、勝者はその自らが占めるニッチの成長よりも急速な成長を遂げ、お金と関心を独占する。配信が高価だということはつまり、インターネットの開放性は本質的なものでもないし、必然でもないということだ。そしてインターネットが「エコシステム」だとかいう呑気な物言いとは裏腹に、デジタルニッチは自然界と同じくらい、残酷で脆弱なものなのだ。

多くの人は、ウェブがニュースや政治論争の中央集権を減らし、ジャーナリストやニュースサイトの数を拡大し多様化させ、観衆を集めるときの資本の重要性を減らしてくれると期待した。発表の場は増えたが、公共圏は相変わらずきわめて集中している。ジャーナリストの数は激減し「フェイクニュース」は激増したが、デジタルメディアは相変わらず、少数の企業が門番となったままだ。一貫性あるニュース観衆を築き上げるのは、相変わらずとても高価だ。関心経済は、ウェブに対する人々の市民的な期待をほぼ壊滅させた。本書は追悼文でもあり、また死亡診断書でもある――なぜ物事がこんなことになってしまったのかを説明し、それが一過性のものではないことを述べる本だ。

多くの人がこうした破綻した希望を捨てられずにいるため、いまや事態はさらに悪化しかねない。インターネットの欠陥はいろいろあっても、オンラインの公共圏を強化するためにできる具体的な手段はいくつか存在する。でも私たちはまず、想像上のフィクションでしかないインターネットと、げんなりさせられる現実のインターネットとが、いかにかけ離れたものであるかを理解しなければならないのだ。

第2章　傾いた土俵

ぼくらの世代で最高の知性の持ち主たちは、人々にどうやって広告をクリックさせようか考えている。むかつく。

――ジェフ・ハマーバッカー

オレゴン州ダレスの郊外、コロンビア川の殺風景な沿岸に広がるつまらない工業団地には、航空機ハンガーのような建物で構成される、12億ドルの複合施設がある。２００６年にグーグル社が初のメガデータセンターをつくったのがここだ。グーグル社のマンモス級コンピュータ倉庫は、他の工場と並んで鎮座している。巨大穀物倉庫、すでに操業停止したアルミ溶融炉、ジャガイモをポテトフライに変える工場などだ。高電圧線からは何メガワットもの電力が構内に送りこまれ、冬になると4階分の高さをもつ銀色の冷却塔からスチームが立ち上る。

グーグルはいまや、こうしたメガサーバーファームを世界15か所に保有し、さらに無数の小規模な施設を従えている。マイクロソフト、フェイスブック、アップル、アマゾンも似たようなサーバーファームを持ち、なかにはグーグルの施設からコロンビア川を少し上ったところに設置されたものもある。２００３年から２０１３年にかけて、グーグル社は研究開発、設備施設だけで５９６億ドルをかけている――アメリカが原爆製造に使ったお金の3倍（しかもインフレの影響抜きで）だ［★1］。グーグルのサイトが初めて稼働したとき、それはスタンフォード大学のキャンパスにあったわずか2台のコンピュータにホスティングされていた。でも２００９年になると、新しい倉庫のようなコンピュータ群がオンラインで稼働し、検索を行うと何千台ものコンピュータが動員され、結果は5分の1秒で返された。

グーグルのデータセンターは、あんぐりするほど巨額の投資であり、ＧＤＰがその投資額を下回る国は百カ国を下らない。だがインターネットの通俗理論が正しいなら、ダレスのグーグル社データ工場は存在するはずがない。

インターネットが「ポスト工業」技術だという話は嫌というほど聞かされてきた。オンラインでは、放送塔や印刷機や似たような資本設備に対して何百万ドルも投資する必要はないとされていた［★2］。印刷メディアや放送メディアを均質化した工業経済学が消えたので、参入障壁は下がり、観衆たちは一斉に拡大したのだ、というのがそのお話だ。

ダレスのグーグル社データセンターは、このおとぎ話を真っ向から否定するものだ。グーグルの施設は、まさに見た目どおりの代物だ。工場であり、デジタル溶融炉であり、ちがいは精錬しているのが鉱石ではなく情報だというだけだ。グーグルのデータ工場は、かつてＮＢＣにとって放送設備が重要だったのと同じくらい、グーグルにとって不可欠なものなのだ。このようにデジタル時代に重工業時代の経済がしつこく残っているなら、ちょっと立ち止まって考えてみるべきだ。これほど基本的なところでまちがえているなら、他にもいろいろ見落としがあるのではないだろうか？

本章とそれに続く二つの章では、巨大サイトがどうやってそんなに巨大になったかを示す。中心的な課題は粘着性だ——サイトやアプリが観衆を集め、引きつけておくための要素だ（第1章参照）。重要な点として、粘着性を促進する多くの手口は、サイトが大きくなると1人あたりで見れば安くなる。こうしてインターネットは、粘着性での規模の経済を提供する。大きくて人気があるサイトやプラットフォームは、訪問者を集めるのがますます容易になり、サイトを読んでもらう習慣も植えつけやすくなる。航空機から自動車メーカーまで無数の既存産業を形成する規模の経済は、デジタル経済でも相変わらず強力だ。デジタル観衆を理解するには、まずデジタルの規模の経済を理解することだ。

本章では、オンラインでの規模の経済すべてを網羅的な一覧にするつもりはない——そんなことをしたら章がやたらに長くなってしまう。むしろやりたいのは、土俵を最大級のプレーヤーのほうに傾ける、最も強力で最も記録のしっかりした力に注目することだ。これから見るように、規模の優位性だけが話のすべてではない。でもこれほど多くの強い規模の経済が、これほどちがったかたちで、デジタルメディアの実に多くの領域に存在しているのだから、インターネットが公平な土俵だというふりをするのは、そろそろやめるべきだ。

ネットワーク効果

1900年代初頭、アメリカは、競合し互換性のない電話ネットワークのごった煮だった。ベルの電話特許が切れたことで、電話会社や電話組合が爆発的に増えた。電話は安くなり、電話サービスは都市部以外の人々にもますます提供されるようになった。だが多くの場所で、電話ですべての人々と連絡をとるには複数の契約が必要となった。AT&T以外のネットワークを使う人々は長距離電話をかけられなかった。

セオドア・ヴェイルの先導で、AT&Tは1907年に電話システムを自分の旗印の下に統合しようと乗り出した。AT&Tは、単一の統合されたネットワークのほうが利用者のためになるのだと論じた。ヴェイルはAT&Tの1908年年次報告書にこう書いている。

電話は——回線の向こう側に何もつながっていなければ——おもちゃや科学的な道具ですらない。この世で最も役立たずな代物の一つだ。その価値は、他の電話との接続に依存している——そして、接続数に応じてその価値は上がるのだ。[★3]

一連の広告でAT&Tは「一つのシステム、一つの契約、ユニバーサルサービス」を約束した。このキャンペーンは成功し、AT&Tはアメリカで最も嫌われた企業から、みんなに好かれる政府統制の独占企業となった。

こうして電話システムはネットワーク効果、または（もっと正式には）正のネットワーク外部効果の代表例となった。こうした効果が登場するのは、財やサービスの価値が、他の人がそれをどのくらい使っているかで決まる場合だ。ネットワーク効果はまた「需要側規模の経済」とも呼ばれる。顧客1人あたりの費用が変わらなくても、ネットワークに参加する人が増えると、その製品の価値は上がる。

インターネットサービスも、電話システムと同じパターンをたどれるという点は、ますます認識されるようになってきた。特に利用者間のコミュニケーションに頼るサイトではそれが顕著だ［★4］。たとえばフェイスブックとツイッターは、他の人が使わなければ役立たずだ。ネットワーク効果のおかげで、既存のプレーヤーとの競合はむずかしくなる。ツイッターに対抗しようとしたマイクロブログサイトはたくさんあるが、クリティカルマス〔商品が爆発的に普及するために最小限必要な市場普及率〕に到達できたものは一つもない［★5］。

ネットワーク効果の認知は、インターネットが平等性をもたらす力なのだという硬直した（だがいまだに強い）信念からの変化として歓迎すべきものだ。残念ながら、ネットワーク効果についての物言いは、二つのありがちな誤解を伴っている。

まず「ネットワーク効果」はしばしば、あらゆる規模の経済の同義語として使われることが多い［★6］。これは不正確だ。規模が優位性をもたらすからといって、それがネットワーク効果だということではない。利用者のいないソーシャルネットワークは役立たずだが、検索エンジンや、グーグルドキュメントのようなオンラインアプリは、利用者の数がなくても価値がある。各種の規模の経済を混同すると、誤解が生まれ、結局は悪い政策をもたらす。

第二に、「メトカーフの法則」がしつこく誤用されている。これはイーサネットを発明したロバート・メトカーフにちなんだ経験則だ——決して本当の法則ではない。一般に理解されているメトカーフの法則は、ネットワークの価値は、接続ユーザー数の二乗に比例して高まると主張する。たとえば100人の利用者がつながったネットワークは、10人しかつながっていないネットワークの100倍の価値がある、というわけだ。

メトカーフの法則の推奨は、トップレベルの政策でも繰り返し持ち出されている。連邦通信委員会（FCC）の元議長リード・ハントは、メトカーフの法則がムーアの法則と並び「インターネット理解の最も良い基盤を与えてくれる」と宣言した［★7］。にもかかわらず、現実世界の大規模ネットワークでメトカーフの法則が裏づけられたことは一度もなく、むしろ20年にわたり何度も否定され続けてきた［★8］。メトカーフの想定は、あらゆるつながりが同じ価値をもつというものだが、社会的な文脈ではこれは成立しない。人々は遠くの見知らぬ人と話をするよりも、家族や友人や仕事上の関係者と話をするほうに価値をおく。

でもネットワーク効果が誇張されてきたとしても、ソーシャルな側面を強くもつサイトやアプリは、驚くほどの粘着性を示す。執筆時点で、フェイスブックはウェブ上で最も人気あるサイトだし、iOSでもAndroidでも、最も人気の高いアプリ二つ（フェイスブックとメッセンジャー）を所有している。フェイスブックの人気は、行動変化への社会的影響の力をめぐる大量の研究とも整合している［★9］。フェイスブックの初期の拡大は、一部は「包囲戦略」に基づいていた。

もしある学校で他のソーシャルネットワークが根づき始めたら、フェイスブックはそこで開設するだけでなく、そのすぐ近くにあるあらゆるキャンパスにも開設する。発想としては、近くの学校の生徒たちがネットワーク横断の圧力をつくり出し、その学校の生徒がフェイスブックを使いたがるように仕向ける、というものだ。［★10］

目的ははっきりしている。潜在利用者に対する社会的圧力を最大化する、ということだ。

もっと小さな規模で、ネットワーク効果は読者がコンテンツをつくる際にも影響する。一部のニュースサイト研究は、利用者の「エンゲージメント」――特にコメント――を増やすとサイトの粘着性が高まりやすいことを示している[★11]。オンラインで投稿する人は、自分の発言を他の人に読んでほしい。読者のクリティカルマスがないサイトは、コメントを集めるのに苦労する。

一部のサイトは、コメントンステムを事業の中心に据えようとした。たとえば長年にわたり、ハフィントン・ポストはニュース業界で最大かつ最も高度なコメントシステムを持っていた。ハフィントン・ポストは1日24時間にわたり、プログラマ30人を張りつけ、それをコンピュータ化したフィルタリングシステムを組み合わせて、2012年にコメント8000万件以上を処理した[★12]。中核となるフィルタリング技術は、ハフィントン・ポストが2010年に買収した新興企業アダプティブ・セマンティクス社によるもので、このシステムはどんなコメントを排除し、どれを投稿サイト、どれを人間フィードバックへとまわすべきか学んでいった。

こうした優位性や大きな投資を考えると、ハフィントン・ポストのコメントシステムの命運はあまり幻想を持てないものとなっている。2014年にハフィントン・ポストはあきらめた。そしてフェイスブックのコメントへと完全移行した。この変化を発表するにあたり、ハフィントン・ポストはネットワーク効果の強力な重みを指摘し、この変化が「議論や論争を人々が最も エンゲージする場所へともたらす」のだと説明した[★13]。

需要と供給双方の規模の経済はこのように相互に強化しあう。多くのコメント者がいるサイトはよい技術を導入する資金がある。そして技術プラットフォームがよいとコメントをもっと集められる。だがこうした美しいサイクルに到達できたサイトはほとんどない。ハフィントン・ポストのようなすさまじく人気のあるサイトですら、コメントの整理というシジフォス的な作業を投げ出し、利用者の認証と追跡は巨大プラットフォーム(特にフェイスブック)に頼ることにした。利用者コメントをフェイスブックに丸投げすることで、トラフィックは増え、多くの新しいニュースサイトのコメントも理性的になったと言われるが、その代償として、コンテンツ生産者に対するフェイスブックの力がさらに強化されることになった[★14]。

アーキテクチャの優位性

ネットワーク効果がオンラインで集中をもたらす力の一つなのはまちがいない。多くのサイトが、巨大化するにつれて粘着性を増すのもこれが一つの要因だ。だがインターネットが大企業に有利である理由の全貌とはとても言えない。インターネットについての議論はいまだに、このメディアの「オープン性」、インターネットの「ピア・ツー・ピア」アーキテクチャがあらゆるウェブサイトを平等に扱うかについての話から始まっている。

でもこうした話は次第に陳腐さを増している。インターネット上の変化により、大規模サイトと中小サイトはもはやアーキテクチャ的に比べものにならない。大企業のアーキテクチャ優位性が、直接的に観衆の多さと収益につながるという証拠は圧倒的だ。

かなり大ざっぱな概略として、インターネット企業は主に二つの投入手段を使って財を生産する。大量のハイテク工業設備と、大量のソフトウェアコードだ。でも伝統的市場での長い経験からわかっているとおり、ソフトウェア生産も設備依存産業も、最大手企業が優位なのだ。

工業経済学は昔から「最小効率規模」を研究してきた。これはたとえば、最小の費用を実現するために工場が持たねばならない最小限の規模を指す。重要な例外はいくつかあるけれど、工場についてこれに対する答えは昔から、きわめて大規模にスケールアップする、というものだった[★15]。これは目新しい話ではない。アルフレッド・チャンドラーによるアメリカ資本主義の古典的な歴史『見える手』[★16]は、世界市場を飽和させられるほど巨大工場に投資した19世紀起業家の事例だらけだ。ウェブはAT&Tを生み出した経済的圧力と、マイクロソフトを生み出した力とを組み合わせる。

インターネットが1990年代とどうちがっているかを理解するには、今日のインターネット巨人たちのアーキテクチャを見よう。まずグーグルからだ。同社の公式声明のおかげで、他の企業よりもグーグルの活動のほうがよくわかっているからだ。それでも、マイクロソフト、フェイスブック、アマゾンといった企業はどれも、サーバーファームや高いスケーラビリティをもつソフトウェアプラットフォームに、同じくらい巨額の投資をしている。

情報経済が「工業経済学」を置き去りにしているのだ、という話はいろいろあっても、グーグルのサーバーファームは重工業で昔から見られてきたのと同じ規模の経済を示しており、最大の工場が最も効率性が高い。グーグル社は自社がどのくらいのサーバーを運用しているのか、正確な数は教えてくれない。でも2017年までに同社は、ダレスにあったようなメガデータセンターを15か所ももっている。これは無数のもっと小さい設備は含んでいない。過去の推計では、２０１３年初頭でサーバーの数は２４０万台とされている[★17]。

　こうしたデータセンターで走っているのは、グーグルのエンジニアたちが書いた、めまいがするほど複雑なソフトウェアのスタックだ。このインフラで早い時期に重要な一部となったのはグーグルファイルシステムだ。これでグーグルは巨大なデータの「かたまり」を、複数のサーバー上でシームレスに動かせるにようにする[★18]。グーグルは独自の保存・通信フォーマットをつくり、共通のリソースを遅延なしに共有する新しいツールを開発した[★19]。グーグルのBigTableとMapReduceは、何千ものちがうマシン上に分散したデータセットを、それぞれ別々に保存し処理できるようにする[★20]。

　グーグルのインフラが成熟するにつれて、そのソフトウェアアーキテクチャはますます巨大で高速になった。グーグルのCaffeineとPercolatorはインデックスツールで、インクリメンタルな処理と更新を可能にする。新しいウェブページは、いまやクローリング〔ロボット型検索エンジンによるウェブページ巡回〕がすんだとたんにインデックスに現れ、これによりグーグルのデータベースの文書の平均年齢は半分になった[★21]。「Colossus」というコードネームの改良版グーグルファイルシステムは、Gmailやユーチューブといった「リアルタイム」のアプリで応答性を高めるように手直しされている。グーグルは、SpannerとＦ１という世界規模の分散データベースシステムさえ構築して、各地のデータセンターの運用が原子時計に基づいて同期されるようにしている[★22]。グーグルのクラスター管理システムBorgの最新版は、「それぞれ何万台ものマシンで構成される多数のクラスターにまたがる、何千ものちがったアプリケーションからの何十万ものジョブ」を調整する[★23]。

最近では、グーグルのデータセンターはほかの面でも能力を拡大している。グーグルはますます画像認識、音声認識、自然言語処理などの問題に注力するようになって、深層学習（ディープラーニング）を導入するようになった。これはニューラルネットワーク手法の変種だ。グーグルの深層学習への投資は巨額で多面的であり、大規模な企業買収や高レベルプログラミングツールキットTensorflow開発などを含む［★24］。だが決定的なコンポーネントは、機械学習専用のカスタムコンピュータチップの開発だ。グーグルのテンソル処理ユニット（TPU）は、画像処理や機械翻訳などのタスクで、ワットあたり最大80倍の処理能力を提供する。これはグーグルが競合他社に対してもつさらなる優位性となる［★25］。

もちろんこうしたデータセンターへの投資は、外部世界にそれを結びつけるための同じくらい巨額の投資がなければ何の意味もない。グーグルのデータセンターは、毎秒テラバイト級の帯域幅をもつ、特製の高基数スイッチで接続されている。グーグルは自社サーバーとそれ以外のウェブを結ぶトラフィックの加速のために、ダークファイバー〔埋設され未使用状態にある光ファイバー〕を大量に買っている。既製の設備に飽き足らず、グーグルはルータを自前でつくり、ときには独自の海底光ファイバーケーブルまで敷設した［★26］。どちらの動きも、フェイスブックのような競合他社に追随されている。

グーグルはまた、ピア化能力も大幅に拡大している。ピア化とは、インターネットのトラフィックを複数のコンピュータネットワークで共有することであり、これには物理的な光ファイバー接続が必要だ。グーグルがPeeringDB.comに投稿した情報によると、同社は2013年6月現在で、公開ピア化ロケーション141か所、プライベートロケーション79か所をもっていた。グーグルが公に認めている帯域幅は、この公開ピア化ロケーションだけで毎秒3・178テラビット（317万8000メガビット）だ。比較のために言うと、この数字はアメリカとヨーロッパを結ぶあらゆる光ファイバーケーブルの帯域幅総計に等しい［★27］。

最大級のウェブ企業が行う同時並行した投資は、インターネットのアーキテクチャを根本的に変えた。ある報告書によると、それが決定的に変わったのは2008年から2009年のどこかだったという［★28］。2007年には、ウェブページの要求は通常、消費者の地元ISPネットワーク（たとえば地元のケーブルテレビ経由ブロードバンドプロバイダ）から、地域ネットワークを通り、MCIやAT&Tなどが運用する全国インターネットバックボーンを通り、そして地域レイヤーや地元レイヤーを通って、コンテンツをホスティングしているサーバーにたどりつく。いったん目標のサーバーが要求を受け取ると、このプロセスは逆転し、データパケットが地域ネットワークからバックボーンへと上がり、そして最初のユーザーのところまで下りてゆく。このモデルは、インターネット当初の冷戦時代の設計からほぼ変わらなかった。

それが2009年になり、大規模ウェブサイトの大規模投資がオンライン稼働すると、トラフィックのパターンも変わった。最大のコンテンツ提供者が光ファイバーを地元ISPネットワークに直結したり、ISPのデータセンターに近接してサーバーを置いたりしていたので、全国バックボーンを通るデータの割合は減った。パケットのホップ数も減り、利用者はウェブページや動画の読み込みが速くなったのに気がついた（少なくとも大規模サイトを訪問するときには）。トラフィックをこのようにエッジにシフトさせるのは、オンライン動画やインタラクティブなウェブアプリといった、高帯域で遅延の許容度が低い用途にはきわめて重要だ。だがこれはまた、インターネットがいまだにピア・ツー・ピアのネットワークだという発想を疑問視するものでもある。グーグルは自社の光ファイバーをコムキャスト〔アメリカの巨大ケーブルテレビ、ISP企業〕のネットワークに直結させているが、小規模サイトにそんなことはできない。

グーグルのハードウェア、ネットワークインフラ、ソフトウェアスタックはすべて、巨大インターネット企業がスケールアップするにつれて効率的になることを示している。グーグルやフェイスブックやマイクロソフトやアマゾンは、保存容量も計算力も帯域幅も、小規模企業に比べて安く導入できる。コンピュータ1台あたりの費用で見ても、こうした巨大データセンターの稼働単価はずっと低い。

巨大データセンターは昔から、小規模データセンターより効率性が高かった。だが2012年業界調査によると、大規模データセンターですら、平均的な電力利用効率（PUE）は1・8－1・89だ——つまりサーバー自体の運用に使われる1ワットごとに、冷却とデータセンター自体の稼働で5分の4ワットが使われるということだ〔★29〕。グーグルは、2013年半ばでPUE1・1だと報告している。フェイスブックは、似たような原理に基づいて少し新しいサーバーを使っているので、PUE1・08だと述べる。

つまり最大級のサイトは、伝統的な大規模データセンターに比べてすら、オーバーヘッドの電力費用がおおむね8分の1から10分の1ということだ。最大の運用経費が電力である商売だから、この差はすさまじい規模の経済を生み出す。グーグルの機械学習投資（これについては第3章で詳述）ですらこれに貢献している。グーグルのディープマインド手法を適用することで、データセンターの冷却費用は40％下がったとのことだ［★30］。
それでも重要な問題は、こうしたインフラの経済性が、粘着性での優位性につながるのかというものだ——つまり、観衆を集めて維持するのに有効だろうか？　答えはイエスだ。それを裏づける大量の証拠がある。

多くのグーグルの他の優位性は、その計算力とネットワーク規模の優位性と密接に結びついている。コンテンツのパーソナル化とターゲット広告のどちらにとっても、極度に低い計算費用や保存費用は不可欠だ（これについては次章で見る）。グーグルなどの大企業が提供する付加容量は、ときには消費者への直接的な売り込み材料となってきた。グーグルが2004年にGmailを立ち上げたとき、他のウェブメールが4メガバイトの容量しかくれなかったのに対して、1ギガバイトの容量をくれた。グーグルが250倍もの容量を提供できたのは、それだけのハードとソフトへの投資があったからだ。2004年にGmailに切り替えた人々の多くは、いまだに1日何十回もグーグルを訪れて受信箱をチェックしている。

グーグルの計算規模の優位性はまた、かなりの柔軟性をもつことも示された。ウェブスケールのデータセンターは、初期投資費用として莫大ながら、様々なタスクをこなすように適応させられる。さらにグーグルは、中核的なウェブスケール技術と利用者に提供する多くのアプリケーションとの統合により、すさまじい恩恵を受けてきた。グーグルのエンジニア、ショーン・クィンランは次のように説明する。

すさまじく役に立ったのは、グーグルがファイルシステムだけでなく、そのてっぺん上で稼働するアプリケーションもすべて開発したということです。新しいユースケースに対応するためにGFSは絶えず改良を重ねてきましたが、アプリケーションのほうも、GFSの強みや弱みを考慮しつつ開発されたんです。[★31]

統合の経済は、古典的な規模の経済なのだ。

そしてもちろん、グーグルのアーキテクチャは壮絶に高速だ。この事実だけでも、サイトの粘着性は高まる。

本書のはじめに示したとおり、サイトの応答性のわずかな差でも、トラフィックの大きな差を生み出す。マリッサ・メイヤーの言うように「速度こそが最も重要な機能」なのだ[★32]。グーグルのインフラはあらゆる部分がこの「速度の福音」に基づいて設計されている。グーグルのシニア副社長ウルス・ヘルツルが説明するように「『速いほうが遅いよりもよい』というのは早い時期からグーグルのお題目で、いまやその重要性が空前の高まりを見せている」[★33]。たとえばヘルツルは、動画の読み込みに手間どっただけで、5人中4人の利用者はクリックしてそこを離れるという。

他のウェブサイトからのデータもほぼ同じ結果を示している。検索エンジンBingでの実験によれば、2秒の遅延を入れるだけでページビューは即座に1.9%下がり、売上は4.3%下がる。マイクロソフトは、顧客を永続的に失うのを恐れ、即座にこの実験を止めた[★34]。AOLもまた、読み込みが高速な利用者は閲覧するウェブページの数も多いと報告している。最高速の応答時間をもつ人々は、平均で7.5か所のウェブページを見るが、読み込み時間が遅い人々は5か所しか見ない[★35]。

この現実に対応して、あらゆるグーグルサービスは厳しい遅延基準に合格しなくてはならない。グーグルのエンジニアリング事務所の多くには、巨大画面に「パフォーマンスダッシュボード」が表示されており、各種のグーグルサービスの遅延数字が絶えず更新されて表示されている。ヘルツルが述べるように、「この速度の福音を支持すべく単純なルールを一つだけ持っています。すごい新機能を発明しても、それが検索を遅延させるなら、そいつは捨てるか、直すか、遅延を相殺してあまるだけの別の変化を考案しろ、というものです」[★36]。

グーグルは、独自のウェブブラウザさえつくった。Chromeはすでに市場シェアでFirefoxやマイクロソフトEdge（かつてのInternetExplorer）を超えた。その動機の一部は、ターゲット広告やコンテンツのためにもっと利用者情報を集めることだ。でもグーグルの公式声明によると、Chrome構築の唯一最大の理由は、またもや速度だ——特に複雑でインタラクティブなウェブサイトの速度だ。ほとんどのサイトは、自社サイトを高速化するために新ウェブブラウザをつくったり、それを世界で最も利用者の多いブラウザにしたりはできない。

グーグルはあまりに熱心に速度を重視しているため、いまや検索結果に登場するほかのサイトを、その読み込み速度に基づいてランキングしている[★37]。グーグルから見ると、これは完全に筋が通っている。速度はまちがいなく、利用者がそのウェブサイトを気に入るかどうかを決める大きな要因だ。グーグルは人々にできるだけウェブを使ってほしいと考える。利用者を遅いサイトに送ると、彼らは手を止めてほかのことを始める可能性が高まる。だが小規模企業にとって、サイトが遅いというというだけでも不利なのに、グーグルが与える速度的なペナルティで、それがさらに悪化する。速度によりサイトをランキングすると、小規模サイトに対する大規模サイトの優位性はさらに高まるのだ。

デザインの優位性

2009年3月、グーグルの主任デザイナーであるダグラス・ボウマンは同社を離れてツイッターに移った。あるブログへの投稿で、ボウマンは自分の退職理由について、自分の古典的なデザイン教育とグーグルの盲目的なデータ文化とが衝突したせいだと述べた。

そう、噂にたがわず、グーグルのチームは2種類の青のどっちがいいか決められなかったので、その二つの青の間で41種類の色合いを試験してどれがよい成績になるかを試験した。最近では、ある縁の太さが3ピクセルか4ピクセルか5ピクセルかについて論争があり、私は自分の主張を証明しろと言われた。そんな環境ではとても働けない。[★38]

ボウマンによれば、グーグルのデータや指標へのこだわりは、要するにデザイナーたちがつまらない問題にばかりこだわることになる、という。だがボウマンはまた、グーグルのアプローチがすさまじく成功してきたことも認める。じつは、グーグルのアプローチはずっと大きな業界変化の一部なのだ。オンラインの対照実験の普及は、新しいデザインモデルをつくり出した。そして小規模サイトもオンライン実験はできる（そしてやっている）が、このモデルは最大級の企業に、大幅な規模の経済をもたらす。

ウェブデザインは、他の研究開発費と同じく、大規模な規模の経済をもたらすのが通例だ。20年にわたる研究で、ウェブサイトの設計がトラフィックとサイトの売上に大きく影響することが示されている[★39]。いったんデザインがすんだら、利用者に美しく使いやすいサイトを提供するのも、醜い混乱したサイトを提供するのも、費用は変わらない。経済学的には、デザインはソフトウェアにコード化されているので、ソフトウェアのように振る舞う。よいデザインはつくり出すのはむずかしいが、基本的に複製するのは無料だ。

でもグーグルの例は、オンラインデザインプロセスの重要な差も示している。特に最大級の企業と、それ以外の企業とはデザインプロセスがちがうのだ。物理的な製品なら、設計は生産プロセスの最初で起こる。当初の設計作業が終わり、小規模な試験がすんだら、組立ラインが稼働し、消費者は完成した最終品を提示される。同様に、新聞や雑誌といったメディアでは、記事は変わっても、全体としてのレイアウトはおおむね同じだ。

最大級のウェブ企業の多くは、いまや大規模なオンライン実験を不可欠なデザイン試験ツールとして使っている。この技法を使う企業としては、アマゾン、イーベイ、エッツィ、フェイスブック、グーグル、グルーポン、インテュイット、リンクドイン、マイクロソフト、ネットフリックス、ショップダイレクト、スタンブルアポン、ヤフー、ジンガなどがある[★40]。こうした企業でのデザインプロセスは、いまや継続的で、動的で、インクリメンタルだ。グーグルやマイクロソフトのような大企業は、何百というオンライン実験を並行して動かし続けている。

この試験インフラは、デザインプロセスを丸ごとつくりかえている。巨大デジタル企業にとって、デザインというのは単に、強い美的センスとユーザビリティ原理の理解をもった有能なデザイナーを雇い、（上で見たように）辞めないようにするというだけのものではない。ウェブサイトとアプリ設計は、ますますあらゆる側面を最適化するための、包括的な試験インフラをつくり上げるという話になっている。グーグルの研究者たちが報告するように、「利用者体験（ユーザーエクスペリエンス）に潜在的に影響しそうな変化はほぼすべて評価している」［★41］。デザインはいまや、（人々の行動を）追跡、保存、解析する問題となる。巨大デジタル企業は、巨大インフラとエンジニアリング技能を活用し、巨大ユーザーベースも使って、競合他社よりよいサイトを構築できる。マイクロソフトのオンライン実験チームが強調するように、「これを安く効率的にやるインフラの構築こそが本当の課題です」［★42］。

だから大規模サイトの試験インフラが、大規模サイトのほかのハードやソフトウェアプラットフォームと並行して成長してきたのも当然だろう。たとえばグーグルファイルシステムは、インデックス作成とクローリングのためだけに活用される予定だったが、同社の研究品質チームがすぐに、このシステムを巨大なデータセットの保存に使おうと言いだした［★43］。そしてグーグルのプラットフォームが拡大するにつれて、インハウス研究者と試験担当者のための新しいツール開発にも集中し始めた。今日では、グーグルのSawzallプログラミング言語や、データベースツールのTenzigとDremelは、莫大なログデータの解析手段を提供してくれる［★44］。

どんなデザインを出発点とするにしても、この試験インフラがあれば各デザイン要素は試験により大幅に改変され、トラフィックを増やしそうな細かい変化はほとんど残らなくなる。だがこのデザインアプローチには、重要な制約がある。局所的最大化問題だ——サイトが現行デザインに対して無数の小さな変化を試験しても——あらゆる色合いの青を試し、サイトのロゴと続くテキストとの間のピクセル数を厳密に試しても——利用者はまったくちがったデザインのほうがお好みかもしれない。

それでも研究によると、ウェブサイトの使いやすさはほぼ「一次問題」だ[★45]。デザインに含まれる要素はしばしば、簡単に分離できる。よいウェブサイトづくりは、A／B比較試験で見つけにくいような、デザイン要素間の複雑な相互作用に左右されないことが多い。

当のグーグルは、遅ればせながらハイブリッドアプローチを採用したようだ。2011年にCEOとなったラリー・ペイジの最初の活動の一つは、「プロジェクトケネディ」の開始だった。これはグーグルの各種プロジェクトを統合して美的にしようという全社的な活動だった。2013年にグーグルは、ウェブサイトのための新しい「デザイン言語」を発表した。グーグルのデザイナーであるマタイアス・デュアルテの説明によると、この新たなデザインの見直しは、大量の「チマチマした小手先変化」の束ではなく、もっと総合的なビジョンを提供しようとするものだ[★46]。この活動の成果として、グーグルの「マテリアルデザイン」言語発表が行われた。これはAndroid、ChromeOS、ウェブの利用者体験を、もっと単純で一貫した洗練されたものにしてくれる[★47]。

それでも、このプロセスはグーグルの試験重視を否定するものではなく、それを洗練するものだ。いまでもあらゆるデザインは、広範な導入に先立って徹底して試験される。よく引用されるグーグルのお題目は「利用者に注目すれば、それ以外のものは自然と続く」という。これは利用者体験のあらゆる部分を計測して試験するという話だ。その圧倒的なデータ重視アプローチは、もっと伝統的なデザイン手法よりは目新しいけれど、どちらのアプローチも、大規模サイトを競合他社より有利にする。小規模サイトは、こんな試験アーキテクチャを構築するだけのハードウェアも人員ももっていないし、小さな影響を検出するだけの統計的な能力ももっていない。

ウェブサイトへの小さな変化は、収益に大きな影響を与えかねない。Bingの実験システムは、マイクロソフトの収益を何億ドルも増やしたとされるが、同じく重要なこととして、損害をもたらす変化を実配備に先立って見つけることで、大きな損失を防いだのだ。「このシステムはまた、主要なステークホルダーが大いに騒いだにもかかわらず、実際には負の影響をもたらすような特徴を見つけ出した」[★48]。いまやマイクロソフトのオンライン実験チーム主任ロン・コハヴィは、Amazon.com時代のそうした一例を挙げている。

アマゾンの注文パイプラインチームは、新しいアプリケーションサーバーGrupaに基づく新バージョンを導入したがったんです。私は絶対A／B試験をやれと固執しました。すると売上が2％下がったので、却下されました。チームは2週間にわたり抵抗して、「バグ」を見つけて、さあこれで出荷しましょうという。ダメだよ、もう1回A／B試験をやれと回答しました。チームがやってみると、またも不合格です。新パイプラインが出荷されたのは、5回の改変を経たあとでした。失敗するのは新しいアイデアだけではありません。既存のものの再実装も、当初思ったほどよくないこともあるのです。[★49]

確立したウェブ企業にとっては、製品の新バージョンを導入してそれが失敗するというのは、最大級のビジネスリスクだ。堅牢な試験インフラは、こうした欠陥を軽減するのに役立つ。同時に、新興の競合他社のチャンスも制約される。

試験インフラはまた、企業の戦略的投資も形成する。これまで見たとおり、グーグル社のサーバーファームやネットワークハードウェアの指数関数的な支出増加は、同社にとって当初は大決断だった。この何十億ドルものリスクは、それがトラフィック増と売上増となって報われるという大量の証拠なしには実施されなかっただろう。

広告とブランディング

1896年に、アドルフ・サイモン・オックス率いる投資家集団が『ニューヨーク・タイムズ』を25万ドルで買収した。買収される前の『タイムズ』は破産寸前だった。1850年代初頭に創刊した同紙は、もっとセンセーショナリズムに走る『ワールド』『ジャーナル』といった競合紙よりも冷静で知的な報道を行っていた。1893年の金融パニックはあらゆる新聞に打撃を与えたが、金融広告市場で圧倒的に優位にいた『タイムズ』の打撃は特にひどかった。どん底期に同紙の毎日の発行部数はたった9000部だった。

では、オックスら投資家たちが実際に購入したのは何だったのか？　たいしたものはない。印刷機は古くオンボロで、たいした価値はなかった。植字機は借り物だ。同紙は、かつては所有していた建物を売って、そこを賃借していたほどだ。オックスが買収した頃には、「同紙の名前とのれん代以外はほぼ何もなかった」［★50］。

メディア配信の物理インフラは、それが印刷機に基づくものだろうとサーバーファームに基づくものだろうと重要だ。それでも、メディア組織の主要資産は昔から、いわばバーチャルだったということは忘れてはいけない。一世紀後、『ニューヨーク・タイムズ』社説は「報道《プレス》の自由は報道機関を所有する者が保有している」という古いアフォリズムをインターネットが覆した、と述べた。でも『タイムズ』自身の歴史が示すとおり、物理的な印刷機《プレス》は読者に到達しそれを広げる能力のうち、ごく一部でしかなかった。

『タイムズ』の物語は、デジタル時代にも意味をもつメディアの二つの特徴を捉えている。まず同紙は、19世紀末ですら、競合他紙よりも「真面目」な新聞としての価値をもっていた。『ニューヨーク・タイムズ』というブランドは、読者に特定の特徴をいくつか伝えるものとなっていた。二つ目として、『タイムズ』は広告市場としての価値をもっていた。メディア企業は、他のブランドが確立して価値を維持させるためのツールとなる。第3章と第4章で、大規模サイトのほうが、類似の小規模サイトよりも利用者1人あたりの広告収入が多いことを検討する。ここでは、最初の問題に専念しよう。大規模サイトのほうが、オンラインのブランドを構築維持しやすいという点だ。

短期的には、ブランド名は追加費用ほとんどなしで使えるものだ。安物のハンドバッグにロゴをつけたり、書き殴りのプレスリリースの冒頭に「ウォールストリート・ジャーナル」とつけたりするだけで、即座に見かけの価値は上がるだろう。だがルイ・ヴィトンが醜いビニール製ハンドバッグを5ドルで売り出したら、ブランド価値はすぐに台無しになる。企業はブランドの構築と保護に大金を使う。多くの企業にとって、ブランドこそが唯一最大の価値ある資産だ。

メディアは特にブランド構築と親密な関係を持っている。というのもほとんどのメディア製品は経験財だからだ[★51]。消費者たちにとって、あるメディア製品、たとえばニュース記事やロックのアルバムをどのくらい気に入るかは、まずそれを消費しないことには判断がつかない。今日の消費者たちがオンラインのニューヨーク・タイムズやハフィントン・ポストやレディットに向かうのは、前回訪れたときにそのサイトのコンテンツが興味深くおもしろかったからだ。経験財は強い惰性を生み出すことが多い。消費者はそこで、強いブランド忠誠心をもつようになる[★52]。事前に品質を判断するのがむずかしいとき――つまり探索費用が高いとき――消費者は以前の消費パターンに固執しがちだ。

ブランド維持の主要費用は二つある。一貫性ある品質(定義はどうあれ)を維持する費用、そして広告費用だ。だが経済学的には、その品質の差が本当だろうと思いこみだろうと関係ない。経済学者カール・シャピロとハル・ヴァリアンが書いたとおりだ。「消費者の思いこみはきわめて重要だ。高い評判や広告で生じたブランドプレミアムは、本当に優れた品質に基づく同じ金額のプレミアムと同じだけの価値をもつ」[★53]。

多くのビジネス研究者たちは、こうしたサイトの品質についての思いこみを動かすのは何かを検討した。その結果は――前節の結果と整合して――ダウンロード速度やナビゲーションのしやすさといったサイトの技術的な性質が、サイトの視覚的な魅力と同様に、品質の認知と強く関係していることを示している［★54］。こうしたサイトの性能と外見の傾向は、すでに見たように、急激な規模の経済を生み出す。

さらにサイトの品質と関連づけられている、技術以外の多くの性質もまた、大規模サイト有利となっている。オンライン広告の規模の経済はまた、閾値効果からも生じる。大企業は、広告が最も有効となるティッピングポイント〔ブレイクするポイント〕に到達しやすいのだ。たとえば、標準的な広告ドクトリンによると広告が最も効果的であるのはそれが何度も目に入るときだという。この反復は、馴染みのないブランドでは特に重要だ［★55］。次章で見るように、この力学はオンラインでも強力だ。リターゲティング――これは見込み客をウェブ上で追いかけ回して同じ製品の広告を何度も何度も見せる手口だ――は1回だけ広告を見せるより成功しやすい［★56］。大規模広告キャンペーンが必要だと、中小企業は不利になる。

すると理屈のうえでは、オンラインのトラフィック集中においてブランド構築が強い影響をもつと考えるべき理由が大いにある。広告効果がどれほど強力かというもっと直接的な証拠は、二つの重要な領域で見つかる。検索エンジン市場とオンラインニュース市場だ。

検索エンジン市場は実質的に二頭独占市場だ。グーグルと、マイクロソフトのBingがいまや全市場を分割していて、グーグルがBingの2倍のシェアをもつ（これはBingがヤフー！にライセンスしている検索も含む）。ヤフー！はグーグルと競合する検索事業を構築するため、何十億ドルも研究、ハードウェア、買収にかけていた［★57］。だが2009年にヤフー！は匙を投げ、マイクロソフトと10年契約を結んで、Bingを使わせてもらい、かわりにヤフーの検索収入88％を提供することにした。Bing検索エンジン（旧MSNサーチ）はアナリストたちに「ブラックホール」と呼ばれてきた。2006年から2013年にかけて、マイクロソフトはオンライン部門で124億ドルを失った。その中核にあるのがBingだ［★58］。

初期のすさまじい損失にもかかわらず、マイクロソフトは10年前のグーグルよりはるかに優秀な検索エンジンを構築したが、もちろんグーグルのほうも足踏みしていたわけではない。Bingの検索結果は長年にわたり、グーグルの検索結果ときわめて似たものになっていた。これは人気の高い検索では特に顕著だ。そしてBingが改善すると、両者の重なり具合も強まった。

どうしてヤフー！とBingは、品質を劇的に改善し、結果も似たり寄ったりだったのに、グーグルの市場シェアを奪えなかったのだろうか？　大きな理由の一つは、グーグルのブランド力だ。ウェブ利用研究で得られる驚くべき結果として、利用者はグーグルを心底気に入っているのだ。オンラインの信頼度調査で、ハルギッタイ、フラートン、メンシェン＝トレヴィーノ＆トマスは、多くの調査対象者がとても感情あふれる言葉を使い、研究者たちに「グーグル大好き」「最高の検索エンジン」と告げているのを発見した［★59］。ジャンセン、ザン、マティラもまた、グーグルに対する「肯定的な感情の奥深さは驚異的」であり、同社への好意を表明するのに「愛」という言葉を使った人もいたという［★60］。

実験研究でも同じくらい強力な結果が出てくる。ジャンセン、ザン、シュルツの研究は、同じ検索結果でもグーグルの結果だと言われると、利用者はそちらを強く好むと示している［★61］。パンたちは、視線トラッキング装置を使い、利用者がトップの検索結果数個にしか注目しないのを示した［★62］。これは、研究者たちがグーグルの本当のランキングをひっくり返し、いちばん下の結果をてっぺんに持ってきた場合でも同じだった。彼らはこれが、グーグルのブランドに利用者が信頼を積み上げているからだとしている。

マイクロソフトはじつは、この手のA／B試験をもとに大規模な広告活動を行っている。マイクロソフトの「Bing It On!」は、昔からのペプシチャレンジ〔コカコーラとペプシコーラのどっちがいいか飲み比べてもらう比較広告〕と同様、利用者にBingとグーグルの検索結果を、ロゴを隠して比べてくれと言う。マイクロソフトは、ほとんどの利用者がグーグルよりBingを好むと、自分たちが出資した調査に基づいて主張している[★63]。外部研究はマイクロソフトの結果を支持していない。盲検試験をもとにしたアタウラとランクの研究[★64]およびエアーズらの研究[★65]は、利用者がブランドなしで比べた場合でも、相変わらずグーグルの結果のほうがちょっとBingより好まれることを発見している。これは特に、マイクロソフトが手前味噌で省いた、もっと一般性の低い検索結果では顕著だった[★66]。もっとも、二つの検索エンジンは結果があまりに似通っているため、多少の検索で得られるグーグルの優位性はとても慎ましいものでしかない。アタウラとランクは最終的に「グーグルは盲検検索ではBingより優れているかもしれないが、グーグル利用者の検索選好においてはグーグルブランドへの信頼のほうがずっと重要な要因である」と結論している[★67]。

グーグルの例は、初期の技術的な優位性をもとに構築されたブランドが、競合他社との品質差が激減したあとでも永続することを示している。オンライン世界でも、車やソフトドリンクやファッションブランドと同様に、ブランド構築は持続性をもつ。

検索エンジンに見られる強いブランド効果は、オンラインニュース市場も強く形成する。最近の研究の多くは、ニュースでの自己選択的な党派性が強まる様子を調べている。その過程で、こうした研究は多くのオンラインニュース消費者たちが、堅牢な——熱狂的とすら言える——ブランド選好をもつことを示している。

国の代表的なオンライン標本を使った調査実験で、シャント・イェンガーとキュー・ハーンは、リアルタイムのニュース見出しを選び、それをランダムにフォックスニュース、CNN、NPR〔米公共ラジオ局〕、BBCのものだと表示させた[★68]。共和党支持者や保守派は他のあらゆるニュース機関よりもフォックスニュースを強く選好し、CNNとNPRは嫌った。リベラル派は正反対だ。フォックスに対する強い嫌悪を示し、同じくらいCNNとNPRには熱狂した。こうしたブランド選好は、時事ニュースだけでなく、スポーツや旅行といったソフトなニュースでも発揮された。

同じくらい重要な点として、被験者たちは対照群よりも主要ニュース機関のものとされるニュースをずっと熱心に読みたがった。対照群は、同じ見出しを見せられたが、その出所は書かれていなかったのだ。確立したブランド名がニュースへのトラフィックをもたらす一方、被験者たちはブランドなしの匿名ニュース記事はおおむね無視した。

ナタリー・ストラウドも著書『ニッチニュース』で似たような結果を得ている[★69]。グーグルニュースの改変版を使い、ストラウドは見出しをランダムにフォックスニュースかCNNに割り振った。ニュースの中身もある程度は影響したが、それでも党派的なブランド選好があった。強い持続的なブランド効果を見れば、オンライントラフィックの集中が続くと考えるべき理由はさらに増える。

利用者の学習

ここまでの節では、広告が製品に対する馴染みをつくり出し、消費者にそのブランドを（できれば肯定的な）属性と結びつけるよう教えることを見てきた。このすべては、消費者のある種の学習を必要とする。

だがウェブサイトは、ずっと深いかたちでの利用者学習からも恩恵を受ける。利用者が好むウェブサイトは、単に名前を知っているだけではだめだ。使い方を知っているウェブサイトを好むのだ。多くの市場でブランド固有の技能《スキル》は強力だが、ウェブは特にブランド固有の消費者学習に大きな役割を与えている。

利用者学習の重要性についての証拠は、多くの分野での研究で見られる。これは通称「デジタルデバイド」をめぐる古くからの研究も含む。初期のデジタルデバイド研究は、アクセス格差に注目していたが、最近の研究はウェブ利用者の技能の大きな隔たりに注目しており、しかもこれが驚くほど持続性をもつことを指摘している。この分野では、社会学者兼コミュニケーション学者エステル・ハルギッタイとその共同研究者たちの業績が特に重要だ。彼らによると、ウェブがこれほど広く普及しても、多くの一般的な作業《タスク》はほとんどの利用者にはむずかしいのだ［★70］。若い利用者だとデジタル技能にそれほど差は出ないと示唆した人もいたけれど、データを見るとそうした主張は成り立たない。ハルギッタイは、こうした通称「デジタルネイティブ」たちですら多くは、基本的なオンライン作業に苦労していることを示した〔★71〕。これに対応する重要な仕組みが「既知のものに頼る」というものだ〔★72〕。つまり利用者は、お馴染みの決まりきった手順や信頼されたブランド名にしがみつく、ということだ。

こうした発見は、利用者の技能がだんだん高まると、消費者の間に強いブランドロイヤルティが生じるという経済学の研究とも整合している〔★73〕。重要なこととして、これは競合製品の品質や当初の使いやすさがまったく同じだとしても起こる。経験豊かな利用者が熟練してくると、すでに投資した製品を使い続ける傾向が強い。したがって確立した顧客ベースをもつ企業は、市場シェアを維持しやすい。

ある特定ブランドだけに使える技能は、ソフトウェア市場ではことさら強力だと考えられている〔★74〕。ワープロのような比較的単純なソフトですら、学習曲線はかなり急だ。たとえばワードパーフェクトからマイクロソフト・ワードへの市場転換はきわめて遅かった。利用者の技能が製品間で移転できなかったからだ〔★75〕。確立した既存企業のいる分野での新興ソフト企業は、単にちょっとよい製品をちょっと安く提供するだけでは成功できない。新製品は、切り替え費用を克服できるくらい、劇的に改善されていなければならない――その切り替え費用のほとんどは、新ソフトの小売価格とはまったく関係ない。〔ソフトの〕学習と生産性の喪失と単なる苛立ちだけでも、ソフトウェア自体を購入する費用をはるかに上回るのが普通だ。

だがブランド固有の技能の影響が伝統的なソフトウェア市場でも有名だとすれば、いまやこうした影響がオンラインでも見られると考えるべきだ。ウェブはますます、メールソフトから画像編集からゲーム、表計算、ワープロまで再現するようになっている。Ajax［★76］やその関連技術の成長で、計算力の一部は遠くのサーバーから利用者のブラウザに移り、ウェブを使ったワープロが伝統的なものと同じくらいの応答性を持てるようにした［★77］。他の技術は逆方向に向かい、計算と保存をリモートのウェブサーバーに押しやった。クラウドで走るソフトと手元のデバイスで動くものとの差がなくなるにつれ利用者はお馴染みのソフトに縛りつけられたのと同じくらい、お馴染みのサイトに縛られるようになる。

だがウェブサイトの操作が新しいソフトの学習ほどややこしくない場合でも、ウェブが「認知的ロックイン」を生み出せることが研究でわかっている。ジョンソン、ベルマン、ローゼは、新しい雑貨屋に初めてでかけたときの例を挙げている［★78］。店舗の物理レイアウトを学習するには時間がかかる。ミルクやマンゴーやマヨネーズがどの棚にあるのか探さなくてはならない。何度か訪問すれば、その雑貨屋に馴染んでくるので、競合のほかの店に比べてそこがますます魅力的になってくる。ジョンソンらは、同じ力学がオンラインの買い物でも見られるという証拠を出した。利用者はわかりやすいサイトであまり時間を使わないが、再度の訪問は増え、購入も増える。

認知的ロックインの研究は、重要な謎の説明に役立つ。初期の経済学研究の一部は、ウェブは消費者の探索費用や切り替え費用を下げるので、利用者の特定アウトレットに対するロイヤルティを引き下げ、「摩擦なしの経済」すらつくり出すと主張した［★79］。だがこうした期待は、消費者は少なくともオフライン環境の場合と同程度に、オンラインでも決まったところにばかり行きたがることを示す研究により否定されてきた[★80]。その後の研究も、先に触れたハルギッタイらの研究と整合するように、習慣と定型作業の役割を強調している。カイル・マレイとジェラルド・ヘウブルは、ウェブが技能ベースの利用習慣なるものを生み出すと論じている[★81]。利用者がますます経験を積んで腕前を上げると、ブラウズ行動はますます自動化される。その利用パターンを変えるのもますますむずかしくなる。

経路依存とロックイン力学

2004年初頭、ある学生がつくったソーシャルネットワークサイトが、あるアイビーリーグ大学のキャンパスを席巻した。ものの1か月でそのキャンパスのほとんど全学生が写真やブログを投稿し各種アンケートに答え、音楽やイベントの予定を共有し、友人たちの活動にコメントをつけていた。ナップスターをつくったショーン・パーカーをはじめシリコンバレーのキラ星たちと話をしたあとで、このサイトはほかの多くのキャンパスにも拡大した。創業者は大学を退学して、フルタイムでこのサイトの作業に没頭した。やがてこの新興ソーシャルネットワークは何十万人もの利用者を擁するようになった。

これはフェイスブックの話ではない。コロンビア大学で始まった、初期のフェイスブック競合相手である「キャンパスネットワーク」の話だ。工学と計算機科学を学ぶアダム・ゴールドバーグの始めたこのキャンパスネットワーク（当初はCUコミュニティと呼ばれた）はフェイスブックより先にサイトを立ち上げた。機能や特徴面でもいろいろ先駆的だった。キャンパスネットワークには当初からブログやプロフィール横断的な議論も組み込まれていた。フェイスブックがこうした機能を導入したのはずっとあとになってからだ。ゴールドバーグによると、ショーン・パーカーはマーク・ザッカーバーグに、キャンパスネットワークを買収してゴールドバーグを雇えと促したそうだ。

ではなぜ最終的に勝ったのがフェイスブックで、キャンパスネットワークは2006年に廃業したのだろうか? ジャーナリストのクリストファー・ビームは、キャンパスネットワークの当初のリードを覆したと考えられる要因をいくつか示唆している[★82]。一つはお金だ。フェイスブックはすぐに財務的な後押しを求めたが、キャンパスネットワークは広告を断り、ベンチャー資本投資を探そうとしなかった。この初期資本のおかげでフェイスブックはずっと多くの開発者を雇い、すばやく新機能を追加して、急速に新市場へと拡大できた。

フェイスブックはまた、当初はシンプルで、利用者は名前とメールアドレスとパスワードだけで登録できた。そしてフェイスブックのほうが小ぎれいだった。キャンパスネットワークの事業と法務をやっていたウェイン・ティングは、自社のサイトが「ダンジョン&ドラゴンズの大好きな人物がデザインしたようだった」と語る[★83]。また、フェイスブックがハーバード大学起源だということは、キャンパスネットワークがコロンビア大学出身だという点に比べてオマケの利点をもたらした可能性もある。

最終的には、フェイスブックのほうが急速に拡大した。フェイスブックが利用者100万人となった頃、キャンパスネットワークはその4分の1の規模でしかなく、成長も遅かった。キャンパスネットワークは競争に負けたのだ。

フェイスブックとキャンパスネットワークの、この初期の競争からはまちがった結論を引き出しかねない。キャンパスネットワークがベンチャー資本を探していれば、もっと拡大路線を採用していれば、もっと使いやすいインターフェイスさえ提供していれば等々。それはそうかもしれない。

だがもっと深い教訓は、こうした利点はわずかなものでありほとんどが偶然だったということだ。フェイスブックは本当に少しだけ早い時期に少しだけ優秀で、さらにツキがあったために、市場全体を勝ちとった。ウェブは農業や林業や鉱山のような伝統的経済部門とはちがう。こうした産業では、企業は規模に対する大きな制約に直面する。オンラインのデジタル企業は、ソフト企業や電信会社と同様に、規模に対する自然の制約はほとんどない。いったん勝者が台頭し始めると、市場は柔軟性を大きく失う。初期の小さな出来事は、平均化されて消えるどころか、拡大されてしまう。

経済学者は通常、こうしたパターンをロックインと呼ぶ。ロックインが登場するのは、切り替え費用が大きくなって、あらゆる潜在的な利点を上回るようになるときだ。台頭するオンラインニッチの初期段階はきわめてダイナミックだが、かつてはオープンだったデジタルニッチは、次々にロックインされる。粘着性のちょっとした差が、複利計算式で積み上がり、急激に拡大するのだ。

ロックインは、ウェブが絶えず変わっているにもかかわらず起きるのではない。まさにそれがダイナミックに変わるからこそ生じる。ウェブトラフィックの進化的な、絶えず複合化する性質こそ、デジタルニッチがこれほど急速にロックインされる理由となる。

本章では、ウェブで見られる多くの強力で多様な収穫逓増の形を見てきた。いずれもロックインに貢献する。収穫逓増は、単なるネットワーク効果だけで生じるものではない——とはいえ、利用者どうしの直接のやりとりを可能にするサイトでは、それが特に重要となる。大規模サイトは高速で、計算力も保存容量も大きく、利用者1人あたりの運用費用も安い。確立したサイトはブランディングの恩恵を受け、そして(これから見るように)広告でも利用者1人あたりはるかにたくさんの課金ができる。大規模サイトは見た目も美しくて使いやすく、コンテンツも多様で品質が高い。そして利用者は習慣やサイト固有の技能を発達させると、ますます既知のサイトから離れなくなってしまう。

だがこうしたますます明確な事実にもかかわらず、インターネットはいまだに、摩擦なしの商業や完全競争が存在する魔法のようなおとぎの国として描かれている。いまだに『フォーブス』などの記事は「だれでもどこででも次のグーグルをつくれる——障壁などない」と見出しでがなりたてる。今日のデジタル巨人企業の重役たちはいまだに「クリック一つで競合他社にたどりつく」という常套句を繰り返し続ける。グーグルの会長エリック・シュミットは、同社が「どこかのガレージで、だれかがわれわれを標的にしている」のを心配すべきだ、という。「なぜならちょっと前には、自分たちがそのガレージにいたからだ」と[★84]。元FCC議長トム・ホイーラーは著書で、インターネットは嫌でも分散的な力となるのだ、と主張した——これはトランプ政権でのFCC議長アジット・パイが繰り返していることでもある(これについても後述)。

本質的にオープンで、果てしなく競争的なインターネットという発想が、いまだにアメリカ通信政策の背後にある中心的な前提となっている。そして大量の学術研究もこれを基盤としている。だがこうした主張はますます現実と相容れない。ほとんどのトラフィックが公共のバックボーンにまったく触れないインターネットは、もはやピア・ツー・ピアのネットワークではないし、（FCC議長ホイーラーが示唆したような）「活動をエッジに押しやる」ネットワークでもない［★85］。強い規模の経済が働く市場では、規制なしの競争は決して消費者に優しい結果をもたらさない。経済学は昔から、収穫逓増があると、産業はのちに非効率だとわかる技術を採用しかねないことを理解していた［★86］。消費者にとって、キャンパスネットワークが今日まで生き延びていたとして、フェイスブックのほうがそれよりよいサイトだという保証はないのだ。

オンラインでのロックインについての議論で、一つ触れなかったことがある。多くの市場では、切り替えの最大の障壁は、潜在的な代替物を見つけて評価するのが面倒だということだ。ほとんどの人は、自動車保険でいちいち相見積もりをとったりしない。消臭剤や歯磨き粉の新ブランドを試したりもしない。住宅ローンで本当に最低の金利を探す消費者も、貯蓄口座の最高の金利を常に探す消費者も、ほとんどいない。ほとんどの場合、企業も個人もそこそこよい製品やサービスで満足し、そのまま使い続けるのだ。

つまり探索費用もまたロックインを生み出せる。次章ではこの探索費用を採りあげよう。

第3章　パーソナル化の政治経済学

私たちにきわめて明らかになりつつあるのは、人々に完璧な音楽を流す世界と、その人たちに完璧な広告を見せる世界とは驚くほど似ているということだ。
——エリック・ビエシュケ、パンドラの主任科学者

1995年に著書『ビーイング・デジタル』で、ニコラス・ネグロポンテはあらゆる人が、自分の個人的趣味に完全にあわせた仮想新聞をもつ世界を描いた。ネグロポンテは、「あらゆる新聞やニュース報道を読み、世界のあらゆるテレビやラジオ放送を受信して、そこからパーソナル化されたまとめをつくる」ようなインテリジェントでコンピュータ化された「インターフェイス・エージェント」をつくろうと提案している。

それは一面トップのニュースと、知り合いや、明日会う人々や、これから出かける場所、戻ってきたばかりの場所についての「重要度の低い」記事とを混ぜる。知っている企業について報道する。こういう条件の下でなら、それが自分に情報の適切なサブセットを提供していると確信できるのであれば『ボストングローブ』紙に対して100ページの新聞より10ページの新聞のほう

にずっと大金を支払おうという気になるだろう。その隅々のかけら（ビット）まで消費するはずだ。これを「デイリー・ミー」と呼ぼう。［★1］

ネグロポンテの「デイリー・ミー（日刊じぶん）」のビジョンはきわめて強い影響力を持った。それは、これがまさにウェブがメディア風景を一変させ始めたときにやってきたせいもある。この概念は、主要なテクノロジー産業リーダーたちや、公共政策のトップ級政策担当者、さらに学者たちにも支持された［★2］。その後の学術研究の多くは、メディアの自己選択が機能的に「デイリー・ミー」と等価であり、それによりインターネットが党派的な「エコーチェンバー（残響室。特定の考え方などを増幅・強化する装置の意）」をもたらしかねないと懸念した［★3］。

近年では、フィルタリング技術の向上とソーシャルネットワークサイトの台頭で、ネグロポンテの当初のビジョンと驚くほど近いものが生み出された。アマゾンやイーベイのようなオンライン販売業者がこの技術に先鞭をつけた［★4］。他のデジタル巨人たちもあとを追っている。グーグルニュース、CNN、ヤフーニュースなどのニュースサイトもまた、学習アルゴリズムに大きく依存している。特にフェイスブックはハイパーパーソナル化を強調し、創業者兼CEOマーク・ザッカーバーグは、「ある人にとっては、遠いアフリカで死んでいる人よりも、自分の玄関先で死にかけているリスのほうが関心事として重要かもしれない」と述べる［★5］。iPadとその模倣版の普及で、こうしたパーソナル化されたコンテンツのすべてが薄い軽量の「魔法」タブレット装置に送られるというネグロポンテの発想は、部分的に実現している。

シヴァ・ヴァイダヤナタンの『万物のグーグル化』やジョー・トゥロウの『デイリー・ユー』は、パーソナル化コンテンツやユビキタスフィルタリングへのトレンドを、企業への権力集中の一部として懸念している。イーライ・パリサーのベストセラー『フィルターバブル』も似たような懸念を表明している。だがジャーナリズムとメディア研究の全体を見ると、バービー・ゼリザーが指摘するように、推薦システムに関しての研究は驚くほど少ない[★6]。アルゴリズムによるニュースフィルタリングが多少なりとも議論される場合でも、それは「インタラクティブ性」なる見出しのもとで、様々なサイト機能のごった煮と一緒くたにされるという役立たずな状態だった[★7]。ニール・サーマンとスティーブ・シファーズの研究は各種パーソナル化についての分類学を提供し、様々なニュースサイトで見せている実装の変化（ほとんど増える一方）についての年代記を書いている[★8]。だがサーマンとシファーズの研究ですら、推薦システムについてはほとんど触れていない。というのも伝統的なニュース機関がその採用に後れをとっていたからだ。本書の刊行時点で、やっと新しいジャーナリズムやコミュニケーションに関する研究が登場し、この積年のギャップを埋め始めた[★9]。それでも、残された作業は多い。

本章には二つの狙いがある。一つは、こうした推薦システムの背後にある原理について、既存のメディア研究よりも詳しい検討を行う。推薦システム研究は、過去10年で激変したが、この新しい知識をウェブトラフィックやオンラインニュース、ジャーナリズムの未来に関する研究に応用した例はほとんどない。この分野における推薦システム研究のほとんどは、仮定や妄想だらけの役立たずな切り貼りだ。凝った演繹的結論が、まちがった憶測から構築されてしまっている。

第二に、本章はこうした技術が各種のメディア機関を横断して見たときに相対的にどんな影響を与えたかを考える。これは既存研究が見すごしたか誤解してきたことだ。これまでの研究はこうした技術が、個別のウェブ利用者にどんな影響を与えるか、それを採用した個別のメディア企業にどんな影響を与えるかについて注目してきた。だがこうした変化がニュースやメディア組織の内部だけでなく、その企業どうしの競争に対してどんな影響を全体として与えるのかについては、ほとんど探究されていない。

本章は、ネットフリックスプライズを詳細に検討する——これは映画のことなど気にしない人々にとってすら、驚くべき教訓を与えてくれるコンテストだ。じつは、適切な映画を薦めるのは、ほかのほとんどどんなものでもそれを薦める場合と大差ない——利用者がどの歌を気に入るか、どの広告を好むか、どんな新しいニュースに興味を惹かれるかを予測するのと同じだ。

ネットフリックスプライズは、初の大規模公開参加型機械学習コンテストで、推薦システムの精度を大きく改善した。このコンテストはいまだに、推薦システムが機能する一般的な原理を見るための最高のレンズとなっている。

本章は続いて、コンテンツのターゲティングの一般原理が、もっと広い関心経済にどのように適用されるかを検討する。ケーススタディ二つが詳細に描かれる。アルゴリズム的ニュースの先駆であるグーグルニュースと、行動ターゲティング式の広告技術がどう機能しているかを大幅に明かしてくれたヤフー!だ。この二つをあわせると、推薦システムがメディアコンテンツ配信にますます大きな役割を果たすにつれて、だれが勝つか、だれが負けるかがずいぶんはっきりしてくる。

だがこうした技法はメディア組織だけのものではない。本章は最後に、ケンブリッジアナリティカのスキャンダルを検討する。これはフェイスブック史上で最大の広報大失敗だとすら言える。拙稿が最初に報じたとおり［★10］、ケンブリッジアナリティカはネットフリックスプライズで勝った手法と同じような手を使ってフェイスブックの利用者をモデル化した。ケンブリッジアナリティカの例は、デジタル巨人がもつデータを、いまや標準的になった機械学習技法と組み合わせると、市民をオンラインの政治メッセージとマッチングする重要なツールになることを示している。

だがもっと広い文脈を理解するために、本章はまずサーチ（検索）の経済についてのもっと一般的な話から始める。メディアのターゲティングとパーソナル化は、経済学におけるもっと根本的な問題の一部なのだ。その問題とは、売り手と買い手をどうやって効率的にマッチングさせるか、というものだ。

サーチ（検索／探索）の費用

1961年に経済学者ジョージ・スティグラー（後にノーベル賞受賞）は、単に「情報の経済学」と題した論文を発表した。スティグラーが注目したのは、売り手と買い手を結ぶのに必要とされる努力だった。潜在的な買い手は、できるだけ支払いを抑えたい。でも価格を比べるには時間がかかる。さらに探索（サーチ）を続けることで得られる節約は、探索を長く続ければ続けるほど小さくなる。車を探しているカップルは、自動車のディーラーを2軒か3軒チェックして節約する可能性のほうが、99軒や100軒チェックして節約する可能性よりずっと高い。スティグラーは、多様で地理的に広がった市場は探索費用が特に高いのだと論じた。

探索費用はどうやって下げればいいだろうか？　一つの答えは、市場を局所化することだ。これは何千年にもわたり、商人たちがバザールや町の広場や商店街に集まることで行われてきた。広告は、探索費用を引き下げるための少し最近の試みだ。特に売ります買います広告は、売り手と買い手が出会える仲介市場を提供する。

別の解決策は、スティグラーが説明したとおり、マーケットメーカーをつくり出すことだ。これは「専門特化したトレーダーで、その主要サービスは（……）暗黙に潜在的な売り手と買い手が出会う場所をつくることだ」［★11］。こうした企業はいろいろな形があり得るとスティグラーは示唆した。たとえば大規模な中古車ディーラーや業界雑誌、専門情報ブローカーなどだ。スティグラーはまた、マーケットメーキングの最大の企業はあらゆる競合他社を圧倒してしまうだろうと予想した。「というのも情報収集の費用はその利用からは（おおむね）独立しているからだ（……）情報の提供には独占への強い傾向がある」［★12］。

50年後にスティグラーを読むと、この論理がいかに正確にウェブの様々な部分に次々に当てはまってきたか、感銘を受ける。もし大規模で複雑な市場が常に、単一の支配的な情報企業やマーケットメーキングの独占企業を生み出す傾向を持っているとすれば、インターネット——史上最大で最も複雑な市場——はこうした結果を壮絶なまでに生み出すはずだ。

実際、そうなっている。オークションを考えよう。オークションハウスは、マーケットメーカーの見本ともいうべき存在だ。芸術オークションハウスのサザビーズとクリスティーズは市場を局所化し、まずはアートをジャンル、時代、地域ごとのサブグループに分け、そして定期的にオークションを実施する。オークションハウスは、価格の分散を防ぐ多くの仕組みをもっている――もっと普通に言うと、売り手も買い手もぼったくられないようにしているということだ。販売カタログにはかなりの研究が注ぎこまれ、それぞれの作品を説明して、その出所を確認する。保険と警備に巨額の投資を行う。クリスティーズとサザビーズの両者で、世界の高級アート販売の大半を実施している。この独占2社が合併しないのは、単に反トラスト法があるからというだけだ――そして合併がなくても、両者はこれまで共謀して価格操作を行い、これでサザビーズ重役トップ2人が実刑を受けている。

だから単一の企業――イーベイ――がオンラインオークション市場を独占するようになったのも、不思議でも何でもない。集中型のバーチャル市場を提供するだけでなく、イーベイは価格分散を減らし、品質を確保するための仕組みをもっている。似たようなアイテムの価格の履歴は簡単に見られるし、イーベイの評判システムや保険のおかげで、購入したアイテムは確実に約束どおりに届くよう保証されている。

だが独自のオンラインニッチを支配するのに成功した企業はほかにもいろいろあり、それを細かく見ると、やはりマーケットメーカーや専門情報ブローカーのように見える。本の市場は出版社にとっても読者にとっても巨大でややこしい。アマゾンは、本の買い手と出版社が出会うバーチャルな場所を提供するところから出発し、買い手に対しては、どんな本が気に入りそうかについて、ターゲット情報を提供した。ネットフリックスは、映画とテレビシリーズの市場で似たような役割を果たす（ネットフリックスについてはすぐに触れる）。

だがスティグラーの枠組みの最も強力な拡張は、モノの販売を超える。探索費用は、物理財や市場取引だけに当てはまるものではない。スティグラーが強調したように、探索費用として最も重要なのは、お金ではなく時間だ。これを考えると、グーグル自体がマーケットメーカーであり、情報を提供する人々と、情報の消費者とをマッチングさせているのだ。

でも伝統的なマーケットメーキングと、ウェブを占拠したアルゴリズム的マッチングとでは、決定的な差がある。一つの重要なちがいは、規模が大きいと推薦アルゴリズムはしばしば人間の専門家を超えるということだ。アマゾンの初期の従業員の中には、1ダースほどの書評家や編集者がいて、レビューを書いたり本を提案したりした。でもアマゾンが１９９０年代末に高度な推薦システムを開発すると、機械による選択のほうが、専門家の選択よりはるかに多くの売上を生み出していることがＡ／Ｂ試験で示された［★13］。人間の専門家を使い続けることで、年に何百万ドルも無駄な費用がかかっていたわけだ。

だが場合によっては、推薦システムの成功はいろいろと問題を引き起こす。こうしたシステムはずばりどういう仕組みなのか？　コンテンツ消費のパターンをどれほど変えるのか？　それを最も効果的に使えるのは、どんな企業やウェブサイトなのか？　ネットフリックスプライズの物語は、こうした質問すべてに洞察を与えてくれる。

ネットフリックスとコンテンツ推薦

２００６年10月、映画レンタルサービスのネットフリックスは、ネットフリックスプライズを開始した。これは動画推薦アルゴリズムを改善するための世界的なコンペだ。当時のネットフリックスは、購読者にDVDを郵便で貸していた。一般的なネットフリックス利用者は、見たい映画の短い一覧をもとに加入し、それを数か月かけて見終える。その加入者がとどまるかどうかは、新たに見るべき映画が見つけられるかどうかで決まるわけだ。

ネットフリックスは、インハウスの推薦エンジンであるシネマッチを破れる最初のチームに対して賞金100万ドルを用意した。もっと驚異的なこととして、ネットフリックスは実際のデータを公開した。コンテストが開始されると、だれでも匿名利用者48万189人による映画1万7770本についての星一つから五つまでのレーティング1億48万500件のデータをダウンロードできた。コンテストは結局2年半以上も続き、5000以上のチームが頑張って参加した。その過程で、デジタル企業が利用者の見るコンテンツをどうやってパーソナル化するかという通常は隠されている手法について、多くの点に光を当てたのだった。

コンテストの中心的な作業は、協働的フィルタリングの例だった。自動化された手法を使って、ほかの利用者の選好をもとに、ある利用者の趣味について洞察を得るというものだ。コンテストの重要な指標は二乗平均平方根誤差（RMSE）、つまりその推薦モデルが平均で、どのくらい真の値からはずれているかという指標だ。もしあるネットフリックスの加入者が『帝国の逆襲』に五つ星をつけ、元のシネマッチアルゴリズムでは星4・5という予想になっていたら、二乗平均平方根誤差は $\sqrt{(-.5\times-.5)}=.5$ となる（誤差を二乗し、その平方根を取るから、RMSEは常に正の数になる）。

このコンテストは、予測の誤差をできるだけ低くしたいと考えた。あらゆる利用者が、それぞれの映画に対してその映画の平均得点をつけると予想するとＲＭＳＥは１・０５４だ――平均して、星が一つ多すぎるか少なすぎるかした、ということだ。ネットフリックスのシネマッチだと、当初のＲＭＳＥは０・９５２５だった。星10分の1ほど改善されていたことになる。ネットフリックスは、シネマッチが比較的単純なアプローチをしていると説明した。「大量のデータ条件をつけた、ストレートな線形統計モデル」だという[★14]。コンテストで勝利するとしたら、ＲＭＳＥを０・８５７２以下に下げねばならない。これでもまだモデルは星5分の4ほどはずれているわけだが、シネマッチ単独で行ったものより2倍の改善になる。

コンテストは開始直後から急速な進歩を見せた。１週間で、何チームかはシネマッチと並んだ。３週間で、シネマッチは3％抜かれた。こうした取り組みから、シネマッチがじつはＫ近傍（ＫＮＮ）アルゴリズムだというのもわかった。たとえば、マリアが『タイタニック』につける星を予想したいなら、ＫＮＮアプローチはまず、次のような利用者を探す。（１）『タイタニック』を見た。（２）他の映画についてのマリアのレーティングに同意する――たとえば、『グラディエーター』は大嫌いだが『ビューティフル・マインド』には絶賛五つ星をつけたような人物を探すわけだ。この似通った加入者の「ご近所（近傍）」が見つかったら、マリアが『タイタニック』につける星は、そのご近所（近傍）の採点の加重平均になる。たとえばマリアと最も似た加入者がアレックス、ベッキー、クリスで、それぞれ『タイタニック』に星一つ、四つ、五つをつけていたとしたら、マリアがつける星の数として予測されるのは１＋４＋５／３＝3.33だ。コンテストの最初の数か月には、このＫＮＮアプローチがコンテストを席巻していた。

ネットフリックスプライズは、業界、学術界、そして一部の一般市民を含め、広範な参加者を集めていた。11月末になると、AT&T研究所のチームも競争に参加した。このチームの主要メンバーは、計算機科学者でネットワーク可視化を専門とするイェフダ・コーレンと、機械学習に特化した統計学者ロバート・ベルだ。ベルとコーレンは自分たちのチームをベルコアと名づけ、この2人は最終的に優勝チームの中核となる[★15]。

公開コンペの狙いの一つは、ほかのやり方では不可能なほどはるかに広範かつ多様なグループからの洞察を募り、集約することだった。ネットフリックスの期待どおり、最大の改善の一つが予想外の方向からやってきた。2006年12月初頭、順位表の第3位に、いきなりサイモン・ファンクの名前が登場したので参加者たちは驚いた。サイモン・ファンクは人工知能とパターン認識の研究をしている計算機科学者ブランダイン・ウェッブの変名なのだった。

多くのチームは自分の手法についてひた隠しにしたが、ファンクは自分のアプローチすべてをブログに投稿し詳細に説明した[★16]。ファンクは特異値分解（SVD）という因子分析技法をネットフリックスのデータに適用したのだった。SVDは何百万もの映画採点を、いくつかの（少ない）未知の変数の合計としてモデル化した。ファンクはブログで次のように説明している。

SVDの最終結果は要するに、推測されるカテゴリー一覧で、それが関連性の強さ順に並んでいる。それぞれのカテゴリーは、さらにそれぞれの利用者と映画がそのカテゴリーにどれほどうまく帰属するか（または反帰属するか）を表現しただけのものだ。だからたとえば、あるカテゴリーはアクション映画を表すもので、アクションがたくさんある映画がトップにきて、のんびりした映画が底にいて、同じようにアクション映画の好きな利用者がトップにきて、のんびりした映画が好きな人は底にくる。[★17]

これは理論的にはそのとおりながら、因子の解釈は実際にはむずかしい。これについてはこの先見るとおりだ。

SVDは、推薦システムではほとんど使われてこなかった。というのもこの技法は「希薄な」データセット、つまり（ネットフリックスのデータのように）ほとんどの値が欠損値になる場合にはあまりよい成績を上げなかったからだ。だがファンクはこの技法をいじって欠損値を無視するようにして、しかもこのアプローチをCのコードたった2行で実装する方法を見つけた[★18]。ファンクはこの手法を説明するブログ投稿を「ご家庭でもどうぞ」という題名にして、ほかの参加者たちにもSVDを組み込むよう奨励した。

ほとんどのトップ競争相手たちはまさにそうした。ネットフリックスプライズが最終的に発表されたとき、1位と2位のチームの手法で最大の部分を占めていたのがSVDだった。

それでもSVD手法だけでコンペに勝てるほど強力だったとは考えにくい。このコンテストが明らかにした予想外の結果は、各種の学習技法を混ぜると有利になるということだった。ベルコアが1年目の終わりに報告したように「複数の相補的なモデルの予測を組み合わせると、性能が上がった。あるモデルの強みが、ほかのモデルの弱みを補うのだ」[★19]。SVDは、単独では最高の技法かもしれないが、人間の観察者には自明の関係をしばしば見逃す。たとえば、シリーズの1本目を気に入った利用者に、その続編を薦めるといったことだ。KNNモデルは、密接に関連しあった映画のクラスターを見つけるのがずっとうまい。

コンテストの終わり頃になると、どのチームも何百というちがうモデルのメガブレンドを使っていた。そして解法の最大部分を占めるのは、SVDや近傍モデルといった潜在因子モデルだが、最終的なブレンドは、主成分分析からリッジ回帰、制限付きボルツマンマシンによるニューラルネットワークアプローチまで様々なもののごたまぜだった。AT&Tのクリス・ヴォリンスキーが説明したように、「出発時点ではだれもこんなものがコンペに勝つやり方になるとは思っていなかったはずだ」[★20]。

アプローチの多様性にプレミアムがついたのと同じ理由から、やがてチーム間の合併の波が起きた。ネットフリックスプライズのルールでは、100万ドルの大賞以外に、年に一度5万ドルの「進捗賞」も提供することになっていた。これはその時点でゴールに最も近いチームが、大幅な進歩を見せていた場合に与えられる。ただしその条件として、進捗賞を勝ちとったチームは、自分の技法の完全な説明を公開せねばならず、それにより競合チームが追いつくのを可能にしろ、というものだった。

1年目の終わりが近づくと、ベルコアが僅差で3月以来トップにつけていた。だが進捗賞の期間終了の1日前になって、5位と6位のチームがそれぞれの予測を組み合わせ、このブレンド結果により2位に躍り出た。この予想外の動きで、土壇場のあがきがあちこちで生じた（さらにそんな戦術がフェアかどうかというフォーラムでの大激論も起きた）。2位と3位のダイナソープラネットとグラヴィティが、これまた慌てて合併し、その合併チーム（重力と恐竜が手を組む時チーム）が投稿した最終スコアは、それまでのベルコアの最高得点をわずかに上回るものだった。ベルコアチームは徹夜で頑張り、まさにギリギリの締め切り間際に、二つの結果を投稿し、それによりかろうじて進捗賞を勝ちとることができた。

1年目の終わりに、ベルコアはシネマッチに対して8.43％の改良を見せていた。だが簡単に改善できる部分はすでにほとんどやり尽くされてしまっていた。その後1年間での改善速度ははるかに遅くなる。2008年初頭、ベルコアの手法が公開されてから、トップ20サイトにはいくつか新顔が登場した。2月に、重力と恐竜が手を組む時チームがベルコアをわずかに追い抜いて、僅差で首位に立った。

コンテストがダラダラ続くなか、ベルコアチームが単独で優勝できないのは明らかとなってきた。そこでベルコアも、他のチームがやったように活動を組み合わせることで改善を図った。AT＆Tの公式アカウントはのちにこう説明した。「協力するチームは常に単独でのスコアを改善させた。ただし、それは各チームがちがう手法を持ち寄った場合に限られる」［★21］。

ボブ・ベルは、各チームが自分たちの秘密を全部公開しなくても結果を比較できる手法を提案した。統計的なガウス雑音（正規雑音）を予想レーティングに加えることで、チームは結果を共有し、単純な計算を加えるだけで自分たちのアプローチがどのくらい似ているかを調べられる。この結果によると、合併候補としていちばんいいのはビッグカオスチームだということがわかった。ビッグカオスは誤差率は比較的低かったが、それより重要なこととして、ベルコアの予測との相関が最も低く、協力による成果がかなり大きそうだった。法的な交渉を行って、この合併は実現した。

ふたを開けてみると、ビッグカオスの貢献のほとんどは、結果に高度なニューラルネットワークをブレンドすることで実現したものとなった。AT&Tチームがのちに書いたように「ベルコアは、各モデルの個別パフォーマンスに基づいた単純な線形ブレンドを行っていたのに対し、ビッグカオスは各手法の個別RMSEでは、そのモデルがブレンドにどのくらい貢献するかを見る最高の指標にはならないと見極めていた」[★42]。

ビッグカオスからの改善で、合併チームは2008年10月に2度目の進捗賞を余裕のリードで勝ちとった。だが進歩はすぐに止まった。解決策は再び、別の合併先チームを見つけることだった。今回の候補はプラグマティックセオリーだった。プラグマティックセオリーは、映画のタイトルの長さとか、日曜日と月曜日で映画のレーティングを変える利用者といった、風変わりで異様とさえ言える予測因子を見つけるのがきわめて上手だった。こうした特徴は、単独では利用者たちのレーティングをあまり予測できない。だが完全なモデルという文脈だと、ちょっと精度を高めるのに貢献した。

チームは当初、別々に投稿を繰り返すことでこの合併を偽装した。結果に雑音を加えることで、自分たちが10.0%というゴールラインにどれだけ近いかを見つつ、他のチームに進捗状況を明かして警戒されるのを避けるようにした。2009年6月、新生の合併チームは、自分たちが目標に到達したのを知った。2009年6月26日、合併が公表され、ベルコアズプラグマティックカオス（BPC）なる名前で10.05%という結果を投稿した。

ネットフリックスプライズの慌ただしい終結は、最初の進捗賞の再演を引き起こした。10%より高い改善結果が投稿されたことで、ルールによりあらゆるチームが最終結果を投稿する最後の30日が開始された。もう背水の陣となった以上、多くのチームはなりふりかまわずに合併に走った。ベルコア主導チームの最大の競争相手は、アンサンブルというスーパーグループで、これは当初のチームや個人参加者23組で構成される大所帯となった。ここには最初に合併したダイナソープラネットとグラヴィティのチームも含まれていた。アンサンブルはコンテストの最後の数週間で急改善を遂げた。最後の数日で、アンサンブルは公開順位表ではBPCをわずかに追い抜いたように見えた。だが順位表は公開データに基づくもので、コンテストは類似した非公開のプライベートなデータセットを元に判定されるため、だれが本当に優勢かははっきりしなかった。

2009年9月21日、コンテスト開始から3年近く経て、ベルコアズプラグマティックカオスが公式に勝者として発表された。あとになって、アンサンブルもまったく同じ改善結果を出していたことが明かされた。RMSEは0.8567だったのだ。BPCが勝ったのは、コンテストの細かい規定に書かれていた、同率の場合の判定基準のおかげだった。BPCの最終結果は、24分早く投稿されていたのだった。長年の努力の結果、コンテストは写真判定に持ち込まれたというわけだ。

ネットフリックスプライズの教訓

オンラインの観衆やデジタルニュースに興味ある人々がどうしてネットフリックスプライズに注目すべきなのだろうか？　答えの一つは、こうした推薦システムがいまや民主的な言論にすさまじい影響をもつからだ。民主活動家イーライ・パリサーはその著書『フィルターバブル』で、保守的な友人からの投稿が自分のフェイスブックフィードから系統的に排除されていたと報告している。この種のフィルタリングは、党派的なエコーチェンバーに関する懸念を高めるものだし、市民が自分とは反対の意見を積極的に探そうとしている場合ですら、それをなかなか見つけられなくなる。また、学習アルゴリズムはますます編集判断や昔ながらのニュース規範に取って代わりつつある。

だが推薦システムは、さらに根本的な理由から興味の対象となるべきだ。推薦システムは利用者が目にする記事に影響するだけでなく、そもそも彼らが訪れることになるサイトにさえ影響するからだ。

ウェブサイトは、広告によるものだろうと購読によるものだろうと、成功するにはトラフィックが必要だ。サイトは粘着性で生死が決まる。読者を引きつけ、その読者が訪れたときには長居してもらい、そして立ち去るときにはまた戻ってくるよう説得しなければならない。サイトの粘着性のごくわずかなちがいですら、急速に積み重なって、観衆のすさまじい差を生み出す。推薦システムは、サイトがトラフィックを維持拡大するための最も強力なツールの一つで、それを導入できないと、競争上すさまじい不利に追い込まれる。

重要な問題は次のものとなる。高品質の推薦システムを構築できて、その恩恵を最も受けられるのは、どういうサイトだろうか？

ネットフリックスのコンテクストは、部分的な答えを提供してくれる。さらにネットフリックスプライズはおそらく当分の間、公開された大規模な現実世界のデータセットを使ってウェブ推薦システムの中身をのぞける唯一の機会であり続けるだろう。ネットフリックスは当初、ネットフリックスプライズの後継コンテストを計画していた。しかし利用者のプライバシーをめぐる集団訴訟と連邦取引委員会（FTC）捜査に直面して、ネットフリックスはこの続編をキャンセルした［★23］。こうした法的面倒のため、ほかの巨大デジタル企業は似たようなコンテストを主催したり、比較するためのデータセットを公開するのを嫌がるようになった。

ネットフリックスプライズは、しばしばクラウドソース型問題解決の一例として論じられる。だがコンテストの結果は、推薦システムの恩恵はとても不均等にしか生じないことを示唆している。巨大サイトは見事なコンテンツ推薦システムを構築できる。小規模サイトには無理だ。

推薦システムは大規模でリソースが豊富な組織に有利となる。これほどのハイレベルの参加者を集めるため、ネットフリックスは100万ドルの賞金を出さねばならなかった。コンペに勝ったのは大規模チームであり、優勝チームは決勝ラインを越えるために、他の二つのチームと合併しなくてはならなかった。この論点については、アンサンブルのほとんど成功しかけた、土壇場での追いあげからもっと強い証拠が得られる。1ダース以上の他チームの力を合わせることで、アンサンブルはすばやくベルコアズプラグマティックカオスに匹敵する結果を出した。コンテストがあとほんの数日続いていたら、アンサンブルが勝った見込みが高い。

成功するアルゴリズムの構築は、何度も繰り返し、蓄積するプロセスだ。大きな集団と多様なアプローチが役に立つので、どうしても規模が強みになる。コンペが展開するにつれて、生まれてきたモデルもばかばかしいほど複雑になってきた。こうした複雑さを管理するのも、技能とかなりの人員が必要になる。

同様に、コンテストの順位表でのし上がってきた人々を見ると、ネットフリックスプライズのようなコンテストによる、クラウドソース式問題解決の限界も示唆される。最も成功したチームを率いた人々は、すでに有力な学術界や企業の研究者たちだった。当初は馴染みのない名前だった人物、たとえばファンク（ブランダイン・ウェッブ）や、ダイナソープラネットを構成していたプリンストン大学の学部生たちですら、正式な教育を受け、関連した専門的経験をもっていた。プロジェクトは、一般市民の恩恵はほとんど受けなかったが、対象分野の技能をもつ人々の多様な集団を広く活用することで大いに恩恵を受けた。ネットフリックスは、このコンテストの予算の5倍を使ったとしても、このレベルの技能を雇うことはできなかっただろう。だが研究とプラス方向の宣伝にそれだけの価値があったとはいえ、100万ドル単位の投資が必要だったという点は変わらない。

巨大サイトはリソース面で大きな優位性をもっているだけでなく、それ以上に決定的な優位性がある。手持ちのデータも多いのだ。データを収集し、保存し、整理し、分析し、絶えず更新するためのインフラづくりはすさまじい投資を必要とする。これは小規模な新興企業がここまでうまくできるようなものではないし、それは単に必要なお金やハードや技能のせいだけではない。データは利用者のモニタリングから得られる。新興企業はモニタリングする利用者が圧倒的に少ない。AT&Tのチームが述べたように「コンペが進むにつれて、使う情報を増やすとほぼまちがいなく精度も上がった。これは、なぜその情報に意味があるのかとか、その情報の貢献がそれほどでもないか一見して明らかではない場合にすら当てはまる」［★24］。

できるだけ多くの情報が必要だという点は広範な意味合いをもつ。一つしばしば見すごされている事実は、ネットフリックスが１００万ドル払った水準の精度を、とっくに自分で実現していたということだ。コンテストのＦＡＱはこう説明している。

> ネットフリックスのサイト顧客が体験するＲＭＳＥは、訓練用データセットで報告されたＲＭＳＥよりはるかによいものとなっています。これは、レーティングのデータが増えたことだけでなく、大量のレーティングのうちどれを学習に使うかという判断の補正に使う、追加のビジネスロジック〔データベース上のデータの処理手順〕によるもので（……）言うなれば、進捗賞に私たちが参加できるものなら、かなり手強い競争相手になったでしょうということです。［★25］

言い換えると、コンペのしょっぱなですら、ネットフリックスは生のシネマッチの結果が示すよりもはるかによい結果を得ていたということだ。これは、もっと変数を追加し、もっと大きなデータセットで学習を行うことで実現された。単純な利用者と映画レーティングの一覧からもっと多くの情報を引き出すのに使われた技能は、（たとえば）利用者のデモグラフィック属性〔年齢・性別・住所・職業など〕やブラウズ行動のデータを追加すればさらに精度が高まるということだ。

ネットフリックスのその後の発言を見ると、彼らはこの方向をさらに推し進めたようだ。ネットフリックスの事業は２００６年から激変し、同社は郵送ＤＶＤモデルから、ウェブ上での動画ストリーミングに専念するようになった。ネットフリックスプライズの後日談を詳述したブログ投稿で、同社は自分たちがいまや「すべてが推薦」であるかのように活動すると述べている。そして利用者のあらゆる行動面から情報を吸い上げているという［★26］。サイト特性はいまやこのデータに基づいてほぼパーソナル化されている。ネットフリックスは、最適化したモデルや追加の特徴により、レーティングのデータだけによる精度を5倍も高められたと述べている［★27］。

だが学習アルゴリズム全般において、もっと多くの情報というのが何を意味するのかは、必ずしも明らかではない。データが増えるというのは変数が増えるというだけの話ではない。コンペの初期段階で、いくつかのチームはそれぞれの映画について大量の追加データを補おうとした。監督、俳優、スタジオ、ジャンル、製作年などだ。単純な線形モデルでは、こうしたデータを入れると当初は結果が改善されるようだった。だがもっと高度な潜在因子モデルや近傍モデルだと、映画の詳細を加えても予測はまったく改善されなかった。機械学習モデルが、暗黙のうちにこうした情報をすべて含めていたからだ。

もっと多くの情報を、集めるデータを増やさなくても見つけられることもある。既存のデータセットを変換して新しい特性を抽出するのだ。コーレンは、コンテスト終了から数か月後の講演で、こう宣言した。「何度も何度も発見することになったのは（……）データの特性あるいは特徴を理解すること（……）のほうが正しいモデルを選んだり、モデルを精緻化したりするよりはるかに重要だということだった」［★28］。ネットフリックスのコンペは、きわめて限られた特性群で始まった。単に利用者、映画、採点、その採点の日付だ。精度がぐっと上がったのは、その限られたデータを使い、新しい特性を抽出するようになってからだ。たとえばその経時効果〔時間が及ぼす影響〕などだ。

ここでの教訓はいささかパラドックスめいている。ネットフリックスは最高のアルゴリズムを見つけるために巨大データセットを公開したが、アルゴリズム自体は結局、データそのものほどは重要でないことが判明したのだ。似たような教訓は、他のまったくちがう機械学習分野でも登場した。自然言語処理の研究で、マイクロソフトの研究者たちは、いくつかのちがうアルゴリズムで訓練データの量が増えるにつれ、精度がどのくらい改善するかを調べた。こうしたアルゴリズムは、１００万語の学習ではすさまじく性能差を見せたが、学習セットを増やすにつれ――１０００万語、１億語、最後は10億語――どのアルゴリズムの成果もだんだん似通ったものになった。バンコとブリルが結論したように「こうした結果は、アルゴリズムに時間やお金をかけるのと、コーパス開発に時間やお金をかけるのとのトレードオフを考え直したほうがいいことを示唆している」[★29]。

ネットフリックスのコンテストはまた、「ブラックボックス問題」のいくつかの部分に光を与えた。複雑な学習技法の欠点は、モデルがよい結果を出している場合でも、なぜそうなっているかがはっきりしないことが多い、という点だ。コンペにおける潜在因子モデルの成功はこの問題を強調した。理論的には、潜在因子モデルは人間に解釈可能な「アクション映画vs非アクション映画」とか「真面目な映画vs逃避的な映画」「男性中心vs女性中心」といったカテゴリーを明らかにすると考えてもいいのかもしれない。ときには、その潜在因子モデルが出す結果は、確かに人間がすでに理解したり期待したりする結果にきれいに当てはまるように見える。

だがネットフリックスプライズでは実際にはそうならなかった。データから飛びだしてきた次元は、すぐにわかるような既存のカテゴリーとはうまく重ならなかった。ＳＶＤモデルを使うファンクの最初の試みでは、最も重要な次元の一端には『パール・ハーバー』（２００１）、『コヨーテ・アグリー』

（2000）、『ウェディング・プランナー』（2001）といった映画があり、その反対側の端には『ロスト・イン・トランスレーション』（2003）、『ザ・ロイヤル・テネンバウムズ』（2001）、『エターナル・サンシャイン』（2004）などがあった[★30]。これらはかなりちがう種類の映画だが、この二つのグループを分けるものは何かという、簡単な説明を考えるのはむずかしい。コーレンがのちに結論づけたように、「こうした軸に名前をつけるのはとてもむずかしい」[★31]。そして潜在モデル一つを説明するのがむずかしいなら、最終的に700以上のそうしたモデルをブレンドしたものを解釈するのがどれほど困難なことか――しかもその700の多くは、それ自体が複数の要素モデルのブレンドだったのだ。

だがある意味でネットフリックスの例は、フィルタリング技術がエコーチェンバーを促進し、偶然の出会いをなくすという主張を疑問視するものではある。こうした懸念は、（先述したように）過去10年にわたりパーソナル化されたニュースに関する研究の中心となっていた。パリサーが「フィルターバブル」と呼ぶものの中心的な特徴は、それが利用者には表面上見えないというものだ[★32]。だがネットフリックスは、利用者が推薦システムを認識するように最大限の努力をしている。「会員のみなさんには、みなさんの嗜好に私たちが適応していることをご理解いただきたいと思います。これはシステムへの信頼を高めるだけでなく、会員のみなさんにフィードバックを促し、それにより推薦が改善されるようになるからです」[★33]。ネットフリックスはまた、なぜそれぞれの映画が推薦されたかを（過度に単純化したかたちでとはいえ）説明しようとする。通常は、利用者がすでに採点した映画とそれが似ているのだ、ということを強調する。

さらに重要な点として、ネットフリックスは多様なコンテンツを推薦すれば、単にレーティングの予測を正確にするだけでなく、パフォーマンスも上がることを示している。その理由の一部は、ネットフリックスの契約は世帯単位で行われ、家族のそれぞれがまったくちがう趣味を持っているから、ということもある。だがネットフリックスが説明するとおり「単身世帯でも、その人の様々な関心や気分に訴えかけたいのです。これを行うには、システムの多くの部分で単に精度をめざして最適化するだけでなく、多様性もめざすのです」[★34]。最も多様な特性を活用した、最もブレンドされた最大のモデルがネットフリックスプライズでは最高の成績を上げた。いまにして思えば、きわめて多様な映画の束を推薦するのが、パフォーマンスの向上ももたらすというのは当然かもしれない。だが「フィルターバブル」だのオンラインエコーチェンバーだのに関する懸念ばかりが喧伝されるなか、多様性がパフォーマンスのボーナスをもたらすというのは、世間的な常識に反するものとなる。

グーグルニュース

ネットフリックスの経験は、推薦システムの特徴として、多くのほかのウェブサイトや、オンラインコンテンツの多様なジャンルでも成立しそうなものをいくつか実証している。近年では、最大級のオンラインウェブサイトのいくつかは、自分たちの推薦システムについて詳細を公開するようになってきた。そして、利用者向けにコンテンツをパーソナル化するためのアルゴリズムについても明かすようになった。グーグル、ヤフー!、マイクロソフト、フェイスブックのような企業が明かす情報は、ネットフリックスプライズの場合もさることながら、全体のごく不完全な図式でしかない。こうした企業は、競合他社に優位性を与え、利用者のプライバシーを侵害しかねない情報公開には、当然ながらあまり乗り気ではないのだ。

それでも、最近の開示は確かに推薦システムが実際にどう応用されているか、さらにそれがどんな企業に特に利益をもたらすかについて、重要な項目を提供してくれている。特にA／B試験の結果は、サイトのトラフィック改善のためにパーソナル化されたコンテンツがいかに重要かについて、説得力ある証拠を提示してくれる。推薦システムは、最大級のウェブサイトの粘着性を劇的に高めるが、それは中小企業では決して真似ができないものなのだ。

ウェブ上で最大級のニュースサイト、グーグルニュースを考えてみよう。これは、編集的判断をアルゴリズムによる意思決定に置きかえた先駆的なサイトだ。2007年、グーグルの研究者たちはニュースのパーソナル化について同社の社内作業を詳述した論文を公開した[★35]。ある面で、ニュース記事を推薦するのは映画を推薦するのと似ている。ほとんどの利用者はほとんどの場合、どの個別記事が読みたいかわからない状態でニュースサイトにやってくる。グーグルの研究者の表現を借りるなら、利用者の態度は「何かおもしろいものを見せろ」という要求に支配されているのだ[★36]。

だがニュースのターゲティングは、一連の独得な問題も引き起こす。まずニュース記事は、「コールドスタート」あるいは「最初の採点者」問題のことさら厳しいものだということだ。あらゆるパーソナル化アルゴリズムは、推薦すべきアイテムと、個々の利用者の選好に関する大量の情報があるとうまく機能する。たとえば映画なら、ある利用者にとっての精度は、その人物がレーティングした映画が増えるほど、そしてそれぞれの映画が大量のネットフリックス会員からレーティングを受けるほど改善する。だがニュースコンテンツは、1日ごと、いや1時間ごとでもすさまじく入れ替わる。その定義からして、ニュース読者が最も興味をもっているのは新しいコンテンツであり、まさに大量の訓練データがそもそもない対象だ。さらにひどいことに、絶えず推薦のフレームワークを再構築したり、再訓練したりして、絶えず最新コンテンツについての予測を提供するのは、時間的にも計算力的にも、かなり高くつく。サイトの速度は利用者体験の中で最も重要な点の一つなので、パーソナル化の結果は利用者に数百ミリ秒以内に送り返さねばならない。

グーグルニュースが必要とする技術インフラは壮絶なものだ。多数の巨大データセンター、サーバー100万台以上、光ファイバーへの巨大投資、カスタム化されたOSやファイルシステムさえ必要だ。このインフラの開発費用は、ハード、ソフトの両方を含め、何百億ドルにものぼる。多くの推薦アルゴリズムは、大規模に実装すると計算量の面で高価になるため、一部のグーグルの研究者たちの発見の狙いは、似たような性能に低い計算力で到達する手法の開発だ。彼らの初期の論文は、いくつかちょっとちがったアルゴリズムを詳述しており、そのどれも前出のKNNアルゴリズムとおおむね同じ手法群に属している。

この論文の最も劇的な結果は、グーグルがこうしたパーソナル化された推薦がトラフィック量をどれだけ改善するかを試験した結果だ。パーソナル化された結果と、人気だけに基づく結果を入り混じったかたちで出すことで、グーグルは、高ランクアイテムがさらに関心を惹くという事実を検証できた。その結果は驚くべきものだった。全体として、協働フィルタリングに基づく記事は、人気だけに基づいて選ばれた記事に比べて、クリック数が38%も多かったのだ[★37]。

こうした初期の手法はいまや、さらに有効なターゲティング手法に取って代わられている。2010年にグーグルは、グーグルニュースにおけるターゲティングアルゴリズムについて、2本目の報告を公開した[★38]。この論文でグーグルは、協働フィルタリングアプローチ（これは同社初期の活動で使われていたものだ）と内容に基づくアプローチを区別している。協働フィルタリングは、利用者間やアイテム間の類似性を見るが、内容ベースの手法は、テキスト分析を使って、過去にその利用者が気に入った類いのストーリーとマッチングさせる。内容ベースのモデルは、まったく新しい記事の推薦で高い成績をあげ、利用者ごとのちがいも反映させやすかった。たとえばグーグルによると、第一世代協働フィルタリングメカニズムは、あらゆる利用者に芸能ニュースを薦めた。これまで一度も芸能ニュースをクリックしたことのない人物にもそれを提示したのだ。「芸能ニュースは一般に人気が高く、したがって、利用者の「ご近所／近傍」から芸能記事のクリックが大量に行われるので、そうした推薦につながった」[★39]という。

グーグルの2010年報告は、協働アプローチと内容ベースのアプローチとを組み合わせるハイブリッドモデルについて詳しく述べている。推薦システムがある利用者からあまりニュースへのクリックを受けていない時点では、その予測は協働型手法を使ったものとなる。これは現在人気のある記事に注目する。いったんシステムに十分なクリックデータが集まると、推薦はだんだんその利用者の過去の行動や明らかになった関心に基づいたものとなる。

このハイブリッドモデルは、協働フィルタリングだけの場合より劇的な改善を示す。そしてその協働フィルタリング自体が、単に人気のあるものを推薦するだけの手法よりはるかによい。ストレートな協働フィルタリングに比べ、ハイブリッドモデルはニュース記事のクリックを31％増やした。ただしこれは、サイトの内部からトップ画面の推薦記事へとトラフィックをシフトさせたのが大きかった。もっと重要な点として、研究の過程でハイブリッドモデルを見た利用者たちは、グーグルニュースのサイトへの訪問が、1日あたり14％増えた。これは改善した推薦システムが日々のトラフィックをどれほど増やせるかを如実に示すものだ。

他の計算機科学研究者たちは、ニュース推薦エンジンによりトラフィック増大を生み出した。ヒューレットパッカード社の研究者、エヴァン・カーシェンバウム、ジョージ・フォーマン、マイケル・デュガンはForbes.comで各種のコンテンツ推薦方法の比較実験を行った。ここでもグーグルの場合と同じく、内容に基づく手法と協働フィルタリング手法の混合により大幅な改善が見られた[★40]。

ヤフー！と行動ターゲティング

グーグルの結果は、伝統的なニュース組織にとって懸念材料となりそうだが、それならヤフー！の研究結果にはさらに落胆させられそうだ。ヤフー！もまた、ニュースのパーソナル化とターゲティングを積極的に進めてきた。ヤフー！自体はこのニュースターゲティング手法について詳細をあまり公開してこなかったが、ジャーナリズムについての報告はやはり、ニューストラフィックやクリックスルー率が大幅に上がってきたと述べている。ヤフー！は、パーソナル化したターゲティングは、ニュースページの「今日のニュース」ボックスのクリックを270%も増やしたと報じている[★41]。

だがヤフー！自身はニュースターゲティング手法について比較的沈黙していても、研究論文でそのターゲット広告能力は明らかとなっている。利用者に最もクリックしたいコンテンツを提供する技術は、広告業者に自社広告を最も有望な潜在顧客にマッチングさせることも可能にする。この行動ターゲティングの働きを理解することは、オンラインメディアの政治経済を理解するにあたって決定的となる。

オンライン広告ターゲティングには、大きく3種類ある。最も幅広いのが属性ターゲティングで、広告は関連コンテンツやその広告に有利なデモグラフィック属性を擁するサイトに掲載される。トラックの広告を自動車サイトやスポーツサイトに表示するのは、属性ターゲティングの一例だ。第二に、利用者セグメントターゲティングがある。これは通常、利用者の年齢層と性別に注目する。たとえば、トラックの広告を、様々な特性を持った25〜40歳男性に見せる、といった具合だ。

このどちらの手法も、行動ターゲティングに比べれば粗雑だ。ヤフー！の研究者たちの説明では「行動ターゲティングの背後の鍵は、広告主たちが広告を、特定の高価値デモグラフィック属性（たとえば車を買いそうな人々）だけに見せて、しかもそれを各利用者ごとにもっとたくさんの機会（広告を見せる場所）と組み合わせられるということだ」[★42]。この場合、ヤフー！研究者たちはサポートベクターマシンという一般的な機械学習技法を使い、どの利用者がよい見込み客かを予測する。だが似たような結果がほかの学習技法でも得られるのはほぼまちがいない。

ヤフー！の研究とそれ以前のターゲティング活動（少なくとも公式に認められているもの）の主要なちが

いは、学習データの種類にある。通常、行動ターゲティングモデルは主要指標としてオンライン広告のクリック数を見た。ヤフー！の研究者たちはむしろ、データを「コンバージョン」つまりオンライン広告をクリックした結果として直接生じた売上に基づいて訓練した〔★43〕。

広告のクリックはあまり多いものではなく、標準的なクリックスルー率は1パーセントの数分の一ほどでしかない。さらにただでさえクリックが少ないのに加え、コンバージョンはそのクリックのほんの一部でしかない。だが小売り業者たちはますます、売上情報を広告ネットワークやパートナーサイトに送り返すウェブビーコンを提供しつつある。それでもやはり、こういうやり方でターゲティングするだけの詳細な利用者行動データやコンバージョンデータをもっているのは、ほんの一握りの組織だけだ。

ヤフー！の研究は、購買データがどれほど重要かをよく示している。パンデイらはコンバージョンデータで学習したモデルと、クリックデータだけで学習した同じモデルとでA／B試験を行った。現実世界で試験された広告キャンペーン四つで、コンバージョンは59％ないし264％上昇した。いずれの場合も、広告主の売上あたり費用は激減した。広告主の最終的な目標はもちろん、最小の広告宣伝費で最大の売上を得ることだ。研究者たちが結論するように、最終的なポイントは「広告インプレッション〔ウェブページに表示される広告〕あたりのコンバージョン数を、インプレッション数を大幅に増やすことなく改善できる。これはわれわれのインベントリー〔広告に提供できるスペースの総量〕の価値を高める」〔★44〕。

この研究はまた、最大の改善が最大の広告キャンペーンで生じることを示唆している。コンバージョンはあまり起きないので、最大級のキャンペーンだけがモデルに効果的に学習させるだけの売上データをもてる。これは特に、ヤフー！がウェブで最大級のサイトであり、すさまじいオンライン広告のインベントリーを持っていることを考えれば重要となる。もし最大級のサイトの最大級のキャンペーンだけがこうした技法を活用できるなら、これはウェブ全体にとって大きな影響をもつ。

こうした結果は新興ニュースサイトにとってはどんな意味をもつだろうか？ まず、独立ニュース組織は、ヤフー！やグーグルほどうまく行動ターゲティングを行えないということだ。多くの新聞の責任者たちや印刷出版業者は、地元新聞ウェブサイトは地元観察にアピールする（はずだ）から勝ちがあると論じてきた。問題は、属性ターゲティングによるロケーションターゲティングは、現代の基準からすると、すさまじく粗雑で非効率だということだ。地元新聞ウェブサイトを見る人はたいてい最もポピュラーなサイトも訪ねるのであり、潜在的な地元顧客というものは、地元新聞ウェブサイトよりは、ヤフー！やフェイスブックにおいて安く効率的に見出されうる。

行動ターゲティングでは規模が重要だ。オンライン出版社として最大級のヤフー！ですら、小規模広告キャンペーンは大規模なものほどうまくターゲティングができない。コンバージョンデータをもつ新聞はほとんどないし、中規模地元ニュースサイトのキャンペーンで、効果的なターゲティングに必要な規模をもつものはまったくない。これはつまり新聞は、大規模サイトやオンライン広告ネットワークと——巨額の費用をかけて——パートナーになるか、さもなければ大規模ウェブサイトで広告スペースが得られるよりもずっと低いインプレッション価格でやりくりするしかない、ということだ。どちらの選択肢も魅力的とはいいがたい。

推薦システムと政治ターゲティング

ネットフリックスプライズの物語には重要な終章がある。今日ではSVDなどのアプローチは、映画を推薦したり、消費者と製品広告のマッチングを行ったりするのに使われるだけではない。拙稿で私は、ネットフリックスプライズが先鞭をつけた技法は、オンライン政治ターゲティングにも応用されていることを明らかにした[★45]。

ケンブリッジアナリティカはイギリスの政治コンサルティング企業で、2016年のドナルド・トランプの大統領選キャンペーンや、イギリスの2015年のブレグジットキャンペーンに関わったことで有名だ。長年、ケンブリッジアナリティカは人格傾向に基づいて有権者にターゲティングを行うと称する「サイコグラフィック」モデルを使うという主張で議論を引き起こし――そして疑念を向けられていた。

2018年3月、『ガーディアン』紙が、ケンブリッジアナリティカがフェイスブックの何千万ものプロフィールを人格診断アプリを使ってダウンロードした、と報道した。これはケンブリッジ大学の研究者アレクサンドル・コーガンとジョセフ・チャンセラーとのパートナーシップの一環だった[★46]。この「データ侵害」が明らかになったことで、大西洋の両側で規制当局による捜査が始まった。だが重要な問題が残る。フェイスブックのデータを基に構築したデータはどんな仕組みだったのだろうか？

本章での研究に基づき、コーガンとチャンセラーが特異値分解（SVD）かそれに類するものを行っているんだろうと私は直感した。そこでコーガンにメールを送って尋ねた――そしていささか驚いたことに、返事がきた。

コーガンはこう述べた。「SVDを使ったというわけではありません。技法は私たちが本当に自前で開発したものでした（……）パブリックドメインにあるものではないんです」。とはいえ、自分のアプローチがSVDにかなり近い親戚技法だということは認めた。ファンクがネットフリックスプライズ向けに採用した次元削減モデルがケンブリッジアナリティカのフェイスブックモデルでも中核となっていた。

ケンブリッジアナリティカの元のアプローチを知ることで、昔からの疑問のいくつかに答えが得られる。もしコーガンの返事が正しいなら、モデルが生み出す潜在カテゴリーは人格そのものについてのものではない。むしろデモグラフィック属性、社会的影響、個性、その他あらゆるものを巨大な相関のかたまりにぶちこんでいる。利用者の人格傾向に関する情報は、モデルの精度にわずかしか貢献していないらしい。

それでもこの種のモデルは、個人の特性や政治的党派を、一見するとどうでもいいソーシャルメディアのデータ（たとえばウータン・クラン〔ヒップホップグループ〕やカーリーフライ〔螺旋状のフライドポテト〕が好きかといったこと）から推測するのがきわめてうまい。ミカル・コジンスキー、デイヴィッド・スティルウェル、ソーレ・グリーペルの研究は、フェイスブックの「いいね！」データだけのモデル――デモグラフィック属性データはいっさい使わない――は、人種を95％の精度で当てるし、性別も93％の精度で当てることを示した〔★47〕。

もっと驚かされるのは、ゲイとストレートの男性を88％の精度で識別し、民主党派と共和党派も85％の精度で識別したのだ。この精度水準は最低値であって上限ではない。追加のデータがあれば精度はもっと上がる。コーガンのモデルは、この公開研究に比肩する結果を生み出したようだ。

現代の選挙活動は、市民の党派心や投票を行うかどうかの予測にあたり、有権者データベースに大きく依存している。だがトランプの選挙活動でフェイスブック上でターゲティングされた利用者のうち、有権者ファイル〔選挙人として登録されていて過去投票した人のリスト〕とマッチングされたのは28％でしかない［★48］。ＳＶＤなどの次元削減技法は、明らかに人格をあらわにするようなデータがなくても、その人の政治的傾向をかなりうまく推測できる。

こうしたモデルの有効性をあまり誇張してはならない。まだすべてを見通すにはほど遠いのだから。それでも、ネットフリックス式のモデルは２０１６年のトランプ選挙活動において確実に有利に働いた。こうした技法は個人についての情報を使えるかたちに集約する。その情報が、何十、何百ものちがった変数に散在していてもかまわない。いまやこのアプローチの有効性がわかったので、無数の新たなる選挙活動で、新たなるデジタル痕跡データを使って再現されることになるだろう。フェイスブックなどの大規模サイトで利用者に到達するには、ますますこうしたデジタル巨人たちをそもそも生み出したようなデータマイニングを必要とするようになりつつある。

教訓と疑問

コンテンツ配信の主要メカニズムとして推薦システムが台頭してきたのは、メディア風景の一大地殻変動に等しく、輪転機の到来や20年前のウェブの台頭にも匹敵するものだ。こうした以前の変動と同じく、推薦技術は一部の組織を他よりも圧倒的に有利にする。

ターゲティングシステムや推薦システムの中身についてわかったことで、どんな結論が得られるだろうか？　今日までの学術研究は、アルゴリズムフィルタリングがあらゆるところに使われる世界において、どんな組織が勝ち組――あるいは負け組――になりそうかについて、六つの広範で相互に関連した教訓を示唆している。

まず最も重要なこととして、推薦システムはデジタル観衆を激増させることが可能だ。ウェブトラフィックは当然、ダイナミックで、進化的プロセスとすら考えられる。推薦システムはサイトの粘着性を上げ、利用者はクリックを増やし、訪問回数を増やすことで応える。やがて推薦システムをもつサイトやアプリは市場シェアを増し、もたないサイトやアプリはシェアを減らす。

二つ目に、推薦システムは大量の財やコンテンツをもつデジタル企業に有利となる。マッチングに価値があるのは、その根底にある選択肢のカタログが大きい場合だけだ。小さな店舗はたいして恩恵を受けない。1日に記事を三つしか生み出さないニュースサイトでは、利用者はコンテンツを選り分ける手伝いなど要らない。同じように、多種多様なコンテンツをもつサイトが、推薦システムで最も恩恵を受ける。もっと範囲の狭い出版物――たとえば技術ニュースや芸能ゴシップだけのサイト――は推薦システムから得る価値が少ない。

三つ目に、推薦システムはハードウェアや職員の技能が優れた企業に有利に働く。根っこの技法がその産業においてかなり標準的なものとなった場合でも、それを生産環境で導入するにはやはりかなりの手間暇と設備と努力が必要となる。さらにターゲティング技法は、CPUサイクルや計算リソースの面で高価なことが多い。小規模組織は、最新技法を導入するのに必要なハードやリソースをおそらくは持てない。

コンテンツのターゲティングに必要な技能と設備は、広告のターゲティングにも使える。パーソナル化したシステムは、広告主にとって結果を劇的に改善し、広告単価あたりの売上を増やせるし、サイトの広告インベントリーの総価値も高められる。ヤフー！の研究が示すとおり、一部のサイトはほかよりもターゲティングがはるかにうまい。オンライン広告でお金を儲けられるサイトは、その売上を使ってコンテンツをさらに増やしたりサイトを改善したりして、競合組織に対する優位性をさらに高められる。

第四に、推薦システムは、データを大量にもつ企業に有利だ。最も人気があり、最も利用の多いサイトが、それほど人気のないサイトに比べて圧倒的に優位性をもつ。信号が多く、しかも信号が多様なら、性能も大幅に上がる。

第五に、パーソナル化システムはロックインを促進し、個人がサイトやアプリを切り替える費用を高くする。グーグルニュースをたまに使う人が、初めてヤフー！ニュースやBingを使ったとしよう。当初、この利用者は自分のニュース嗜好と大幅にソリの合わないニュースコンテンツを見ることになる。こうした見かけ上の不利は、一時的なものだ。ヤフー！ニュースのサイトでもうしばらく過ごすと、ヤフー！のターゲティングアルゴリズムに与える情報も増える。でも利用者の視点からすると、パーソナル化アルゴリズムはプロバイダを乗り換えるときに障壁をつくり出す。

最後に、推薦システムは観衆の集中を生み出す。これは従来の学術研究が想定していたのとは正反対だ。ネグロポンテは、デイリー・ミーが強力な脱集中、分散の力になると結論していた。「強大なマスメディアの帝国が崩壊して、無数のコテージ産業が増える傾向にある（……）現在のメディア貴族たちは、自分たちの中央集権化された帝国の未来を必死で護ろうとするだろう」［★49］。

ネグロポンテの技術的ビジョンは予言的だったが、その経済の論理はまるで保守的だった。均質化された放送メディアとメディア集約とを結びつけるのは、メディア研究の昔からの伝統だ［★50］。マス放送は大幅な規模の経済を生み出し、同じコメディ番組やニュース放送を、何億もの世帯が同時に閲覧できる。

だがほとんどの評論家たちは、パーソナル化も放送標準化〔画一化〕と同じ結果を生み出せるのを理解し損ねた。ある大規模ウェブサイトは、利用者の嗜好を学習することで、利用者と好みのコンテンツとをきわめて効率的にマッチングできる。これは何百もの小さな「コテージ産業」では決してできないことだ。スコープ〔範囲〕の経済——ここでは効率性は、様々な製品の広範なミックスを提供することから得られる——は規模の経済と同じくらい確実に集中をもたらす。デイリー・ミーは、空前のスコープの経済をもったメディア組織を生み出し、そうした組織はますます「一枚岩」ではなく、あらゆる利用者にとってあらゆるものになることで成功するのだ。

第4章 サイバー空間の経済地理学（ブルース・ロジャーズと共著）

通信手段の価格低下、遠い場所間での自由なアイデア交換の新設備はすべて、産業を局所化する傾向をもった力の働きを変える。

――アルフレッド・マーシャル『経済学原理』1895

1970年代末、ポール・クルーグマンという名の若き経済学者が、国際貿易に関する論文を次々と発表し始めた。クルーグマンの研究は、ある謎に基づくものだった。一世紀半にわたり、経済学者たちは貿易について、比較優位の理論で主に説明していた。デヴィッド・リカード（1817）はこの発想について、布とワインについての寓話で説明した。イギリスの気候はブドウ栽培には最悪なので、ポルトガルにブドウ農場ができて、イギリスのほうに紡績機が集まるはずだ、というのがリカードの議論だった。

これは、ポルトガルが布織りとワインづくりの両方とも得意だったとしても成り立つ、とリカードは述べた。相対的な優位性が成り立てば、どちらの国も得をすることになる。リカードの論理は説得力あるものだった。これはイギリスのワインを実際に試した人ならだれでも同意するはずだ。そして少し改変を加えると、これは一世紀半にわたり国際貿易を理解するための主要な枠組みとなった[★1]。

だが第二次世界大戦後の時代には、リカードの理論が昔ほどの説明力がないのが次第に明らかとなった。貿易障壁が下がると、国際貿易の大半は、似たような経済の国どうしで行われるものとなった――似たような気候、似たような天然資源、似たような工業化水準の国どうしが貿易をする。さらに不思議なのは、そうした企業は産業内貿易をすることが多かった。つまりまったく同じ種類の財を相互に取引しているのだ。これは明らかに比較優位では説明できない。どうなっているのだろうか？

クルーグマンの答えは、大きく三つの想定をおいたモデルだった。まずこのモデルは、企業が規模の経済をもつと想定した――巨大企業は効率が高い。次に、消費者は多様な選好をもつとした――一部の買い手は、キャデラックを買えたとしても、フォルクスワーゲンを運転したがる。最後にこのモデルは、輸送費があると想定した。

こうした主要な想定をもとに、クルーグマンは現実世界とかなり近い貿易パターンを生み出せた[★2]。このモデルはまた、現実世界のパターンを反映したほかのパターンも生み出せた。これは当初は意外なものも多かった。たとえば、最大の国内市場をもつ国こそが純輸出国となるというのがモデルの予想だった――そしてそれがそのとおりとなった。

本章では、オンラインコンテンツ生産についての簡単な経済学モデルを構築する。こうしたモデルの様式は、産業組織論の研究文献で始まり[★3]、クルーグマンの研究を嚆矢とする「新貿易理論」や「新経済地理学」の研究で開花した、通称「収穫逓増革命」に多くを負っている。この類似は偶然ではない。経済地理学が空間内での財の生産や消費を扱うものなら、本書のほとんどはサイバー空間でのコンテンツ生産と消費の場所を理解しようとするものだからだ。現実世界で見られる産業の集積と、オンラインで見られるトラフィックの集中との間には明確な類似が見られる。

私たちの単純化したウェブトラフィックモデルの中心となる材料は次の三つだ。

- まずオンラインでは、コンテンツ生産と広告収入の両方に強い規模の経済があると想定

- 第二に、利用者が多様性を少なくともある程度は選好すると想定

- 第三に、利用者がオンラインコンテンツを探し出すには手間暇がかかると想定——つまり利用

- 者は、ウェブをナビゲートするにあたり、探索費用や切り替え費用に直面するということだ。

本書でここまできた以上、こうした想定のどれも特に疑問視すべきものではないはずだ。だがこれらを組み合わせると、そこに登場するウェブのビジョンは公共政策で相変わらず幅を利かせているものとはまったくちがうものになる。こちらのモデルだと、ポータルサイトが自発的に生まれ、それがかなりの市場支配力をもつ。ほとんどのコンテンツは大規模サイトで生産かつ／またはホスティングされ、ニッチの支配は例外ではなくむしろ標準だ。つまりこれは、競争がきわめて不平等なのがインターネットだということなのだ。

経済学モデルは最近、ネット中立性とインターネット規制をめぐる争いにおいてきわめて目立つ前線となっている。FCC議長に確定してから初の話題となった演説において、アジット・パイは、FCCが2016年に出したネット中立性支持のオープンインターネット指令の背後に経済分析が

ないと考えられていることを糾弾した［★4］。オバマ時代のＦＣＣが、オープンインターネット指令その他で経済分析を無視したなどという見解は、どうひいき目に見ても疑問が多いとしか言えない［★5］。しかし経済モデルが政策議論の通貨となるのであれば、まずはデジタル経済の論理を最もうまく捉える収穫逓増モデルから出発するべきだろう。

統計学者ジョージ・ボックスの有名なアフォリズム——「あらゆるモデルはまちがっているが、なかには有用なものもある」［★6］——は本章のモデルにもまちがいなく当てはまる。経済学者はしばしばこうしたモデルについて「固定された」「静的」モデルだと言うが、むしろ動学的なモデルを加速または時間圧縮したものと思ったほうが適切だ。すばやく起こることは、ほぼ一瞬で起こるものと想定されるわけだ。これから見るように、この加速でオンラインコンテンツ生産のしばしば異様に見えるインセンティブがわかりやすくなる。利用者と生産者双方のインセンティブを理解することで、このんどはデジタル生活の面食らうような特徴も説明しやすくなる。

重要なこととして、ここでの結果は、過去の論文に比べると、主要な想定にあまり左右されない。放送時代からの古典モデルは、消費者のメディア選好についての強い想定に依存しており、インターネットに関する著作の多くも、デジタル観察を断片化させる主要な力として、利用者たちの多様な選好を想定していた［★7］。だがここでの私たちのモデルは、選好が強かろうと弱かろうと、どちらも同じように集中した結果を生み出す。弱い選好だと利用者は特に拡散する理由はないが、強い選好は単に利用者をポータルやアグリゲーターや検索エンジンに送り出すだけだ。デジタルメディアの多様性が、何やらちょうどいい選好——強すぎもせず、弱すぎもしない——を必要とするなら、それはたぶん安定しにくいはずだ。

だがモデル構築に飛び込む前に、これまで触れてきたいくつかの話題をもう少しきちんと扱っておく必要がある。まずはオンラインのアグリゲーションとバンドリングの経済学についての議論から始めよう。それから、メディア選好について何がわかっているか、そしてなぜ大規模サイトがいまや、中小の地元生産者に比べ、訪問者1人あたりの収入が多いかを説明する。

バンドリングとアグリゲーション

第2章と第3章では、大規模サイトが小規模サイトに対して持つ優位性を詳しく説明したが、ひとつ重要な優位性についてはこれまで保留してきた。大規模サイトが有利な理由の一部は、それがコンテンツの大規模なバンドル（束）をつくり出すからだ。ウェブの最も成功したサイトはすべて、何らかのかたちでアグリゲーター——つまりバンドルするサイト——なのだ。

多くの企業は、製品をパッケージ化して提供する。これはバンドリングと呼ばれるやり方だ[★8]。バンドリングに関する初期の経済学研究は、生産者が単に生産や流通における規模の経済を活用しているだけだと示唆した。すでに見たとおり、こうした規模の経済はよくある。それでも、アダムスとイェレンの先駆的な研究[★9]は、バンドリングがこうした規模の効率性なしでも意味があることを示した。

その理由を見るには、マイクロソフト・オフィスの場合を考えよう。これは世界的ベストセラーと

表4.1　バンドリングの簡単な例

	アリス	ビル	クリス	合計
ワード	$100	$0	$45	
エクセル	$45	$100	$0	
パワーポイント	$0	$45	$100	
バンドルなし合計	$100	$100	$100	$300
バンドルあり合計	$145	$145	$145	$435

バンドリングの単純化した例。技術企業は各種のソフトを個別ではなくバンドルで買わせるほうが儲かる。この例では、マイクロソフトはオフィスをバンドルすると435ドル稼げるが、個別ソフトを売ると300ドルしか得られない。この例はShapiro and Varian 1998におおまかに基づく。また似たようなバンドリングの例はHamilton 2004も参照。

なったソフトウェアのバンドルだ（表4・1）[★10]。アリス、ビル、クリスは、それぞれオフィスの様々な部分に対し、支払い意志額がちがう。アリスはワードになら100ドル、エクセルになら45ドル、パワーポイントには一銭も出さない。ビルはエクセルに100ドル、パワーポイントには45ドル、ワードには何も払わない。クリスはパワーポイントには100ドル、ワードには45ドル、エクセルには払わない。

この単純化した例だと、マイクロソフトはワード、エクセル、パワーポイントをパッケージにしたほうが儲かる。それぞれのソフトを個別にワード、エクセル、パワーポイントというかたちで100ドルずつで売って総額300ドルを手に入れるより、マイクロソフトはこのオフィスというバンドルを三つ売って、435ドルを手に入れる。

このモデルは、メディアマーケットツールにも拡張された。ジェイ・ハミルトンの研究が示すとおり、同じ理屈はメディア財にも当てはまる[★11]。『ウォールストリート・ジャーナル』紙の購読者が2人いた場合、両者がこの新聞を読む理由はまったくちがうだろうが、こうしたちがった種類のニュースをバンドルしたほうが、購読料収入を増やせる。メディア購読は、メディアの各種部分や記事に対する様々な関心の多様性を捉えるだけでなく、時間的な多様性も捉えている。新聞を毎日隅々まで読む人はほとんどいない。一部の論者は新聞こそが「原アグリゲーター」だと論じた［★12］。多種多様に分散したコンテンツを一つの製品にまとめている、ということだ。印刷で言えることは、ケーブルテレビについても当てはまる。ケーブルテレビはほぼ必ず、各種チャンネルのセットや、セットをさらに束ねたバンドルとして販売される。

バンドリングが効くのは、ある意味でそれが一種の価格差別となっているからだ。企業としては、まったく同じ製品について、人々にちがう金額を課したくてたまらない――理想的には、それぞれの消費者の支払い意志額／可能額の上限の値段をつけたい。バンドリングは、平均の法則を活用する。消費者がパッケージ販売――マイクロソフト・オフィス全部、あるいは『ウォールストリート・ジャーナル』全部――に対していくら払いたがるかを推測するほうが、個別の部分に対していくら払ってくれるかを推測するより簡単だ。つまりバンドリングは値段をいくらにしようか考える企業にとって「予測価値」を提供する［★13］。バンドルへの支払い意志額のばらつきは、個別部分に対する支払い意志額のばらつきよりも小さいのだ。

バンドリングは、メディアやソフトといった情報財では特に強力な戦略となる。実物財やサービスだと、パッケージ販売に中身を追加すると、生産者側の費用も増える。洗剤を2箱でお値段1箱分にしたら、洗剤メーカーは生産、出荷、包装の費用が追加でかかる。だが情報財なら、限界費用はゼロに近い［★14］。映画がリリースされたり、ソフトが完成したりすれば、だれかにデジタルコピーをあげてもほとんど費用はかからない。ウェブサイトのソフトウェアコードがうまく設計されていれば、利用者を1人追加してもほとんど費用はかからない。

バンドリングには他にもメリットがある。バリー・ネイルバフ［★15］は、バンドリングが競争を抑止すると示唆している。バンドリングにより、新興企業は複数の市場に同時に参入する必要が出てくる――一つだけの市場に参入するよりずっとむずかしい。これは特に、強い規模の経済がある市場について言える。新規の競合企業は効率的になるためには大規模になる必要があり、複数の市場で同時に競争できるほどの規模になるというのは、じつにハードルが高い。

ここまでは特に問題もない。それでもバンドリングに関する研究は、企業が消費者からむしり取れる金額にばかりこだわってきた。だがバンドリングが消費者からむしり取る金額を説明できるなら、同じ理屈で時間をむしり取る能力も説明できるはずだ。関心というものが希少な資源だという発想を真剣に考えることで、この場合重要な結果が得られるのだ。

オンラインで消費されるほとんどのコンテンツは、見る人が直接支払っているわけではないので、伝統的なバンドリングの説明では不十分となる。ウェブサイトの場合、バンドリングが有利な戦略となるのは、それがサイトで多少なりとも時間を使う利用者の数を最大化するからだ。利用者ベースが大きくなると、広告ターゲティングが改善され（第3章で見たとおり）、観衆のオーバーラップが減るから（この点については後述）、1人あたりの売上増大に直結する。利用者が増えると、さらに規模の経済のおかげで平均費用も下がる。

また個人の観点からしても、バンドル化したコンテンツを探すほうが、読むものについて支払いを行わない場合でも筋が通っている。バンドリングは、限られた時間予算を消費しているサイト訪問者にとって、予測価値を提供する。アグリゲーターサイトを訪問している個人にとって、バンドリングはその訪問が無駄だったというリスクを減らす。芸能ニュースにおもしろいものがなければ、スポーツやビジネスニュースや、ファッションページに何かおもしろい読み物があるかもしれない。ほかのサイトを探し回る手間暇なしに利用者の情報ニーズを提供できるサイトは、利用者のエンゲージメント時間を長くする。

推薦システム（第3章）はこの利点をさらに加速する。

広告の新しい経済学

バンドリングの基本的な論理の理解は、ウェブの政治経済の理解に不可欠となる。だが認識すべき構成要素がもう一つある。大規模サイトは、小規模サイトよりも利用者1人あたりの広告収入が大きいのだ。デジタル購読を促進しようという努力（第7章参照）にもかかわらず、オンラインの売上ストリームの圧倒的大部分を占めるのは広告収入だ。読者数を倍増させるサイトは、広告収入が倍増以上となる——伝統メディアとはまったくちがう現象で、これが状況を一変させる。

地方の1人あたり広告料が全国の1人あたり広告料より高いという事実は、20世紀のメディアを定義づける特徴だとすら言える。全国放送での広告は高価だが、到達する視聴者1人あたりで見ると安かった。たとえばゼネラルモーターズの成功の一端は、全国広告の効率が高かったせいだとされる[★16]。

だからスーパーボウルを見るときには全国ブランドの広告が登場し、地元レストランの広告は登場しない。ヨラム・ペレスが放送時代に論じたとおり「広告メディアには不可分性があって、それなりのマスメディアで広告を打って引き合うのは大企業だけらしい」[★17]。同じように、従来のご近所新聞は伝統的に大都市圏全域向けの新聞よりは広告料が高く、地元テレビ局は全国ネットワーク放送よりも広告料が高かった。これがウェブでも続くという期待が、ハイパーローカルメディアをめぐる過剰な期待の相当部分を生み出した(メディアにおけるハイパーローカルについては第6章)。

オンライン広告は、一世紀にわたる広告の経済をひっくり返す。これまで見たとおり、広告収入は最大のプレーヤーに極度に集中していて、グーグルとフェイスブックの二巨頭が、アメリカのデジタル広告の売上の7割以上を占める(しかも増大中)[★18]。インターネットが売上カーブを逆転させた理由はいくつかあり、一部は第2章と第3章で論じた。地方広告の優位性は、地方新聞が独占性が高いことからきていた。フィリップ・メイヤーが書いているように「お互いを見つけようという努力の中で、広告主も顧客も、市場で支配的なメディアへと惹かれる。出会う場所は一つで十分だ。どちらも複数の情報源を探究するような時間もお金もかけたくない」[★19]。だがいまや、観衆の重複削減のプレミアムを享受しているのは、地方紙ではなく大規模ウェブ企業なのだ。地元紙はもはや、自分の市場内ですら最大の到達範囲の持ち主ではないのだ。

観衆重複の低下に加え、巨大サイトはさらに、デジタル広告の仕組みを評価するのもはるかにうまい。何百万ドルもかけたデジタル広告キャンペーンですら、何十億インプレッションあっても、しばしばキャンペーンとしての有効性について信頼できる指標を出せない[★20]。グーグルはこの問題に対処するために強力な統計モデルを開発したが、こうした技法は類似のキャンペーンがどれほどの成績をあげたかについてのデータが必要だ――そのデータをもっているのはグーグルだけなのだ[★21]。そしてもちろん、前章で見たとおり、デジタル巨人は広告ターゲティングもうまい。最大級の広告ターゲットキャンペーンを、最大級のデジタルプラットフォームで行うほうが、単純なターゲティングなしの広告を打つよりもはるかに多くの売上をもたらす[★22]。

最終的な結果は、広告料のすさまじい格差だ。広告料はしばしばCPM、つまり1000インプレッションあたりの費用で計測される（Mはラテン語の千の頭文字だ）。広告料の具体的な数字はなかなか出てこない――この事実自体も、最大級のデジタルプラットフォームの力を示すものだ。こうした企業は、ほとんどの広告売上データを公表しない。だが2012年時点のグーグルのバナー広告は、CPMあたり95ドルと推計されていた[★23]。これに対して新聞サイトだと、直接販売した広告でのCPMはたった12ドル～15ドルだ。これだけでも、新聞サイトはかなり不利に見えるが、実態ははるかにひどい。こうしたサイトのうち、広告インベントリーの大半を販売できたサイトはほとんどない。売れ残りの広告枠は通常、各種の広告ネットワークに対して「余り」「残余」広告として叩き売られ、その価格はCPM1ドル～2ドルが通例だ。驚くほど多くの小規模新聞サイトが、いまだに「ラン・オブ・サイト」バナー広告しか提供しない。これは広告があらゆるページか、その一部にランダムに登場するというものだ。さらにモバイル広告や動画広告は、多くの小新聞サイトでは粗雑か存在しないも同然なものばかりだ。大規模サイトの利用者1人あたりの優位性は、上のインプレッションあたりの数字よりさらに大きい。というのも利用者は大規模サイトだと滞留時間が長いのが通例だからだ。

つまり現実世界のデータと理論研究の双方で、大規模サイトが利用者1人あたりの売上が大きいことが示されている。この想定をこれからつくるモデルには組み込む。だが控えめに、その優位性がズバリどのくらい大きいかについては、態度を保留しよう——大型サイトは、利用者1人あたりの稼ぎが少し大きいとするにとどめておこう。

選好についてわかっていること

私たちのモデルで、最後の重要な構成要素はメディア選好の性質についてのものだ。

多くの人は、メディア選好が本質的に多様だと想定し続けている——だからインターネットは、観衆の関心をすさまじく分散させることになるというわけだ。多様な選好という想定のおかげで、観衆がいずれは民主化する(第1章参照)という『ゴドーを待ちながら』的信念が生じる。あるいは、インターネットがマスメディアを解体するというネグロポンテの主張(第2章参照)もここからきた。あるいはアンドリュー・サリヴァンによる、インターネットが「許容される意見の領域拡大が可能となり、守旧派エリートの偏見、趣味や利害に制約されないようになる」[★24]という主張もこの想定から出ている。放送の経済学は、平板で均質化されたコンテンツを生み出すのに対し[★25]、インターネットは正反対のものを生み出すとされた。同様に、クリス・アンダーソンの「ロングテール」に関する著作もまた、消費者が強く多様なコンテンツ選好を持っていて、それがデジタル時代についに満たされるのだ、と想定したものだ[★26]。

だが多様なメディア選好を裏づける実証研究は驚くほど乏しい。メディアの経済に関する初期の研究は、人々がラジオやテレビ番組について、強いジャンル選好を持っていると想定することが多かった[★27]。だが実証研究ですぐに、ジャンル選好がじつはかなり弱いことがわかってしまった[★28]。ある有力なイギリスの研究が結論したように、「似たような内容の番組が、ある特定の視聴者サブグループにアピールする」とは限らない[★29]。視聴者の好みはジャンルにあまり左右されない——が、嫌いな番組はしばしばジャンルでまとまる[★30]。

強いジャンル選好がないのは、放送時代の副産物でしかないと考える人もいるだろう。だがほとんど同じパターンは、ネットフリックスプライズのデータからも浮かび上がる（第3章）。利用者の選好を、それぞれの映画の特性とうまくマッチングさせたら大幅な予測改善ができると考えたチームは多かったが、その効果は驚くほどわずかだった。一部の映画はほとんどあらゆる利用者から高い平均得点を受けているし、ネットフリックスの一部の利用者は星を大盤振る舞いする。こうした利用者すべてに当てはまる、あるいはある個人のレーティングすべてに当てはまる一般的なバイアスは、利用者と映画の相互作用効果に比べ、3倍ものばらつきを引き起こしていた[★31]。

だが、メディア選好が確かに以前よりは政治に影響を与えるようになってきたという証拠はかなりしっかりしている。マーカス・プライオアが『ポスト放送民主主義』で示したとおり、アメリカ国民の4割ほどは、ニュースより芸能を好む[★32]。こうした選好は、放送時代には番組編成を選んだりできなかったからほとんど影響がなかった。ポスト放送時代だと、ニュースから芸能ネタに切り替えた「スイッチャー」たちは、政治知識の点でも投票割合の面でも大きな低下を示している。

似たような結果が、ウェブのニュース閲覧データからも浮かび上がる。ウェブでは、選好がますますニュース消費（またはその不在）を左右するようになっている。パブロ・ボツコウスキーとユージェニア・ミチェルスタインは、編集者が重要だとしてハイライトするニュース記事と、実際に最も関心を集めるニュース記事との間の「ニュースギャップ」を報じている［★33］。とはいえこのニュースギャップの規模は、ニュースサイトごとにちがうし、選挙の時期になると縮む。

近年では、利用者のイデオロギー的な選好が大きな研究トピックになっている。多くの学者は、少数派とはいえ相当程度の市民が、自分と嗜好の似たニュースコンテンツを好むことを見つけた［★34］。党派的なニュースを好む市民はごく一部ながら、〔政党の運動などに〕最も関与が深く、党派性も強い――このため党派的メディア選別の影響は拡大される［★35］。

メディア選好の特性についてはわかっていないことがきわめて多い。その真の起源についても、知らないことが多すぎる。最近の研究の一部は、選好がどこまで改変されたり誘導されたりできるかについても調べている［★36］。

一般に、いくつか大筋のポイントは明らかだ。一部市民は、一部機会に、一部種類のコンテンツについて、メディア選好が確かに大きくちがっているが、デジタルメディアの民主化力に関する多くの主張の根底にあるような、きわめて多様なメディア選好という発想については、ほとんど裏づけがない。それでも、利用者の選好は今日のメディア環境では、一世代前よりは明らかに重要性が高まっている。そしてわからないことが相変わらず多いということは、メディア選好に関する各種の想定によって、われわれのモデルの結論がどう変わるか――あるいは変わらないか――についても示すべきだということになる。

デジタルコンテンツ生産の簡単なモデル

こうした構成要素が揃ったので、定式化モデルの構築に移ろう。完全なモデルは、数式の細部も含め、補遺に挙げた。だがモデルの概略と、その最も重要な結論は、数学なしでも理解できる。

まず最も簡単なモデルを構築し、それから最初の想定の一部をゆるめて、だんだんモデルの現実味（と複雑性）を増やそう。だが一般的に言うと、現実性を高めると、大規模サイトのポジションはかえって強まる。

まずはウェブサイトいくつかと、消費者数人で始めよう。消費者は効用——つまり楽しみや満足——をサイトコンテンツの消費で手に入れる。

それぞれのサイトは、独自のコンテンツの品揃えをつくり出す。消費者たちごとに、コンテンツの品揃えについて選好がある。たとえば、逃避的なコンテンツより真面目なコンテンツが好きだったり、あるいは保守系寄りのニュースよりはリベラル寄りのニュースが好きだったりする。

利用者は、理想の選好に近いコンテンツを消費すると、獲得する効用も高まる。保守派利用者はつまり、ＣＮＮを見るよりはフォックスニュースを見るほうが楽しめるが、リベラル寄りのＭＳＮＢＣを見るよりはＣＮＮを見るほうが満足度が高い。モデルを単純にするため、コンテンツの品揃えは一次元にしよう。とはいえ、モデルは多次元の選好にしても機能する。理想からの距離は、二次元あるいはそれ以上の次元で計測できる。娯楽コンテンツが好きなリベラル派は「デイリーショー」をほぼ完璧と考えるが、フォックスニュースは保守的かつまじめなので、理想から二重に遠いと考えるわけだ。

コンテンツは自然に湧いてくるものではないから、それぞれのサイトはライターを雇う。雇うライターが増えればコンテンツ生産も速くなる。ライター20人を擁するサイトは、ライター10人のサイトの2倍の速度でコンテンツを生産できる。同様に、サイトがライターに支払う報酬もちがう。高い賃金のライターは、つくるコンテンツの品質も高い。

利用者がそれぞれのサイトからどれだけ効用を得られるかは、こうして三つのものの関数となる。サイトの品質、コンテンツの量、そのサイト固有のコンテンツの品揃えがその利用者の理想とどれだけ近いか、ということだ。

それぞれの消費者は予算制約に直面する。これはウェブを享受するための時間だ。まずは、すべての利用者が同じ時間予算をもつと想定しよう。さらに利用者の関心には、別のサイトにナビゲートするたびに固定費がかかる――これを切り替え費用(スイッチングコスト)と呼ぼう。

切り替え費用は、このモデルを機能させるための重要な要素だから、それが何を意味しているのかについて、もっと詳述しておこう。鍵は、消費者にとってサイトからサイトへと移るには費用がかかるということだ。これは経済学で通常言われる探索費用みたいなものだ。つまり別のおもしろいサイトを見つけるための手間暇だ(第3章)。あるいは、こうした費用を認知心理学のレンズ越しに見てもいい。この分野でも、人々が作業を切り替えるには努力が必要だということが明らかになっている〔★37〕。ウェブデザインの「人に考えさせるな」一派〔★38〕、あるいはジェフ・ベゾスのデジタルメディアにおける「認知オーバーヘッド」を減らすことへのこだわり〔★39〕は、意思決定が利用者にとっては高価だということを示唆している。こうした説明のどれでも、私たちのモデルとは整合している。

完全情報下で、デジタルコンテンツの消費は、どの店で買い物をしようか決めるという作業に似ている。全智の消費者は無数のブティックを訪問して自分がほしい品揃えと品質の財をズバリ買うこともできるし、デパートにでかけて時間とガソリンを節約してもいい。ウォルマートに1回でかければすむのは便利だが、品質、量、品揃えの面で妥協が必要となる。

消費者が楽しみを最大化しようとする一方、モデルのウェブサイトは利潤を最大化したい。利潤は、売上から費用を引いたものだ。これまでの章で得た知見を活用して、売上はあるサイトで消費された総コンテンツの増加関数になると考えよう。サイトの生産費用には二つの部分がある。固定費と人件費だ。人件費は、労働者数に賃金率〔単位時間あたりの基準賃金〕をかけたものになる。さっき想定したとおり、コンテンツの量は従業員の数に比例し、品質は賃金率に比例する。

品質、量、品揃えの組み合わせで、そのサイトのコンテンツ利用者が消費しようとする割合が決まる。これまでの想定どおり、利用者はすべてのウェブサイトについて、明確な選好順位をもっている。合理的な利用者はサイトを順番に、いちばんのお気に入りからいちばん嫌いなところへと消費し、サイトを切り替えるたびに探索費用を支払い、時間予算が使い果たされるまでそれを続ける。

これが私たちのモデルの骨格だ。だがモデルに採用した想定は目新しいものではないのに、これだけでもかなり驚くような結果が生まれる。いくつか例を考えよう。

例：サイト二つと消費者1人

最初の例としては、消費者が1人しかおらず、ウェブサイトは二つ（サイトAとサイトB）だけという単純なケースを考えよう。サイトAは消費者の選好に近い。いや、サイトAはこのたった1人の消費者が最も選好する品揃えをずばり提供しているのだということにしよう。

モデルを見ると、完全な選好マッチングすらどうでもいいかもしれないことを示している。サイトBが高品質なコンテンツを十分な速度で生産できれば、消費者の限られた関心をすべて獲得してしまえる。十分な質と量の投資を行えるサイトは、消費者の理想的選好に近いサイトからでも、消費者を引っこ抜けるのだ。

これ自体が重要な結果だ。すでに見たとおり、メディアの未来をめぐる論争は、小さなオンライン版元は、ニッチなコンテンツを提供することで大メディア企業を打倒できると主張することが多かった。だが私たちのモデルが示唆するように、ごくわずかな探索費用や品質／量の優位性だけで競争は大規模サイト側に大きく偏ってしまう。

この単純なモデルは、インターネットの叡智の中心的な教義を再現するものだ。新鮮なコンテンツこそが何より重要、というのがその教義となる。新しく、これまで見たことのないコンテンツが訪問のたびごとに存在するというのは、サイトの粘着性における中心的なコンポーネントとなる（これについては第7章でもっと詳しく述べる）。サイトは、新しい記事を常に生産し続けない限りデスティネーションにはなれない。この単純なモデルですら、新しいコンテンツが生成される速度こそが、成功を何よりも左右することがわかる。

このモデルはまた、コンテンツの品質に対する圧力についても物語る。いささか驚くことだが、ほとんどのウェブサイトでは、コンテンツの質をむしろ引き下げようとする強いインセンティブが働くことが示される。規模の経済は量と相関しているのであって、質には関係しない。高品質のコンテンツは、費用はかかるくせに、必ずしも追加の売上を生み出さない。

つまりウェブサイトは、消費者が大量にどうでもいい安手のコンテンツを読むと利潤が最大化される。品質は、競合他社が台頭するのを避ける程度の高さで十分だ——それ以上にする意味はない。読者の時間予算が大きいなら、ウェブサイトは大量の低賃金ライターを雇おうとする。要するに、このモデルはこの段階ですでにコンテンツミル〔低品質のコンテンツを濫発するサイト〕の論理をつくり出したわけだ。

例：サイト二つと個人多数

二つ目の例として、ウェブサイト二つがあって消費者がたくさんいる場合を考えよう。消費者の選好は、可能なコンテンツの範囲に均等に散らばっているものとしよう。

いくつかの結果がすぐに明らかとなる。まず、選好の強さが決定的となる。選好が弱かったらどうなるかを考えよう。どんな利用者でも、どんな品揃えのコンテンツでも消費するようになる。量と質がそこそこ高ければいい。弱い選好の場合、どちらのサイトも選好空間の中心に位置しようとする。これは各種の市場で見られるきわめて古い経済学の知見で、90年前のハロルド・ホテリングの研究にまでさかのぼる[★40]。中心に位置するというのは、サイトが平均的な利用者の理想的な地点からの距離を最小化するということだ。

もっと重要な点として、売上が生産費用よりも急速に伸びれば、コンテンツ生産を増やすと利潤も増える（少なくとも損は減る）。サイトはどんどん大きくなろうと頑張る。雇うライターを増やすと常にそれだけ利潤も増える。もしライターたちの賃金が全部同じなら、ライターを1人雇うごとに、そのサイトでは前のライターを雇ったときより利潤が増える。

生産に上限がないとすると、最大の売上が起こるのは、すべての利用者が片方のサイトだけに関心予算をすべて使い果たすときだ。この水準での生産が儲かるなら、これで安定した独占が発生する。すべての消費者は、一つのサイトだけに予算をすべて使い果たす。これが消費される唯一のサイトとなる。ほかのサイトはいっさい利潤を出せない。消費者たちは、この仕組みをむしろありがたがる。なぜならサイトを切り替えるために時間予算を無駄遣いしなくてすむからだ。

例：品揃えへの選好が重要

第三の例としては、消費者の品揃えへの選好が強まった場合の結果を見よう。前の例では、一つの支配的なサイトが規模と品質の優位性を使い、観衆を独占できた。

でも、一部の個人は自分の選好とかけ離れたコンテンツの品揃えからは効用ゼロしか得られないとしよう。保守的なニュース消費者がいて、保守的なフォックスニュースを理想的なものとして選好するとしよう。この保守的な消費者は、量と質が十分あれば、ＡＢＣを訪れるよう促せるかもしれない。だがリベラルなＭＳＮＢＣやデイリーコスを訪問することはない。こうしたサイトからはまったく何の楽しみも得られないからだ。

私たちのモデルは、消費者に限られた選好の窓を与えることで、この結果を再現できる。自分の好む品揃えのコンテンツには相変わらずボーナスがあるが、消費者たちは自分の理想から一定の距離内にあるコンテンツしか検討しない。話を簡単にするため、消費者の選好の窓がみんな同じ幅だとしよう。あらゆる利用者の選好の窓が品揃えスペクトルの中心点を含む限り、相変わらず独占が生じる。だが選好の窓をさらに狭めると、みんなの完全な関心をつかまえるのは不可能になる。こうした窓が狭くなると、追加のサイトが市場に参入する機会も増える——それにより利用者の関心はさらに断片化する。

現実世界では、消費者が品揃えに対してどれくらい強い選好をもつかは、コンテンツの部門によって異なる。すでに見たとおり、多くの学者は政治ニュース消費者の少数派とはいえそれなりの数の人々は、自分と似たような傾向の出所からのニュースを好むことを発見している。でもこの点で政治ニュースはあまり一般的ではない。品揃えの選好は、天気、スポーツ、芸能といった他のニュース部門ではずっと弱い。芸能コンテンツは、相反する面よりは重なりあう面のほうが大きい。民主党支持者も共和党支持者も、スポーツはＥＳＰＮ〔ウォルト・ディズニー・カンパニー傘下のスポーツ専門チャンネル〕で見ている。多くのデジタルコンテンツ分野は、多様な選好があるという証拠をほとんど、いやまったく示さない。

モデルの拡張：バンドリングとアグリゲーション

品揃えの選好についてでは別のかたちでも検討できる。これまで私たちは、サイトは単一分野のコンテンツしか生産しないと想定してきた。でも一部のサイトが複数分野のコンテンツを生産できたらどうだろうか？　すでに述べたように、ほとんどの伝統的メディアはバラバラのコンテンツ種類をバンドルしたものだ。ニュース、娯楽、スポーツ、マンガ、猫動画といったものがいっしょになっている。バンドリングはモデルを複雑にする。均衡を見出すには、いくつか追加の想定が必要になるのだ。だが一般にこれは、最大級のサイトの強みを強化することになる。

三つのちがったサイトでバンドリングを考えよう。

・ニュースだけを生産するサイト
・娯楽だけを生み出すサイト
・ニュースと娯楽の両方を生み出すポータルサイト

この拡張では、選好をもっと簡単にしよう。利用者は、ある分野のコンテンツすべてから完全な選好マッチングを得るか、あるいはその分野ではまったく何の楽しみも得られない。また利用者は、消費を増やすにつれてそのコンテンツ分野から得られる効用が少しずつ減るものとする。最初に消費される娯楽記事は、10番目の娯楽記事よりは多くの楽しみを与えてくれるし、10番目の娯楽記事は100番目よりも満足度が高い。

以前と同様に、観衆の選好分布に関する想定はとても重要となる。まずは観衆の3分の1はニュースだけが好きで、3分の1は娯楽だけが好きで、残り3分の1はニュースと娯楽の両方が好きだとしよう。

選好が均等に分布しているのに、ポータルサイトが観衆をすべて獲得する。規模の経済のおかげで、ポータルサイトはもっと多く（かつ／または高品質）のコンテンツを、どちらの分野についても同時に生み出せる。ニュースだけの観衆や娯楽だけの消費者も、コンテンツの半分からはまったく効用が得られないのに、ポータルサイトに集まることになる。

だが驚いたことに、利用者の選好の重なりが小さくても、ポータルサイトが圧倒する。ニュースと娯楽が両方好きな利用者の割合を変えてみよう。極端なケースとして、重なりがきわめて小さくてもポータルサイトが勝つ場合を構築できる。49％の利用者がニュースだけ、49％が娯楽だけ、両方とも好きな人は2％だけ、という場合でも、ポータルサイトが観衆すべてを集める。確かに、この場合の優位性は、もっと選好が均等に広がっている場合よりは小さい――そしてティッピングポイントにきわめて近いので、かなり不安定のはずだ。それでも、この極限の場合が示すように、選好の重なりが小さい場合ですら、ポータルサイト優位になる。

つまり全体として、これまでのモデルは小規模デジタル出版者にとって暗い結論を生み出している。こうした知見はどれほどしっかりしたものなのだろうか？　頑強性《ロバストネス》の一つの指標は、小規模サイトが生き残るためにはどれほどモデルを変える必要があるか、ということだ。

利用者たちがウェブサーフィンに使える時間の量を変えると、小規模出版者の運命は改善するかもしれない。一部の利用者はオンラインの時間があまりないし、他はそこそこの時間があり、残りの人は無限に近い時間予算がある。この多様な時間予算という想定は、現実のウェブトラフィックとおおむね対応している。時間のない利用者——職場でサーフィンしているような人——は大規模サイトで使う時間の割合が大きい。選挙のような大きなイベントは、政治ブログのような小さなニッチサイトに比べ、大規模ニュースサイトの市場シェアを増やす[★41]。

するとこの場合、時間が乏しくて選好が多様な利用者はポータルサイトしか訪れない。これに対し、ほとんど果てしない時間をもつ利用者は、ブラウジングのテールの端にニッチサイトを含める。

こうしてモデルを複雑にすると、ニッチサイトが生き残るわずかな道が拓ける——でも彼らが栄えるのはむずかしくなる。有利な想定をおいても、こうしたニッチサイトは大規模ポータルに比べ、利用者も少なく、潜在利潤も低い。

モデルの拡張——全国、地方、ハイパー地方

バンドリングは小規模デジタルコンテンツの経済に対し、暗い予測を提供する。もっとひどいことに、地方ニュースはバンドリングの特殊ケースでしかない。モデルによれば、地方出版者は生き残りに苦労し、全国出版者がほとんどの関心と利潤を集めることになる。

二つの都市にある、二つのデジタル新聞を考えよう。どちらも地方コンテンツと全国コンテンツを生産している。全国コンテンツは全国の読者に訴え、地方ニュースは同じ都市の人々にしか訴求しない。利用者は地方vs全国ニュースにたいする相対的な選好に差があって、さらにオンラインで使える時間にも差がある。

重要な点として、この都市の片方——ゴッサムと呼ぼう——はもう一つの都市ミッドウェーよりも

大きい。『ゴッサムガゼット』はつまり『ミッドウェーメテオ』より大きい。まず切り替え費用を高くするところから始めよう――高すぎて、二つの新聞を両方読むような人はだれもいないようにする。高い切り替え費用は、基本的に印刷時代への回帰となる。地方紙は地域独占となるわけだ。競争がないので、どちらの新聞も地元ニュースと全国ニュースを生産する。だが『ゴッサムガゼット』のほうが大きいので、読者1人あたりの稼ぎは大きく、全国ニュースの品質も高い。

では切り替え費用が下がるとどうなるか見よう。『ミッドウェーメテオ』の読者は、全国ニュースを求めて『ゴッサムガゼット』に切り替え始める。最も高い時間予算、あるいは地元ニュースより全国ニュースを強く選好する人々が、まず切り替える。切り替え費用が十分に下がれば、『ゴッサムガゼット』は『メテオ』の全国ニュース読者を完全に喰ってしまう。

過去10年の現実のニュース市場は、このモデルの結果そのままとなっている。2004年には、アメリカの記者のうちニューヨーク、ワシントンDC、ロサンゼルスに暮らしているのはたった12%ほどだった。2014年になると、その比率は20%にはねあがり、いまも上昇中だ[★42]。デジタルジャーナリズム職の4割以上は、いまやニューヨークかワシントンDCの都市圏にある[★43]。「距離の死」[★44]を宣言するどころか、デジタルメディアはニュース生産を地理的にはるかに集中させてしまったのだ。

都市圏ニュースを減らしたのと同じ力が、ご近所やハイパー地方の水準ではさらに強く作用している。これを見るには、上のモデルに第三のニュース水準を追加すればいい。全国、地方、ハイパー地方だ。ミッドウェー市のハイパー地方ニュースサイト『オールドタウン・オブザーバー』を想像してほしい。モデルが正しければ、このハイパー地方サイトは大きめの『メテオ』より読者1人あたりの稼ぎがさらに少ない。これからの章で見るように、この予測はハイパー地方ニュースの慢性的な苦闘と整合している。

モデルの拡張――検索エンジン

モデルを別の重要なかたちで拡張することもできる。新しい、特殊なウェブサイト、つまり検索エンジンを組み込むのだ。

検索エンジンは切り替え費用を引き下げる。サイトから別のサイトにサーフィンするとき、利用者は検索エンジンを訪問して、通常の切り替えペナルティのごく一部を支払うだけですませることができる。この文脈だと、利用者が新しいコンテンツを見つけるのを支援するサイトはすべて検索エンジンだと考えていい。グーグルとBingは、もちろん検索エンジンだ――でもこの定義からすると、フェイスブックやツイッター、アップルニュースなどのプラットフォームも検索エンジンだ。重要な点として、検索エンジンは――ちょうどほかのウェブサイトと同じく――売上が規模の経済をもつと想定される。

一見すると、検索エンジンは利用者の世界を広げるように見える。同じ時間予算で、利用者はコンテンツ検索においてもっと遠くまで行けるようになる。切り替え費用が下がると、消費の多様性は増え、特に小規模サイトはこのシフトの恩恵を受ける。これは現実世界のデータで見られるパターンと同じだ。小規模サイトは、大規模サイトに比べてはるかに多くの割合で観察を検索エンジンから得る［★45］。同様に、グーグルが２０１５年にグーグルニュースのスペイン語版を閉鎖したら、小規模ニュースサイトへのトラフィックが激減したが、大規模サイトの観察には大きな影響はなかった［★46］。

それでも、小規模サイトに検索エンジンが恩恵を与えるというだけでは話はすまない。経済地理学でありがちなパターンは、交通ハブが製造センターになる、というものだ。財が消費者に到達するのに出荷ハブを通らねばならないなら、それをそもそも交通ハブでつくるのがいちばん安上がりなことが多い（この例を次の章で見る）。

モデルはオンラインでも類似の結果を予想している。ほかの条件が同じなら、コンテンツをホストするのに最高の場所は、どこであれ最大の観察がすでにいる場所だ。だから成功した検索エンジンは、自分でコンテンツを生産――あるいは少なくともホスティング――する強いインセンティブに直面する。ほとんどの検索エンジンは、ヤフー！、ＡＯＬ、ＭＳＮＢＣの初期の活動を筆頭に、この道をたどっている。グーグルですら、当初はこのトレンドに抵抗することで突出していたけれど、いまやユーチューブを所有したことで、世界最大のデジタルコンテンツホストとなっている。

このモデルはフェイスブック、グーグル、アップルが他人のつくったニュースコンテンツを直接ホスティングしようとする動きを説明できる。２０１５年春にフェイスブックがインスタントアーティクルを導入したのは、メディア風景で重要な変化だった。フェイスブックは単に他のサイトの記事にリンクするだけでなく、インスタントアーティクルの全文が、利用者のニュースフィードに直接登場するのだ。フェイスブックはニュースパートナーたちにトラフィックを増やすと約束し、さらにフェイスブックが出版者の記事に対して売った広告料の３割も与えることにした。グーグルのアクセラレーテッドモバイルプラットフォーム（AMP）とアップルニュースもまた、こうしたデジタル巨人が他人のコンテンツを直接ホスティングしようとする動きだ。コンテンツをグーグルのサーバーに直接移すことで、ニュースプロバイダは読み込み時間を高速化し、検索結果で特権的な地位を得られる。アップルの改良版ニュースアプリは、2015年9月に導入されたもので、同じようにコンテンツをニュースパートナーからアップルのサーバーに移している。

つまり検索エンジンは、メディア集中の解決策を提供するわけではない——もとの問題を新しいかたちで再現するだけだ。成功した検索エンジンは、コンテンツを直接ホスティングする強いインセンティブに直面する。ますます、あらゆるデジタル巨人がまさにそれをやろうとしている。

デジタル経済での収穫逓増

2008年のノーベル賞受賞講演で、ポール・クルーグマンは自分をそのストックホルムの演壇にまで導いた知的旅路を振り返った。自分の研究の影響力にもかかわらず、クルーグマンはその研究が部分的に、現実の出来事に追い越されたことを認めた。1990年以来の国際貿易——たとえば中国と西側世界との貿易増大——は古い比較優位パターンへの復帰だった。工業集中の経済的優位性は衰えたようだ。アメリカの自動車産業は、かつては単一地域に集中していたのが分散して、アメリカの南部の大半やメキシコを含む多くの地域に広がった。貿易と地理における「収穫逓増革命」は、いまや「強さを増すよりはむしろ衰えつつある力」を表しているのだ、とクルーグマンは認めた[★47]。

だがもっと広い視点からすると、収穫逓増革命は空前の重要性を持つようになっている。インターネット経済はいまや先進諸国の経済全体の5%以上を占めている[★48]。何兆ドルもの規模をもつデジタル経済は、いまだに年率およそ8%で成長しており、これはその他の経済よりはるかに高い成長率だ。経済地理学向けに開発された収穫逓増モデルは、デジタル生活のパラドックスに見える多くの現象を説明してくれる。そしてこうしたモデルは、インターネットについて広く抱かれている想定とあわせて考えると、いくつか驚くべき結論が生まれることを示している。

私たちの定式化モデルは、いくつか驚くような洞察をもたらす。まず、完全な選好マッチですら、観衆確保には十分ではないことを示唆する。高品質で、完全に観衆の好みとマッチしたコンテンツですら、ほかのサイトがもっと多くのコンテンツをすばやく生産するなら無視されかねない。この結果は、オンラインの強い規模の経済からどうしても生じるものであり、なぜ新鮮なコンテンツの安定したフローこそが観衆構築に不可欠かという説明に役立つ（これについては以後の章でも触れる）。

さらに意外かもしれないが、このモデルは、多様なコンテンツ選好が観衆を分散させるどころか、じつはかえって集中させる結果となることを示す。多くの学者や評論家はいまだに、強い多様な選好がいずれはデジタル観衆を分散させると主張する。多くはいまだに、ハイパー地方コンテンツの勝利はまちがいないものだと見ている。でも実際には、本当のハイパー地方サイトは次々に失敗しているのだ。私たちのモデルは、そうした考え方が正反対なのだと示唆している。個人がきわめて多様なメディア摂取を好む場合、ポータルサイトやアグリゲーターは、弱くなるどころか、かえって強さを増す。モデルはまた、コンテンツファームやアグリゲーターの存在意義にも光を当てる。ウェブサイトの利潤が最大化するのは、広範な観衆に対して、山ほどの安っぽいコンテンツを見せる場合だ。大規模サイトの低品質コンテンツは、小規模サイトの高品質コンテンツよりも稼げる。ジャーナリストたちはしばしば、巨大アグリゲーターによるニュース記事の拙速な書き直しが、元のバージョンより売れると怒ってみせる。このモデルは、なぜこうした不公正が起こるべくして起こるのか、なぜそれが改まらないのかを説明できる。

このモデルはまた、検索エンジンの役割の見直しを強いる。検索エンジンは諸刃の剣だ。一方でそれは、トラフィックをコンテンツの小規模なニッチ生産者に押しやれる。だが同時に、検索エンジンやポータルサイトは、独自コンテンツを生産——少なくともホスティング——する強いインセンティブをもつ。出荷センターがしばしば製造センターになるという工業経済学の論理が、デジタルの領域でも再登場するのだ。

つまりコンテンツ生産の簡単なモデルは、デジタルメディア生産の根底にある論理を理解するのに役立つ。だがこうしたモデルには、確かに限界がある。時間軸を加速することで、本章はデジタル観衆が時間とともにどう展開するかについての重要な細部をすっ飛ばしている。次の章では、観衆増大の日々の力学を扱うことにしよう。

第5章 ウェブトラフィックの動学（ブルース・ロジャーズと共著）

小さき会社は災厄のもとでしかない。生き残るだけのために、雑草のように成長しなければならなかった。

――トレーシー・キダー『新しい機械の魂』1981

1790年前後のどこかで、ニューヨークシティの人口は3万2000人に増え、フィラデルフィアを抜いて北米最大の都市になった。ニューヨークがアメリカのメトロポリスとして早期に台頭したのは、新技術と自然の優位性との両方のおかげだった[★1]。1700年代の出荷はほとんどがポイント・ツー・ポイント型のパターンをたどっていたが、船が大型化して、大西洋横断が高速化したことで、ハブ・スポークモデルへの転換が進み、ニューヨークが最も安価な出荷ハブとなった。ニューヨーク湾はフィラデルフィアの海よりも深く、冬に凍結しにくかった。ハドソン川のおかげで大陸内部へのアクセスがフィラデルフィアよりも優れており、その優位性はエリー運河がニューヨークと五大湖や中西部とを結んだことでさらに拡大した。

だがニューヨークがいったんアメリカ最大の都市になると、その当初の優位性が何十年、あるいはまる一世紀も失われたあとでも、最大の都市であり続けた。ニューヨークは輸送ハブという優位性のおかげで、製造業のハブにもなったのだ。精糖、出版、衣服産業が19世紀には同市の産業を支配し、そしてこうした産業がニューヨークに落ち着いたのは、ひとつには出荷費用が最も低いせいだった。

ニューヨークがアメリカ最大の都市であり続けたというのは、集積の経済学の古典的な事例だ。１７９０年代のニューヨークは、今日の基準からすればきわめて小さい。だが他の都市センターよりは大きく、その相対的な規模のおかげで、競合都市よりも急速に成長できた。旧北西部への入植がますます進んでも、その地位は維持された。その後人口はアメリカ西部に移り、そしてもっと最近では人口が南部のサンベルトにシフトしているが、それでもニューヨークの地位は安泰だ。アメリカの人口が１００倍になったというのに、ニューヨークの相対的な地位は不変だ。

だがニューヨークは一貫性の見本だった一方で、他の都市はそれほど幸運ではなかった。最大規模の都市いくつか、多くの中規模都市、そして大量の小都市は相対規模を大きく下げた。そうした大都市のなかで、デトロイトはその急成長と急落ぶりの双方の面で異様ではある。自動車産業がいきなりやってきたことで、この都市は１９００年に人口28・5万人だったのが、１９３０年には１５６・３万人になった。今日のデトロイトは住民70万人で、ピーク時の人口の5分の2だ。だがもっともっと小さな都市を見ると、デトロイトのように人口が大きな割合で変動した都市はますます増える。

ニューヨークのたゆみなき成功と、デトロイトの衰退というのは、インターネットトラフィックの章で扱う話として奇妙に思えるかもしれない。だがデジタル観察は、放送の視聴率や印刷物の流通で馴染みあるようなパターンに従わない。古いメタファーや計測指標は、どうしてもまちがいを引き起こす。インターネットは、メディアのビジネスモデルを壊しただけでなく、人々の認知モデルも破壊してしまった。

本章は、ウェブトラフィックのより良いモデル構築をめざす。そしてその道中で、いくつか積年の問題の解決をめざす。初期の著作は、インターネットがメディアのロビン・フッドになると想定していた。巨大放送局や印刷出版社から観衆を盗みとって、小さいサイトにそれを分け与える、というわけだ[★2]。でも実際の観衆についてのデータは、常にちがった様相を描き出していた。ウェブトラフィックは、おおまかにべき乗則分布になっていて、ウェブのきわめて集中した「頭」が、小規模サイトの長く分散した「テール」と組み合わさっている。こうしたべき乗則のようなパターンは、ウェブが新旧エリートに支配されているのかという激しい論争を引き起こした[★3]。

この論争の最中に、重要な問題が放置されたままとなっていた。まず、そもそもどこからこのべき乗則が出てきたのか？　結局のところ、第1章で見たとおり、ワールド・ワイド・ウェブはこの種の格差を避けるべく意図的に設計されたものだ。一部の学術研究は、金持ちがもっと金持ちになるという現象（rich-get-richer effects）が犯人だと示唆してきた[★4]。でも、べき乗則パターンを生み出す、金持ちがもっと金持ちになるループにはいろいろな種類があるし、またそれとは全然ちがったほかのプロセスでも生じるのだ[★5]。

第二に、同じくらい重要なこととして、こうした勝者総取りパターンはどのくらい安定しているのだろうか？　いつまでも訪れる気配のない小規模サイトの勝利を唱える『ゴドーを待ちながら』一派（第1章）とシリコンバレー的な「転覆」やシュムペーター的な「創造的破壊」支持者たちは、今日の集中が短命に終わると論じる。進歩的な傾向の強いネット中立性支持者たちですら似たような主張をして、インターネットのアーキテクチャをオープンにしておけば、分散した観察への「天性の」傾向が再び確立すると示唆する。

本章はこうした主張を疑問視する。今日までのほとんどの研究は、観察分布の集中した頭の部分か、小さなサイトのロングテールの、どちらか片方にしか注目しなかった——そしてそのどちらももう片方の側は例外としてしか扱わなかった。これに対し、本章は最大級のウェブサイトから何百という小規模なものまでシームレスにスケーリングする新モデルを構築する。このアプローチは、牙とか尻尾とかだけでなく、ゾウの全体を捉えるのがずっとうまい。こうしたモデルを構築して、それをウェブ計測企業ヒットワイズ社の豊富なデータセットにより検証しよう。

するとわかるように、デジタル観察の成長は予測可能なパターンをたどる。このパターンは、都市がだんだん成長する様子や、証券市場での株価変動(これについては後述)に似ており、生物種の増加と減少にすら似ている。本章は他の分野からの数学モデルや技法を拝借して、こうしたパターンを実証する。数学的な詳細はすべて補遺に入れた。前章と同じく、ここでの焦点は、こうしたモデルの背後にある原理と考え方を理解することだ。

データを見ると、大規模サイトの観察は小規模サイトよりずっと一貫性があることがわかる。さらに重要なこととして、トラフィックの日々の変動のおかげで、ウェブの構造が安定したものとなる。たとえば、21位のサイトや55位のサイトが得るトラフィックは時間がたっても安定している。日々どのサイトが21位や55位になるかは変動しても、それぞれのトラフィックは同じなのだ。これまでこのパラドックス――個別サイトのすさまじい不安定性と、構造的な安定性との組み合わせ――は認識されていなかったが、これはデジタルメディア理解の鍵となる。

テック産業では、「入れ替わり（churn）」という話がよく出る。サイトのトラフィックとサイトのランキングが絶えず変動し続ける、という話だ。本章は、このトラフィックの入れ替わりに関する初の厳密な検討の一つであり、その入れ変わり自体の構造――トラフィックの日次変動の累乗化――がいかにデジタル観察の格差を維持しているのかを示す初の分析となる。

株式市場としてのウェブトラフィック

デジタル観察の入れ替わりを理解したければ、まずは他の分野での似たような問題を検討するところから始めねばならない。そしてこれは、確率的動学システム（SDS）について学ぶべきだということだ。SDSというのは、時間とともにランダムに変化するシステムというのをかっこよく言っただけだ。

ありがたいことに、SDSは古くから確立した分野で、強力なツールキットもある。たとえばウサギの個体群を研究したければ、SDSアプローチが必要になる。生態学と微生物学はこうしたツールを何十年も使ってきた［★6］。SDSの原理に依存する他の分野は、信号処理［★7］、生化学［★8］、経済学［★9］、疫学［★10］など無数にある。

ここでの狙いのためには、あるよく知られた確率的動学システムが特に関係してくる。証券市場だ。

ある特定の驚くようなかたちで、ウェブトラフィックは巨大な株式市場とほぼぴったり同じ振る舞いを示す。株価の変動に関する基本的な事実をいくつか振り返ると、デジタル観察で一見すると矛盾に見えるものの多くが説明できる。

まず最も根本的とも言える事実――株式市場は集中している――から始めよう。

時間とともに発達するシステムはしばしばべき乗則、あるいは（同じことだが）スケール不変分布を生み出す。べき乗則パターンは、科学論文の参照数［★11］、紛争の強度［★12］、個人の富［★13］、さらに本章の冒頭部で触れたような、都市の人口［★14］について報告されている。株式市場も例外ではない。各企業の株式の総時価――時価総額または市場キャップ――はだいたいべき乗則に従う［★15］。アメリカの公開企業はおよそ1万社あるが、トップ25社が時価総額のおよそ4分の1を構成する。トップ100社でほぼ半分だ。

株式市場がべき乗則に似た分布に近いというだけではない――市場の構造全体が、驚くほど一貫しているのだ。市場の下半分に比べ、55位や99位や1001位にランキングされた企業の相対価値は、毎日ほとんど変わらない。どの株がその順位になるかは予測できない――できたら大儲けできてしまう！　でもこの順位構造は、株式市場が暴落した前の日と後の日といった極端な例ですら一貫している。そしてこの構造は、何十年いや何世紀も続いている。1900年代初頭、ニューヨーク株式市場の上場企業は何千社も少なかったが、それでも今日より集中度は少し低いだけだ［★16］。

ここでの狙いにとって重要なこととして、この耐久性ある株式市場構造をつくり出すのは何か、私たちは知っている。あらゆる株価は絶えず変動する――だが一部の株は他よりはるかにその変動が激しい。

企業2社を考えよう。株式公開したばかりの小さなテック企業と、ゼネラルエレクトリック社（GE）のような巨大ブルーチップ企業だ。どちらの企業の株式のほうが安定しているだろうか？

答えは当然GEだ。新興企業の大半は破綻するし、しかもすぐに破綻することが多い。健全な株価をもつ企業は、ほぼ絶対にすぐに破綻したりしないし、珍しく例外が起こっても、それは詐欺によるものがほとんどだ（AIGやエンロンのような、有力株の突然の破綻はこのパターンだ）。大企業の安定性の裏面として、中小企業は成長の余地が大きい。幸運な新興企業は売上を10倍、100倍に増やせる。最大級の企業から、中規模、小規模、泡沫へと移るにつれて、株価は桁違いに不安定になる。

ロバート・ファーンホルツの研究が示すように、こうした株価変動が累積すると、株式市場のべき乗構造が生み出され、そして維持される。驚いたことに、集中は巨大株がはるかに安定していることから生じる。成長できるほど幸運だった企業は、そのリードを維持する可能性が高い――というのも、大きな株は安定性も高いからだ。価値を失う不運な企業の株は、さらに価値を減らし続けるリスクが高い。

こうした株式市場の振る舞いは、デジタル観察についての私たちの研究に重要な背景を与えてくれる。デジタル観察でも、証券市場に見られるのと同じ、規模が安定性をもたらすというパターンを予想すべきなのだ。第2章と第3章で示したように、大企業は技術インフラでの「ハード」な優位性（サーバー、コードベース、光ファイバーなど）、人的資本からくる「ソフト」な優位性（ブランディング、ユーザーラーニング、消費者の習慣、ますます大量のユーザーデータ）の両方をもっている。だが大規模サイトは、小規模サイトにはない制約にも直面する。イーベイはすでにオンラインオークションを支配している。競合他社から市場シェアは奪えない。すでに競合他社などないからだ。すでに大規模となったサイトはトラフィックを失う見込みは低いが、成長する可能性も少ない。

だがウェブ観察がこうした規模と安定性のパターンを示すなら、いくつかの事実がそれに伴って生じる。まず、大規模サイトはどんな時間軸で見ても、はるかに高い観察の安定性を示すはずだ——日次、週次、月次、さらに年次のトラフィックデータですら安定しているはずだ。

第二に、オンライン観察はほぼべき乗則に従うはずだ。これについてはすでにたっぷり証拠がある。第三に、重要だがそれほど明確でないこととして、このべき乗則パターンは安定しているはずだ。ある順位でのトラフィックは、個別サイトの順位が変わっても一貫しているはずだ。第四に、小規模サイトに比べた大規模サイトの相対的な安定性は、全体的な集中の水準すら決めてしまうはずだ——つまりべき乗則の傾きを決めるはずだということだ。

高解像度データ

デジタル観察についてのこうした新しい考え方は、ヒットワイズ社が提供してくれた豊富なデータセットのおかげで検証できる。ヒットワイズ社は多国籍ウェブトラフィック計測企業であり、ホンダからハインツまで何百もの企業を顧客にもつ。グーグル、アマゾン、イーベイといった巨大インターネット企業もヒットワイズ社の顧客だ。

ヒットワイズ社のデータは、その二大競合相手であるニールセン社やコムスコア社の集めるデータとはちがう。後の2社は、コンピュータにモニタリングソフトをインストールした、オプトイン型の利用者パネルに頼っている（コムスコア社のデータについては次章で詳述）。ヒットワイズ社のデータも一部はパネルデータを使っているし、特にデモグラフィック属性データを集めるときにはそれが使われる。だがヒットワイズ社のデータの大半は、インターネットサービスプロバイダ（ISP）からのものだ。ヒットワイズ社のISPパートナーがトラフィックデータを集め、匿名化した集計形式でヒットワイズ社に提供するのだ。利用者のうち、トラフィックが（匿名とはいえ）記録されていることに気がつく人はいないので、ヒットワイズ社のデータは選択効果や観察者効果の影響が少ない。一部の詳細は秘密ながら、ヒットワイズ社による自社の手法とプライバシー保護に関する全般的な主張は、外部の監査人にも確認されている［★17］。

ヒットワイズ社が提供するデータセットは、3年にわたる日次ウェブ訪問データを含む。トラフィックは、訪問数で計測されている。これはあるウェブサイトでの一つ以上のクリックと定義され、クリック間隔は30分未満と定義されており、業界標準の指標だ［★18］。訪問数は、ページビューよりはサイト間の比較に適した指標となる。ページビューは、そのサイトのアーキテクチャにかなり敏感だからだ。同じコンテンツを複数のページに分散させるようなサイトのデザイン変更は、サイトの受けるページビューの数を激増――または激減――させる。サイトで過ごした時間もまた指標として考えられるが、それをすべてのウェブサイトでうまく計測するには、利用者のコンピュータにモニタソフトをインストールせねばならず、これは選択問題を引き起こす［★19］。他のトラフィック指標、たとえば「観衆リーチ」や「ユニーク訪問者」は、サイトの本当の観衆を計測するにあたってひどい結果しかもたらさない（これについては第6章と第7章で触れる）。

ヒットワイズ社のデータは、2005年7月1日から2008年6月30日までの毎日、トップ300のウェブサイトの市場シェアを示す。これはヒットワイズ社の分類に従って2部門に分けられている。すべての非アダルトウェブサイト部門、およびニュースとメディアサイト部門だ。ヒットワイズ社はこの時期、平均で毎月80万サイトをトラッキングしていたが、上位300サイトは総トラフィックの半分近くを獲得しており、トップ10だけでウェブ訪問の4分の1を得ている（この割合はその後着実に上昇している）。ヒットワイズ社のニュースとメディア部門には5000サイトがあがっているが、こちらはもっと集中している。トップ300のメディアサイトは、1日平均でトラフィックの8割を占めており、トップ10はあらゆるニュース訪問の3割を占める。

重要な点として、ヒットワイズ社のデータは相対的なトラフィック情報しか含まない。それぞれのサイトへの訪問の比率だけがわかり、実数はわからない。このデータだけでは、市場全体が成長しているのか縮小しているのかはわからないが、ほかの情報源を見ると、この期間にウェブトラフィックは激増している。この期間のウェブ利用の急増にもかかわらず、トラフィックシェアが安定しているというのは、なおさら驚異的なことだ。

このデータはまた、オンラインの関心の全体的な分布についても物語る。ウェブトラフィックがべき乗分布しているというのはよく言われるが、この主張をきちんとしたデータセットで検証した学術研究はほんのわずかしかない［★20］。図5・1は市場シェア0・001％以上のサイトすべてについて、

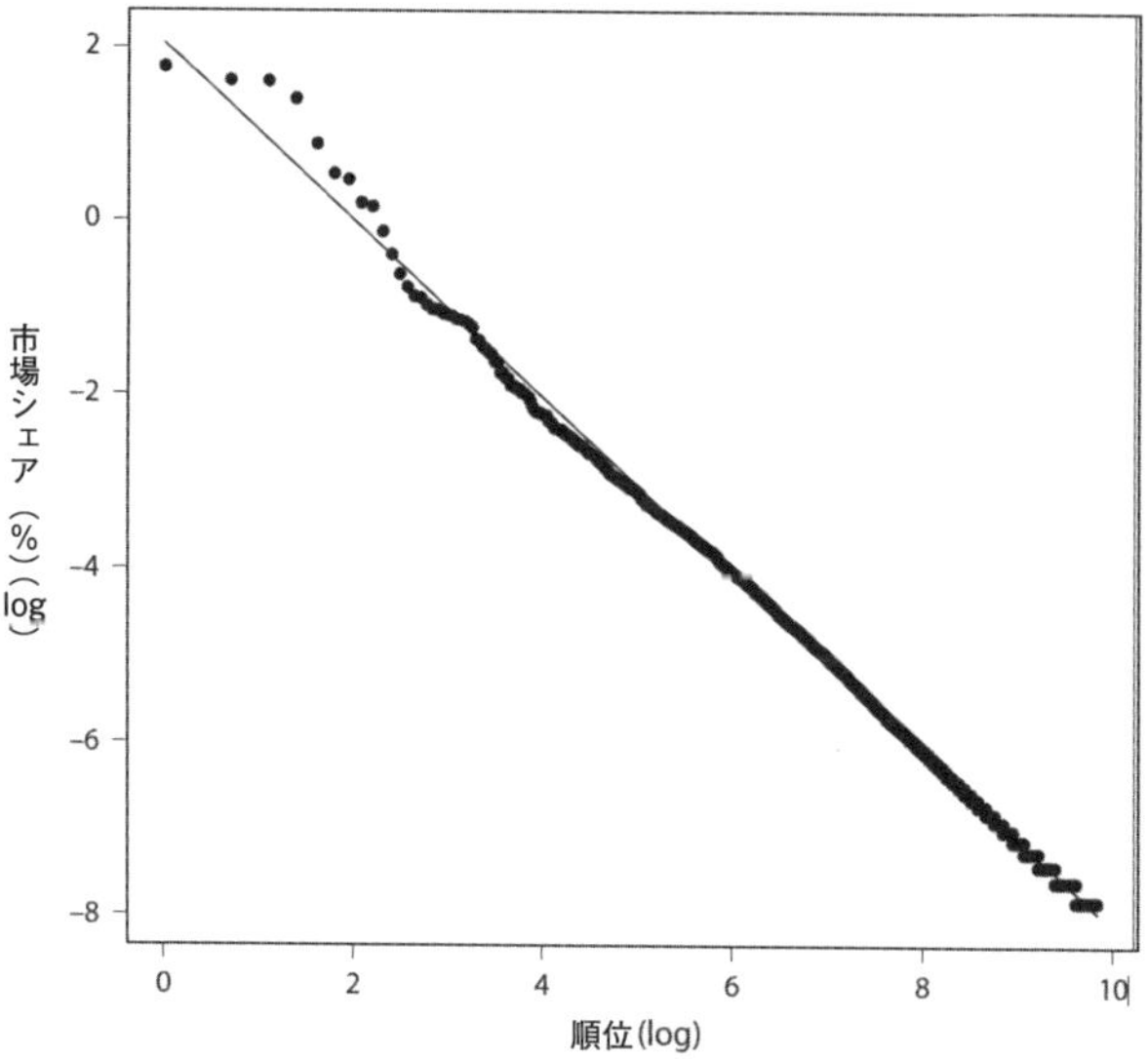

図5.1　ヒットワイズ社データの順位ごとの観衆シェアを両対数グラフで表示。データの本体は直線と非常に近い。これはべき乗則やそれと近い関係の分布に共通する特性だ。

２００８年６月のトラフィックをプロットしたものだ。この基準で引っかかってくるサイトは６万５５５３サイトとなる。トラフィック分布は両対数プロット〔グラフの両方の軸が対数スケールのグラフ〕ではほとんど完璧な直線となり、べき乗則分布と整合していることがわかる（完全な議論は補遺を参照）。

トラフィックの入れ替わり

ウェブトラフィックの振る舞いは、株式市場などで見られたものと一致しているだろうか？　驚くほどの精度で、その答えはイエスだ。サイトの入れ替わりを計測する方法は主に二つある。順位と観衆シェアだ。まずは順位から始めよう。

重要な指標の一つが漏出《リーケージ》だ。つまり、あるサイトが翌日にトップ300から脱落する確率だ。図5・2aは順位ごとに、非アダルトサイトすべて（黒）とニュースサイト（灰色）について、漏出をプロットしている。予想どおり、最も人気あるサイトの漏出はないも同然で、200位以下のサイトでないとそんな可能性はまず生じない。漏出は、200位からどんどん小さいサイトに進むにつれて、だいたい指数関数的に着実に増加する。上位300位から消え去るサイトは、圧倒的にこのカットオフ点に近いサイトで、300位にあるサイトは、確率2分の1をちょっと上回るくらい漏出している

順位に基づく他の指標は、順位がどれだけ頻繁に入れ替わるかというものだ。もしあるサイトがウェブ上で4番目に訪問者の多いサイトなら、そのサイトは4位を占有していると言う。図5・2bは、各順位を占有するサイトが変わった日の割合をプロットしている。全体のトラフィック部門とニュースサイト部門の両方で、トップ10のサイトはめったに順位が変わらないが、25位以下のサイトは毎日のように順位が入れ替わる。小規模サイトは市場シェアにあまり差がないので、順位もはるかに入れ替わりやすい。表5・1は市場のトップに近い2サイトペアが持つ、市場シェアの差のメジアン（中央値）を示している。20位以下のサイトのシェアは100分の1%もちがわないから、ちょっとした観察のシフトでも順位の変化がはるかに起こりやすい。

図5・2cは関連した指標として、データのある3年間について、それぞれの順位を占有したサイトの総数を示す。データは順位と、その順位を占有したサイトの数との間に、安定したおおむね線形の関係があることを示している。図5・2cは、その順位にそれまで登場したことのないサイトだ

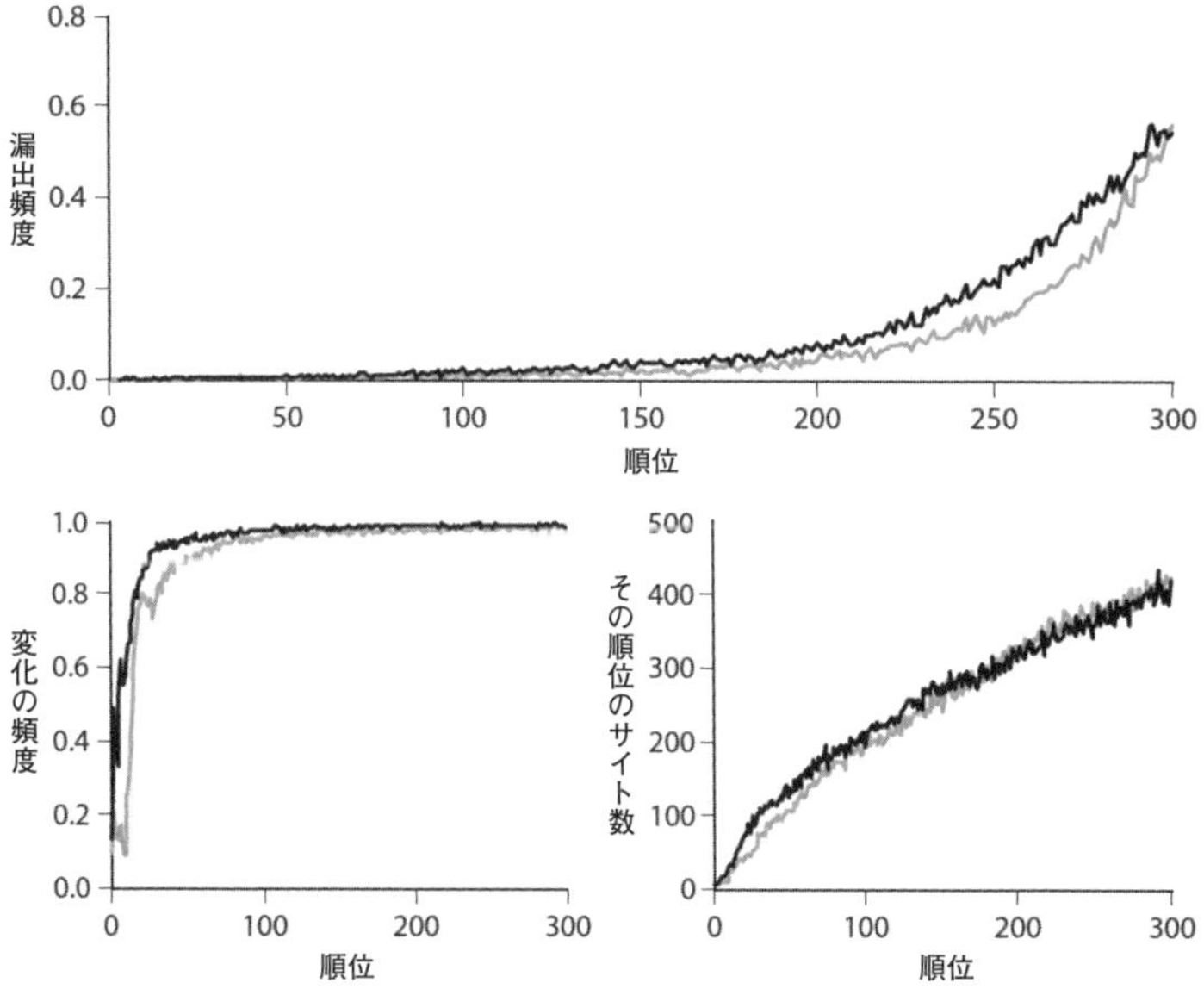

図5.2　サイト順位がどう推移したかを示す。全非アダルトサイトからのデータが黒、ニュースサイトは灰色。上 (a) サイトが翌日にトップ300から脱落する確率を順位ごとに示した。下左 (b) ある順位のサイトが前日とちがう日の割合。下右 (c) 3年間にわたりそれぞれの順位を占めたウェブサイトの総数。

順位	1-2	5-6	10-11	15-16	20-21
差のメジアン	.542	.531	.239	.024	.007

表5.1　隣接した順位での観衆ギャップ
この表は、いくつかの隣接順位での観衆ギャップを示す。1位と2位のサイトでは全体として観衆の差は0.5%以上だが、20位以下のサイトだと差は1/100%に満たない

けを累計しているが、図5・2bはすべての日次占有変化を含んでいることに注意。たとえば、トップのサイトが偶数日にはグーグルで奇数日にはヤフー！なら、図5・2bは100％の日次変化があったと記録するが、図5・2cでは占有サイトは二つしかないと記録する。最低の300位だと、ニュース部門でも総非アダルトサイト部門でも、400以上の占有サイトが記録されており、小規模サイトの中での入れ替わりがどれほど激しいかわかる。

トラフィックで見た変動性（ボラティリティ）

順位による変化を見るのに加え、あるサイトの現在の観察規模から将来の変動性を予測できるかも検討できる。トラフィックに直接注目することで、上で見られる順位の（不）安定性における一貫したパターンを説明できる。

動学的システムの理解においては、経時的な変化の計測と理解が常に鍵となる。特にトラフィックの実数ではなく、比例的な成長率に注目しよう——日次のトラフィックの比率変化だ。

成長率の検討ではいくつかの事実を念頭におく必要がある。まず、ここでの成長率は、プラスだけでなくマイナスにもなる。普通の会話だと、成長というのは増加だけを指すが、動学的システムの場合、成長はプラスだけでなくマイナスにもなるのだ。というか、動学的システムでは成長率は通常、少なくとも半分はマイナスになる。

第二に、こうした成長率の対数に注目する。というのも、注目したいのはほとんどが複合的なトラフィックの増加／減少だからだ。対数を使うことで、かけ算が足し算の問題になるので、分析が大幅に単純にできる。

第三に、すでに述べたように、トップ300から漏出するサイトは観測できない。これはいちばん小さいサイトの分布を観測上で歪めてしまうが、そのことで本章でこれから述べる結論がいささかも変わるわけではない。

多くの動学的システムの場合、経時変化は対数目盛で正規分布している。ランダムに選んだ株のバスケットを考えよう。時間がたつにつれ、株価の変化の対数は正規曲線となり、大企業はそれが細くなり、小企業だとそれが横に広がった形になる。すべての規模の企業を集計しても、この正規分布曲線は時間がたつにつれてだんだん横に広がってくるが、それでも変化は対数正規分布のままだ。

ウェブの観察も同じパターンを示すだろうか？　図5・3は対数目盛で日次変化を示したものだが、これを見ると明らかに答えはイエスらしい。最大級のサイトを薄い灰色、中規模サイトは濃い灰色、最小のサイトは黒で示した。出てくるのは、少し粗いがまごうかたなき正規分布曲線だ。ただし、完全な対数正規分布よりは、テールが少し太い。日次変化は、最大級のサイトではその分だけ小さいし、中規模サイトではそれより大きく、観察の最も少ないサイトでは最大になる。

図5・4aと5・4bは、経時的な観察変化についてさらに包括的な記述を行っている。図5・4aはトラフィックの日次変化を対数目盛でグラフ化したものだ。標本中のすべての日について、前日のトラフィックがx軸、翌日のトラフィックがy軸だ。何の変化も見せなかったサイトは、グラフを分断する45°線の上にくる。データはその45°線を取り巻く漏斗状のパターンとなり、観察はサイトが小さくなるとはるかに変動が高まる。

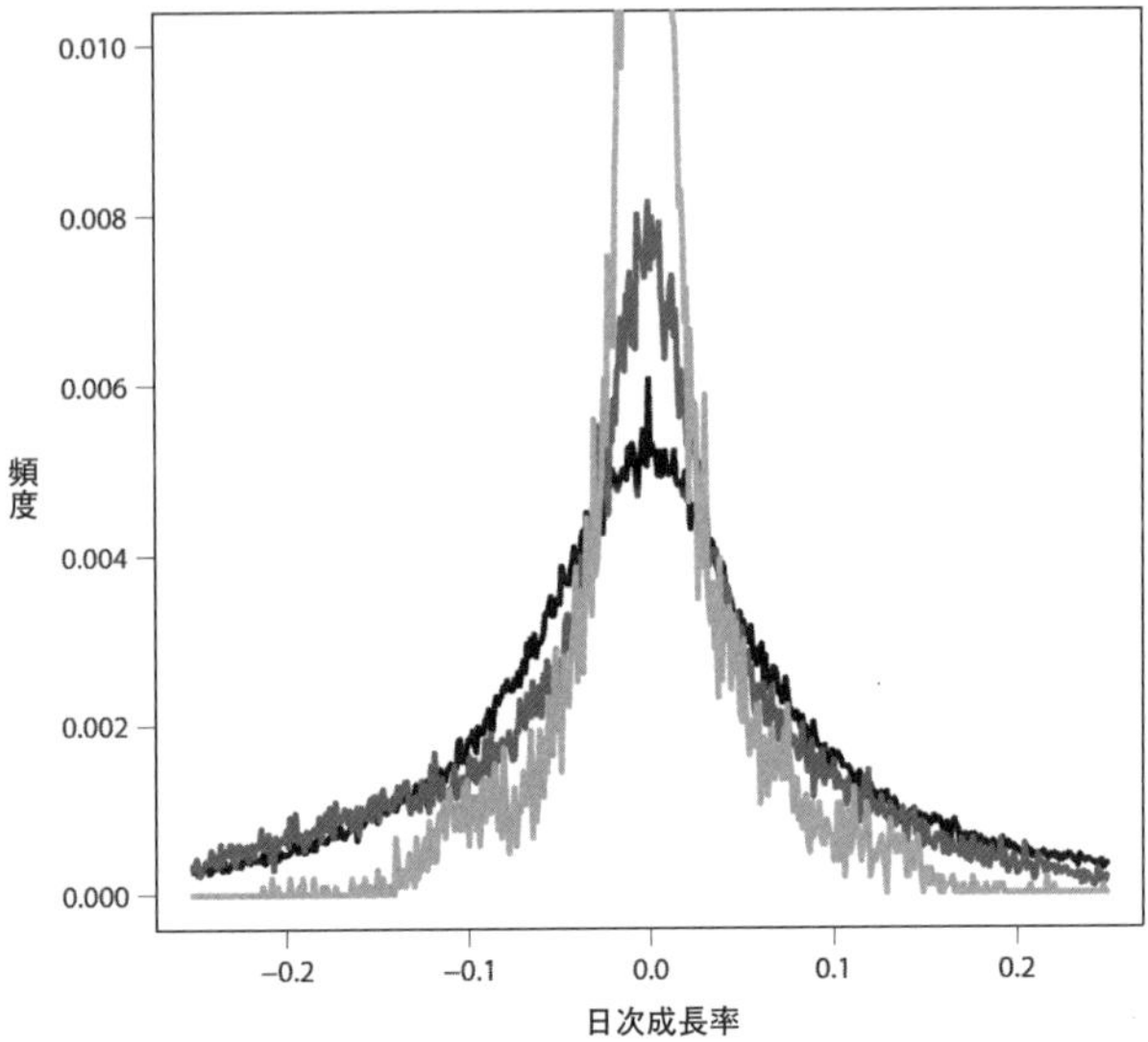

図5.3　データで、大、中、小規模サイトの日次成長率の対数の分布を示した。三つの集団どれも明確に正規分布曲線を示し、中規模や、特に小規模サイトでは分布がずっと広い。完全な観測値を使ったデータは、最小サイトについて左側のテールがさらに太く対称的となる。漏出の影響が最も強い集団だからだ。

図5・4bは、日次ではなく年次でトラフィック変化を示したものだ。驚くことに、同じパターンがはるかに長い時間軸でも成立する。正規分布は大小問わず末広がりになっているが、同じ漏斗状パターンがはっきり見られる。このデータは対数軸なので、2倍の広さの開きは、実際には1桁ちがうことを示す。

つまりどんな時間軸で見ても、個別サイトのトラフィックは入れ替わりの漏斗に支配される。サイトが小さければ、トラフィックの変動も大きい。時間がたつと、漏斗は末広がりになる。どんなウェブサイトも将来のトラフィックについて確信は

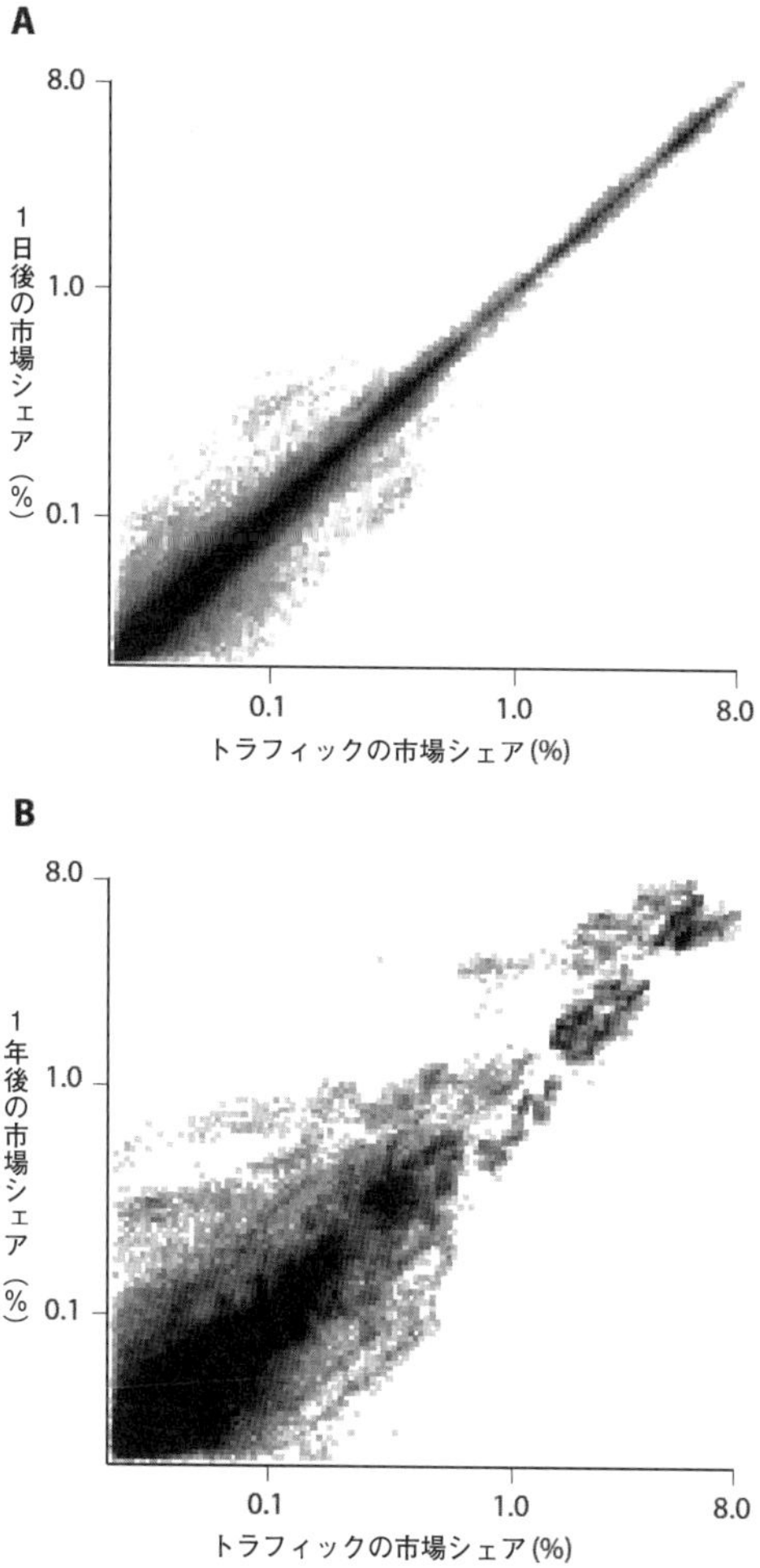

図5.4　規模のちがうサイトについて、観衆の変化を日次(a,上)と年次(b,下)で示したもの。上のグラフははっきりと、入れ替わりの漏斗状パターンを示しており、小規模サイトのほうがはるかにトラフィックの増減確率が高い。下のグラフは、同じパターンが年次で見てもすら生じることを示す。

できないながら、小規模サイトが直面する不確実性は圧倒的に大きいのだ。

ウェブトラフィックをシミュレート

これまでの部分は、一見するとパラドックスに見えるものを示した。一方では、データは観察数のすさまじい——とはいえ統計的には正規の——変動を示す。特にトップ10やトップ20以下のサイトではそれが顕著だ。一方では、デジタル観察のべき乗構造は観測した期間ずっと安定している。ウェブトラフィックは椅子取りゲームのようで、順位は激しく入れ替わっても、観察は比較的固定されている。

だが、この事実がまったく矛盾していないとしたらどうだろう。ウェブトラフィックの分布は、個別サイトの絶え間ない変動にもかかわらず安定しているのではないかもしれない。入れ替わりの漏斗こそが、まさにウェブトラフィックのべき乗則パターンをつくり出し、維持しているのかもしれない。それにより、オンライン観察の構造的な安定性が保たれているのかもしれない。

ほとんどの読者は正規分布はご存じだろう。いわゆる釣り鐘型のベルカーブで、大量の小さい独立変数を加算すると生じるものだ。だが近年の研究者は、べき乗法則と対数正規分布——社会科学や自然科学では正規分布よりずっと多いかもしれない——もいささか似た原因をもつということを認識している。ベルカーブは、小さな変数をたくさん足し合わせる結果だとしたら、対数線形分布は、多くの小さい独立変数をかけあわせることで生じる。べき乗則がこれほどいたるところに見られるのは、多くのちがった成長プロセスの分布を「引きつけて」いるからなのだ[★21]。

すると仮説は、オンライン観衆のべき乗則は私たちの観察する成長率のために分布を引きつけている、ということになる。本章で示した証拠は、株式市場のような類似の動学的システムを思わせるし、整合性もある。それでも、通常はある個別のべき乗則が特定の仕組みで生み出されたと「証明」する方法はない[★22]。最高のやり方はシミュレーションを使い、私たちの提案した仕組みが現実世界のデータと似た結果を生み出せることを示すことだ。

そこで次にまさにそれをやろう。ウェブトラフィックのシミュレーションを構築して、トラフィックの入れ替わりとデジタル観衆のべき乗則のつながりを検証する。モデルはできるだけ単純にした——単純すぎて、各サイトの現在の順位以外のあらゆる情報を無視しているくらいだ。目標は、絶対にウェブトラフィックの完全な、あるいは最も「リアル」なシミュレーションを構築することではない。むしろ、データに見られる観衆構造を近似するのに必要な、最小限の要素群をつきとめることだ。

そこで、シミュレーションしたサイトを３００個もつモデルを構築する。それぞれは、毎日その現在の順位に基づいてランダムに変化する。日次トラフィックの変化はおおまかに対数正規分布曲線に従うことはわかっている。ただし、テールが重たく、少し潰れた形で歪んでいるのも知られている。一つの選択肢は、正規分布あるいはそれに似た分布でこのベルカーブを描くのに必要なパラメータを推計することだ。だが念には念を入れて、私たちはこのアプローチを採らない。データが正規分布とかのようなきれいな振る舞いを見せていると想定するかわりに、実際のデータからのブーツストラップ式標本抽出〔母集団から重複を許して無作為にいくらかデータを取り出して再標本化する手法〕を行うことにする。

シミュレーションされたそれぞれの日について、サイトを１位から３００位まで市場シェアに基づき順位づけする。それぞれのサイトについて、成長率が現在の順位に基づいてサンプリングされる。たとえば125位のサイトについては、現実データで125位のサイトが実際に起こした1095の日次変化のどれかがランダムに選ばれる。この新しい成長率を使って新しい市場シェアが計算される。市場順位が最大から最小までソートされ、そしてプロセスが繰り返される。

このシミュレーションはその他二つの問題に対処しなくてはならない。まず、一部のサイトはかなりの市場シェアを失ってリストから脱落するし、他の小規模サイトが圏外からトップ300に飛び上がってくることもある。市場順位をソートしたあとで、300位のサイトについて市場シェアのカットオフを、実測データの平均値を基に選ぶ。カットオフ以下のサイトはリストから脱落と見なされ、新しいサイトが追加されて、300位まで埋められる。ここでもブーツストラップ式のアプローチを使った。新たに浮上したサイトは、現実世界のデータで浮上してきたサイトの中からランダムに選ばれる。

第二に、初日について各サイトのトラフィックを選ばねばならない。この種のシミュレーションは、しばしば初期値の選択に大きく左右されるから、堅牢性のため三つのちがった初期条件を選んだ。条件1では、シミュレーションの開始時点でのサイトトラフィックは、標本の最終日と等しくしてある。つまりシミュレーションは実データの最終日から先へ進むかたちで行われるわけだ。二つ目の条件だと、超博愛主義的なアプローチをして、あらゆるサイトが同じトラフィックをもつとした。すべてのサイトは現実データに見られるメジアンのトラフィックから開始し、初日の「順位」はランダムに割り振られる。最後の三つ目の条件は、初期値を第5番百分位から95番百分位まで均等に割り振る――

要するに、サイトを15位から285位まで線形に並べるわけだ。

この三つの初期条件それぞれについて、シミュレーションを1000回ずつ走らせる1500日分のシミュレーションを行った。図5・5a（標準の目盛）で見ると、シミュレーションのすべてが、確かに極端な対数線形の観察分布を生み出したことがわかる。結果はグラフ範囲の縁をなぞるようになっており、これはべき乗則などの分布の典型だ。各サイトにまったく同じトラフィックを割り振ったときですら、観測されるグラフはすぐに、シミュレーションの1、2か月分くらいの期間で、きわめて集中した対数線形分布へと収斂する。これは予想外の強い結果だ。

図5・5bは対数目盛で、シミュレーションと実測データとがどうずれているかをもっと細かく示している。三つ目の初期条件――現実データよりはるかに高いトラフィックのサイトで始まっている――は孤立値で、初期条件1と2はもっと末広がりであり小規模サイトが大量にある。

このデータを見せるもっとうまい方法が図5・6だ。これは4列構成の堆積プロット図だ。1列目は実際のデータ、2列目は実際のデータ最終日から始まるシミュレーションだ。3列目はトラフィックがどれも等しいという条件、4列目は第5番百分位から95番百分位までサイトが均等に並んだ状態で始まったシミュレーションとなる。

データでの市場シェア――最小値が0・02%で最大値が7・5%――は同じ大きさの値域《ビン》300個に分割される。その値域《ビン》は、それぞれのサイトの累積得点を記録する。累積得点数は、灰色の濃度で表現されている。その市場シェアの値域《ビン》に何も点がなければ白、たくさんあれば黒だ（最小の市場シェアで15万点ほどになる）。

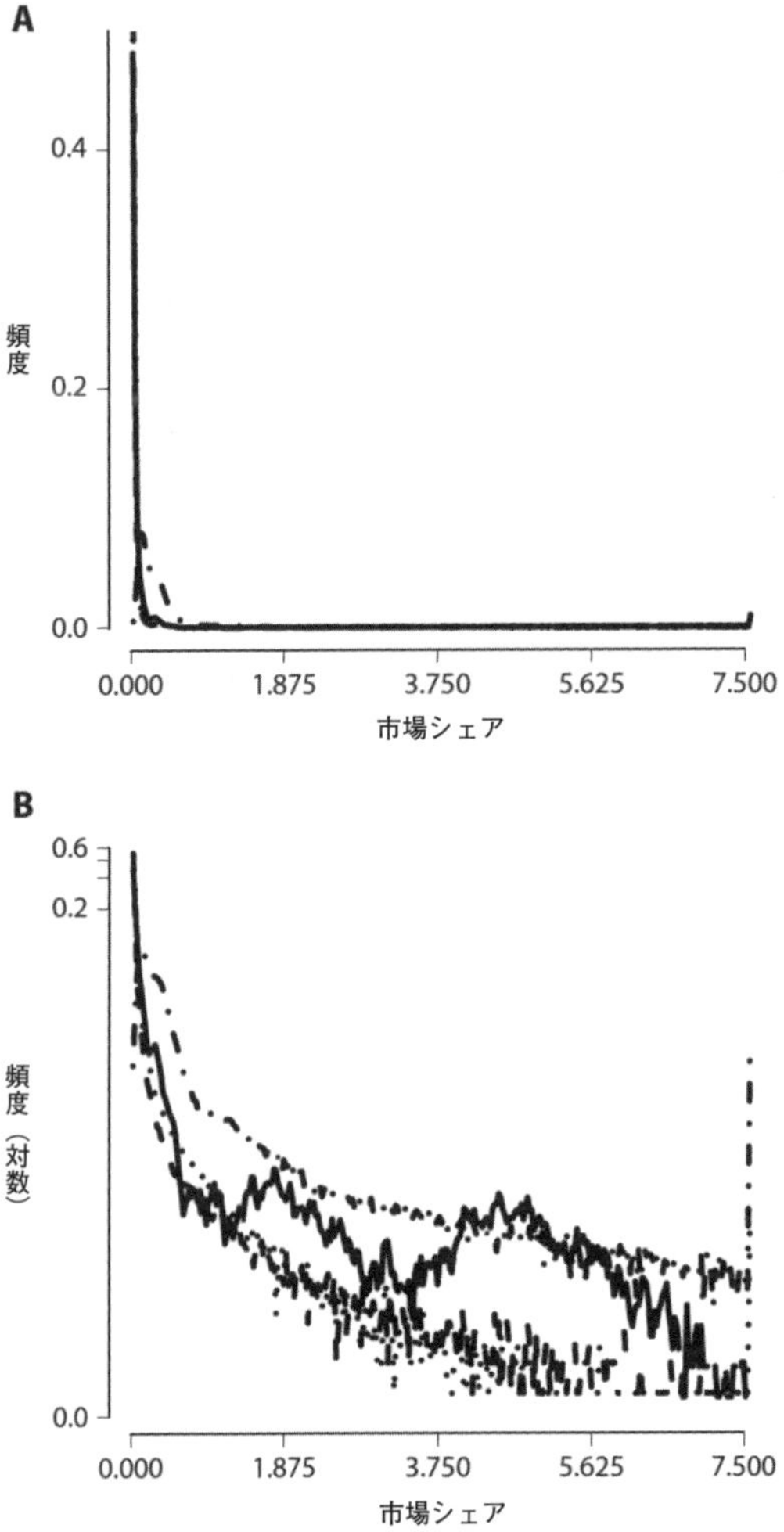

図5.5　1500日分のシミュレーション最終日の結果、シミュレーション1000回の平均値。実測値（黒線）とシミュレーション3種類（破線）。実測値は初期条件のちがうシミュレーション結果の間に挟まれるかたちとなっている。

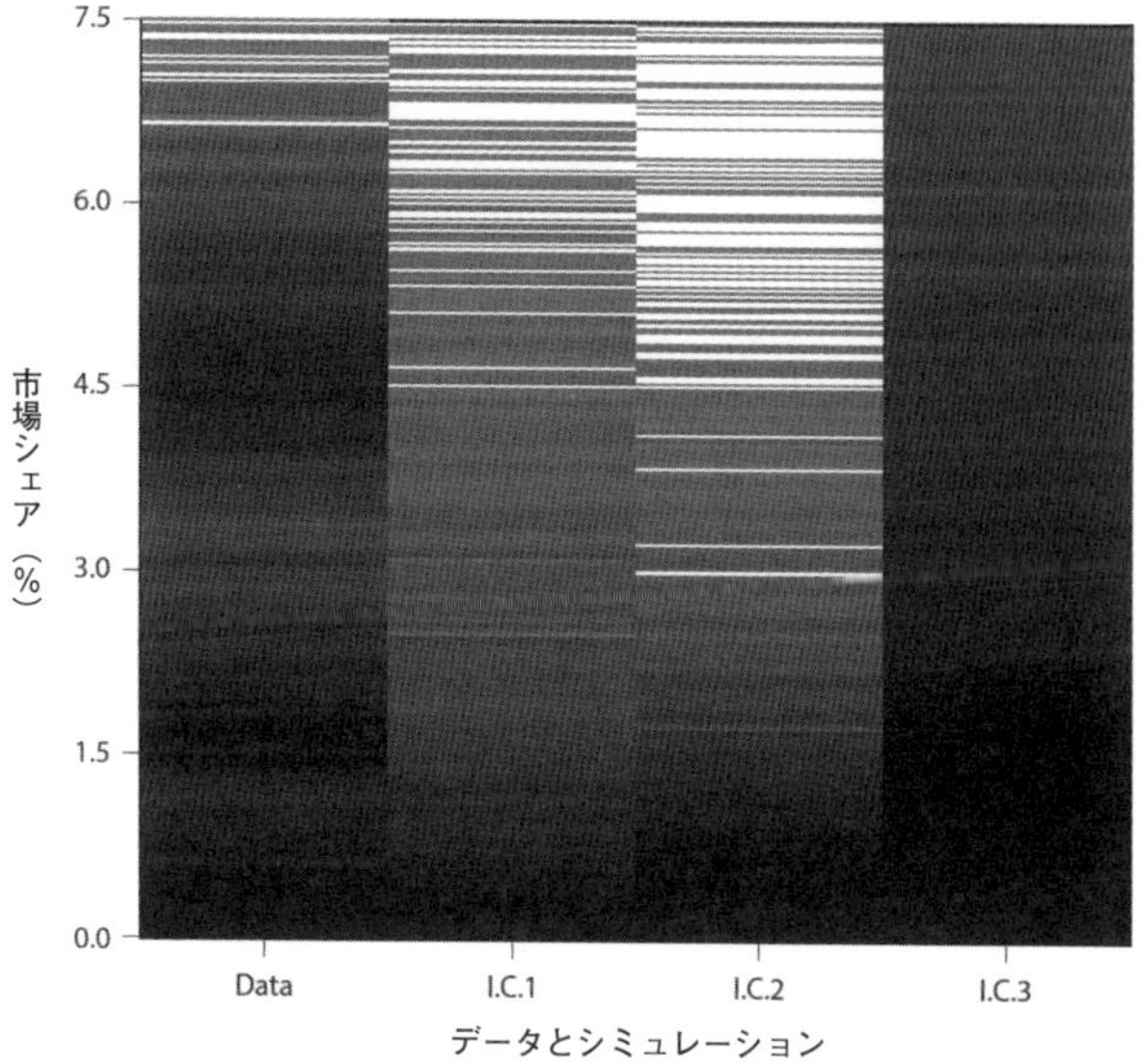

図5.6　元のデータ（左列）と、初期条件のちがう三つのシミュレーション結果を示した沈降プロット図。実際のデータの最終日から始めたもの（初期条件1）、すべてのサイトを同じトラフィックにしたもの（初期条件2）、均等の分布（初期条件3）。初期条件3は、実際のデータよりはるかに巨大なサイトを生み出す。初期条件1と2はむしろ、最小級のサイトを過剰に表現しすぎ、やがてシミュレーション内の最大級のサイトは市場から抜きん出る——興味深い結果であり、近年のフェイスブックとグーグルの独占優位性の増大に対応している。

実測データの最終日から始まるシミュレーション（2列目）も同じトラフィックという初期条件（3列目）も、べき乗則がますます極端になるにつれて、市場トップが小規模サイトを引き離し始めているのがわかる。初期条件3で使った平らな分布は、最終列のほとんど均等な色合いを説明してくれる。初期条件3は実測データよりも大規模なサイトをたくさん生み出し、いったん大きくなるとこうしたサイトは大きいままになるのだ。

もし永遠に走らせ続けると、いずれこの種のモデルはすべて破綻する。どんなモデルでも、データの重要な特性をすべて捉えることはできないし、ほんのわずかな仕様のまちがいでも、ステップごとにそれがかけあわされるため、指数関数的に大きくなってしまう。この場合でも私たちは意図的にモデルを制約するややこしい条件は省いている。日ごと、サイトごとの相関はまったく考慮していないし、目盛をいじることになりかねないので、毎日のシェア合計が100％になるかどうかも確認していない。

だがこうしたモデルが実際に破綻するときには、どれも現実世界でのウェブトラフィック変化を反映したかたちで破綻する。3000日分以上のシミュレーションを続けると――つまり8年以上に相当する――モデルはすべてデータ以上に集中したものとなる。市場の下半分か下3分の2は比較的安定しているが、最大級のサイトは、市場の他のものを引き離すことになる。

物事が変化すればするほど、すべては同じまま本章のデータはウェブの深層構造に新しい光を当てる。ウェブトラフィックはランダムかもしれないが、混沌とはしていない。ウェブトラフィックが経時的に変動する様子には強い規則性がある。そうしたパターンは、「ダイナミック」で「絶えず変わり続ける」インターネットが、政治、ビジネス、公共圏にとってどんな意味をもつのかという世間的な思いこみの大半を見直すよう迫るものだ。

本章の主要な結果は、三つの定型化した事実にまとめられる。まず、大規模なサイトは小規模サイトよりもトラフィックがはるかに安定している。サイトの観衆が少ないほど、将来的なトラフィックの変動性も高まる。

多くの人はいまだに、ウェブが絶えず変わり続ける環境であり、参入障壁は低く、人気ある新サイトがしょっちゅう生まれるのだと主張している。私たちのデータを見ると、これはまちがいだ。サイトがトップ10に新しく加わったり脱落したりすることはめったにない。じつはこのデータは、トップのウェブサイトが最後に見せた大きなシフト、マイスペースの凋落とフェイスブックの台頭を捉えている。その後、これに匹敵するような変化はまったくない。

第二に、ウェブトラフィックの全体的な分布は比較的安定している。ウェブトラフィックは、椅子取りゲームに似ている。サイトの居場所は移っても、たとえば11位や52位のサイトの市場シェアは驚くほど一定している。同じように、トップ100サイトの市場シェア全体は、その中で下位のサイトが毎日のように入れ替わっても、驚くほど一定だ。

第三に、観衆の集中は観衆の日ごとの成長の差から生じる。その他すべてを除去しても——1日の中で、または日ごとの相関を無効にしても、以前のトラフィック水準をサイトがまったく記憶しないようにしても、順位だけでシミュレーションしてすらも――入れ替わりの構造のおかげで、現実データに見られる対数線形トラフィックパターンが再現される。日次トラフィックの変動に見られる漏斗型パターンは、それだけでべき乗則パターンを生み出し、維持する。

今日に到るまで、オンライン観察が時間とともに分散するかどうかは、だれもはっきりわからなかった。私たちのデータとモデルは、分散派がまちがっているという強い証拠を提供する。様子見一派の最も熱心な支持者たちですら、巨大ブルーチップ株がすべて霧散するなどという発想に隠居費用をかけようなどとはしない。新企業が絶えず株式市場に上場し、一方で次々に倒産して消える企業もいるという事実だけでは、あらゆる大型安定企業が小さな新興企業の軍団に破壊されるという証拠にはまるでならない。その正反対だ。株式市場の集中構造は、まさにこうした絶え間ない市場の入れ替わりによってつくり出されているのだ[★23]。

同じ数学パターンが、株式市場と似たウェブトラフィックの動学も定義づけている。オンライン観衆が外向きに分散するのだという主張は、ゆゆしき裏づけのない想定だ。わかって言っているかどうかはさておき、こうした論者は入れ替わりの漏斗型パターンが、将来はちがってくると主張している。証拠なしにこんな隠れた想定を受け入れてはいけない。

だが同時に、入れ替わりの漏斗を理解することで、政策担当者やメディア指導者には新しいアプローチが拓ける。大規模サイトに比べて小規模サイトの粘着性を高める施策は、オンラインの集中を減らし、べき乗則の傾きをゆるくする。「イノベーション」だの「起業家精神」だの「実験性」だのの訴えは繰り返し行われたが、成功のはっきりした指標を生み出せずにいる。これに対して、ウェブトラフィックの動学と、サイトの相対的な粘着性に注目するほうが、先に進む方向性として有望そうだ。この主題については第7章と第8章でまた触れる。

本章はまた、それに先立つロックインの議論とも自然につながる。メディアの学術研究の多くは、メディアロックインの理解に定性的なアプローチを採り、ウェスタンユニオンやAT&TやNBCといった企業を何十年にもわたり支配的な存在にしてきた、初期の選択や累積した優位性に注目してきた。

本章は同じ問題について、定量的でサンプル数の大きなアプローチを行う。実際、べき乗則の傾きは、オンライン、ニッチがどのくらい強くロックインされているかを示すよい指標だ。極端な勾配をもつニッチ――たとえば検索エンジンやオンラインオークション――では、ロックインも極端なものになる。そこまで集中していないニッチは、新しいサイトがてっぺんに浮上するのも容易だ。ウェブが拡大し、検討すべきメディアリイトも増えると、学者はスケールアップできるような分析ツールを採用しなければならない。

ウェブの構造をつくり出す「規模が安定性につながる」というパターンは、数学的に単純で、エレガントだとさえ言える。だが多くの点でこのパターンは、デジタル観察についての世俗的な知見の大半とは相容れない。ウェブのいちばんてっぺんで、こうした発見は競合他社が「ほんの1クリックで到達できる」といった手前味噌なレトリックを叩き潰す。新興の地方ニュースやハイパー地方ニュースサイト（これらは定義からして小規模だ）がすさまじく苦労すると予測する。トラフィック入れ替えの構造は、明日のウェブが今日のウェブよりサイトも多く、声も多様になるといった楽観的な主張に疑問符をつきつける。

トラフィックの入れ替えはまた、現代ジャーナリズムの多くの変化の原動力だ。狂ったような「ハムスターの車輪」まがいのニュース生産や、「分散できる」メディアやニュースアグリゲーションの台頭までがこれで説明できる。

こうした主題はすべて、これからの数章で採りあげる。ダイナミックで絶え間なく変わるウェブは、じつは平等主義的なウェブではないのだ。

第6章　同じモノがさらに少なく――オンライン地方ニュース

新聞の世界での基本法則は、図体のでかいものが生き残る、というものだった。そしてコツは、他の連中よりも肥大化することだ。というのもそうなれば、求人広告も多くなり、中古車販売広告も増え、探し犬広告を出してもそれを見て見つけてくれそうな人が多くなるからだ。そして多くの人にとって――これは報道ビジネスにいる人々には耐えがたい話ではあるが――新聞で最も重要なニュースというのは広告なのだ。　――ウォーレン・バフェット

2007年のある土曜の朝、車に子供たちを乗せたグーグル重役ティム・アームストロングはふとあることを思いついた[★1]。赤信号で停車したときに、アームストロングは豊かな地元コネチカット州グリニッジでのイベントを宣伝する段ボール製の道路看板を見かけた。だが家に帰ってみても、アームストロングはコンピュータでご近所ニュースの似たような一覧を見つけられなかった。

そこでアームストロングは、独自にご近所に的を絞ったニュースサイトを共同創設した。Patch.comというこのサイトは、やがて通称ハイパー地方ニュース（hyperlocal news）の代名詞となった。Patchに属するご近所サイトは通常、1人のフルタイム編集者が運営していて、それが毎日5、6本の記事をつくっていた。

Patchは2009年にAOLに買収された。これはアームストロングがAOLの新しいCEOとして雇われて間もない頃だった。Patchは、AOLがダイヤルアップISPからコンテンツプロバ

イダに転身するにあたり、中核的な存在となった。Patchはすさまじい勢いで拡大し、絶頂期には900のご近所サイトと従業員およそ1400人を擁していた［★2］。この活動には3億ドルの値札がつけられた。AOLによる有名なハフィントン・ポスト買収にも比肩する値段だ。

だがPatchはその間も一貫して、ビジネスメディアや自社の株主からも疑いの目で見られていた。トラフィックはひどく停滞し、広告の売上は悲惨だった。2012年、アクティビスト投資家集団を撃退すべく、アームストロングはPatchが2013年末までに黒字転換すると約束した。だがハリケーン・サンディ〔2012年に発生した大型ハリケーン〕で一時的にトラフィックは急増したものの、黒字にはほど遠かった。2013年8月、アームストロングはPatchサイトの3分の1を閉鎖すると発表した。そして、Patch自身の編集者たちの一部すらサイトを使っていないと暗々裡に認め、従業員全員に対し「もしPatchを製品として使わず、Patchに投資しないなら、Patchにいる他のみんなのためにも辞職しろ」と告げていた［★3］。2014年1月、AOLはついにPatchの過半数所有株をヘールグローバル社に価格非公表で売却した。同社は一夜にして常勤職員540人が98人に減った［★4］。

Patchの失敗があれほど報じられても、アームストロングとハイパー地方ニュースのエバンジェリストたちは、いまだにハイパー地方メディアの未来は明るいと信じている。2013年12月のインタビューで、アームストロングは性懲りもなく、Patchのモデルはもう少し時間があればうまくいったはずだと固執している［★5］。有力なハイパー地方メディア支持者のジェフ・ジャーヴィスは、ハイパー地方メディアというのはじつにしっかりした発想なのに、「実施上の問題」や「ハイパー地方えんがちょ」による根拠のない恐れのせいでダメになったと宣言している［★6］。

アームストロングやジャーヴィスなどのハイパー地方ニュース旗振り役はまちがっている。ハイパー地方ニュースの問題——いや、それほど小さくない地方ニュースサイトも含めた問題——は彼らが述べるよりはるかにひどいのだ。Patchは限られたケースで、古くさい地方ニュースがウェブで直面する問題の最も極端な例だ。そしてPatchの命運を嘆く人がどれほどいるにせよ、その破綻が、民主主義が依存する地方ニュースについて示す内容は大いに懸念すべきものだ。

アメリカのメディア環境のうち、インターネット上の地方ニュースほど理解されていない部分はない。全体として見ると、紙の新聞からインターネットニュースの相対的な重要性は着実に高まっている。ピュー社の世論調査では、紙の新聞からニュースを定期的に得ている人よりも、インターネットからニュースを得ている人のほうが倍もいる[★7]。でもウェブはアメリカのニュース取得先として大きいのに、デジタルな地方ニュースに関する系統的なデータはほとんどない。

本当に基礎的な疑問についてさえ答えはないままだ。平均的なメディア市場には、オンライン地方ニュースサイトはいくつくらいあるのか？　成功した地方ニュースサイトは新興のものか、それとも伝統的メディアのオンライン版なのか？　オンライン地方ニュースにはどのくらい競争があるのか？　地方ニュースサイトはそもそもどのくらいの関心を集めるのか？

オンライン地方ニュースはまた、本書の核心にある理論やモデルの重要なテストケースだ。ハイパー地方ニュースに対する期待は、インターネットの観察たちは確実に小さな小さなニッチサイトへと分散していくのだという発想に基づいている。そうしたニッチには、地域性により定義されるものも含まれる、というわけだ。これに対し、本書はオンラインでは規模がとても重要だと論じる。第3

章と第4章で見たように、最大級のサイトは小規模ニッチサイトより訪問者1人あたりの稼ぎもはるかに多い。私たちの理論は、新聞やテレビのサイトは、新興サイトに比べて大幅な優位をもつと示唆している。確立したブランドや読者の習慣、使いやすいウェブサイト、巨大で魅力的なコンテンツの束もある。地方デジタルニュースサイトの乏しい成績は、民主主義にとっては困ったものだが、本書の仮説とは整合している。これに対し、ほとんどのメディア市場に地方デジタルニュースサイトの多様で栄えたネットワークがあるとすれば、それは本書の中心的な主張を覆すものとなる。

　地方ニュースの声を拡大するインターネットの潜在力は、公共政策にとっても意味をもつ。オンラインメディアの多様性は、連邦通信委員会（FCC）や議会での、放送局所有規制に関する論争で大きな位置を占めてきた［★8］。連邦法廷もまた、インターネットが地方ニュースにもっと多様な視点を提供できるという、議論の分かれる主張に注目してきた［★9］。FCCだけでなく、議会や連邦取引委員会の政策担当者たちも、新聞が財務的に苦闘するなかで、インターネットが地方ジャーナリズムを支えられるか検討した［★10］。本章はもともとFCCから、メディア所有規制の4年ごとのレビューの一環として委託された報告書が発端となっている。

　オンライン地方ニュースの重要性にもかかわらず、ウェブ上の地方ニュースの環境についてはほとんど系統的なエビデンスがない。本章はそれを変えようとするものだ。100万以上のWWWドメインについてわたるインターネット利用者25万人を追跡するコムスコア社〔comScore：インターネット利用動向調査とデジタル市場分析を行う会社。本社はヴァージニア州レストン〕のパネル〔調査協力者〕データを使い、本章はアメリカのテレビ市場〔商圏〕トップ100におけるオンライン地方ニュースを検討する。そこでは地方オンラインニュースと情報源が、こうした100

の市場において全部で1074サイト同定され、分析されている。その観客の範囲、トラフィック、伝統的メディアとの関係（またはその不在）が研究されている。本章はまた、地方オンラインニュース市場における集中度を検討し、最低限のトラフィック閾値を超えるインターネットのみの地方ニュースサイトについて調査を行っている。

コムスコア社のデータがもつ範囲の広さは市場ごとの粒度のおかげで、この研究はインターネットベースの地方ニュースについての、最も包括的な検証となっている。そこから得られる構図は、新しいオンラインサイトが地方ニュースの多様性を大きく増しているという主張とは相反するものだ。新しいデジタルネイティブなニュース組織は、このトラフィックデータにはほとんど存在しない。ウェブ上の地方ニュースは根本的に、旧メディアの同一情報源からのニュース消費を減らすという話だ。オンラインでの地方ニュース風景を理解するのは、21世紀における政策担当者、ジャーナリスト、地方自治にとって大きな意味合いをもつ。

オンライン地方ニュースについてのデータ

本章は、コムスコア社の提供するデータに完全に依存している。コムスコア社はアメリカの大規模ウェブ計測企業だ。コムスコアは利用者がインストールしたソフトにより、厖大な数のインターネット利用者のブラウズ行動を追跡し、そのカバー範囲は極度に広い。2010年7月現在、同社は104万9453のウェブドメインのトラフィックを追跡したと報告している。本研究以前の研究は、アメリカのウェブ利用データの総計を使うものが圧倒的に多く、そこでは最大級の地方市場における最大級の地方サイトしか研究できない。本研究では、2010年2月、3月、4月の完全なデータが、アメリカの放送市場のトップ100地域について、FCCにより購入され、政府提供の情報として著者に提供された。

こうした100市場には、月平均で25万3953人のコムスコアパネリスト（調査協力者）が含まれている。コムスコアは全国を代表する標本を得ようと努めており、パネリストの数は市場規模によってちがう。ニューヨーク大都市圏市場だと1万9998人（標本の中で最大）で、バーリントン＝ピッツバーグ市場だと647人だ（これはバーモント州とニューヨーク州の州境をまたがる市場で、パネル規模は最小、人口規模でも最小の市場の一つだ）。パネル規模でメジアンの市場はアーカンソー州リトルロック＝バインブラフで、パネリストは1606人だ。ほとんどの場合、サイトはドメイン単位で追跡されている。Example.com内のすべてのページは、単一サイトへのトラフィックとして集計される。だが特に人気の高いサイトだと、コムスコア社はドメイン内を集合的に（たとえばグーグルの所有するサイトをすべてまとめて）追跡するとともに、それぞれのサイト（たとえばimages.google.comとmaps.google.comなど）を個別にも追跡している。

コムスコアのデータの広さと細かさのおかげで、本研究はウェブ上の地方ニュースの状態について、初の包括的な全国レベルの検討を提供する。コムスコアのデータは、それぞれの放送市場内で、いくつか鍵となるトラフィック指標を提供してくれる。たとえば月間観察到達数、つまりある月にそのサイトを少なくとも1回は訪れるパネリストの比率だ。またサイトが受ける月間ページビュー数もある。

サイトで過ごす時間を記録した月間分数、サイトが蓄積する月間パネリストセッション数、つまりその人物がサイトの一つ以上のページを、クリック間隔30分以内でアクセスした回数だ。それぞれの市場について、コムスコアのデータはその市場のパネリスト最低6人が訪問したサイトをすべて含む。訪問者数が5人以下のサイトは報告されていない。

どのサイトを地方ニュースサイトとするか決める手順のすべては補遺にある。だが手法の背後にある考え方は単純だ。地方ニュースサイトは、定義からして全国よりも地元市場内部からの観察シェアが高い。シアトルをカバーする地方ニュースウェブサイトは、シアトル大都市圏からの観察シェアが、タルサやトレドよりも大きいはずだ。この事実が、コムスコアのデータの豊富さと相俟って、地方ニュースサイトと全国ニュースサイトを区別できるようにしてくれる。

ウェブ指数についての詳細

地方ニュースのトラフィック分析に深入りする前に、トラフィックの指標や手法についてもう少し詳しく述べよう。デジタルニュースの観察に関する議論のほとんどは「月間観察到達数」、あるいは同じことだが「月間ユニークビジター数」統計に注目する。これはある月に、サイトのページの少なくとも一つを見る利用者の数だ。特に新聞組織は月間観察到達数が大好きだ。これは古い発行部数の推計といちばん近い数字だからかもしれない。

でもじつは、月間観察到達数は、公査された発行部数とはまったく比較にならないほど浅はかな統計だ。平均的な利用者が30日の間に訪問するサイト数は巨大で、個別の訪問はどれもたいした意味はない。サイトを訪問し、30秒以下しか滞在せず、すぐに別のところに出ていってしまうような人でも、ビジターとして計上されてしまう。ほとんどのニュースサイトは「バウンスレート」が高い。つまり利用者はページを一つだけ見て、さっさと立ち去ってしまうのだ。「ジャーナリズム卓越プロジェクト」が行った、最も人気ある25の全国ニュースサイト分析がこのパターンを明らかにした。こうしたトップサイトのほとんどのユニークビジター——平均77%——は「極度に気まぐれな訪問者」で、月に1、2回しか訪問しない［★11］。多くのサイトで、気まぐれな利用者の比率は9割以上だ。

利用者が「到達」したという含意にもかかわらず、ほとんどのユニークビジターはサイトとまともなつながりもできず、ほとんど時間を費やさないということだ。印刷なら、売店で新聞の見出しだけ眺める人は読者には数えない。テレビだと、チャンネルサーフィンをしているときにたまたまCNNを通り過ぎる人物は、ニュース視聴者には入れない。だがオンライン世界では、似たような行動が月間観衆到達数に含まれて、水増しされているのだ。

だが同じ指標を見るときですら、コムスコアのデータはウェブサイトが自分で集めているデータとは大きくちがっている。ユニークビジター数の水増しは広範に見られる問題だが、コムスコアのデータはそれを補正できる。

ウェブで公開（publish）する人々にとって、観衆の計測手法の一つはブラウザのクッキーだ。利用者がログインすると、ウェブ公開者たちはブラウザクッキーを設定し、それにより——少なくとも理屈のうえでは——ちがったコンピュータ、ブラウザ、場所を横断するかたちで利用者を追跡できる。だがログインしようとする訪問者は比較的少数だし、ほどんどの読者は1か月の間に複数のデバイスや、複数のブラウザさえ使う。クッキーが特定の登録利用者と結びついていなければ、あらゆるコンピュータ、あらゆるブラウザがユニーク読者として計上される。クッキーをクリアしたり、課金を避けるために「プライベート」モードや「匿名」モードでブラウズするだけで、同様の問題が生じる。業界報告の推計では、ユニーク訪問者数と実際の訪問者数との比率は、多くのサイトでは4対1かそれ以上だ[★12]。この問題は、チャートビート（Chartbeat）やオムニチュア（Omniture）のようなリアルタイム分析プラットフォームのおかげでサイトが利用者行動についてますます豊富なデータを集められるようになっても、まだ続いている。

ユニークビジターを数える別のオプションは利用者のＩＰアドレスを見ることだ。それほど普及はしていないが、この手法は過大計上をさらにひどくしてしまう。1か月の間に、ラップトップとiPhoneの両方を使う巡回利用者は、この基準だと何十人ものユニークビジターとして計上されかねない。この手法はまた、過少計上もあり得る。カフェや企業の複数利用者が同じＩＰアドレスを使うこともあるからだ。

これに対してコムスコアは、観衆到達の計測に、利用者のコンピュータへインストールされたソフトを使う。代表的標本のリクルートと維持にはそれなりの手法的問題もあるが、コムスコアのデータは他のデータ源に蔓延するような、観衆到達の過大計上という問題はないはずだ。

サイトのユニークビジター数は、サイトの利用パターンや観衆の相対的に見た規模についてほとんど情報を与えてくれない。観衆到達の数字は、それが加算性をもたないという面倒もある。観衆到達率5％のサイトが二つあっても、その両者を足して10％にはできない。というのもその観衆がどれだけ重複しているかわからないからだ。とはいえ、まさに観察到達数が、そのサイトとの最も軽い相互作用ですら含むからこそ、地方ニュースの情報源を探るにあたり、最も広い網を投げるのが可能となる。

観察到達数に比べ、ページビューやサイト滞在時間は、サイトがメディア風景全般にどれくらい貢献しているかについて、ずっと多くのことを物語る。この二つの指標が、今後の本章における主要な注目点となる。だがどちらもデジタルメディア利用の全体的な風景の中で理解されるべきだ。

月間ページビューを何万件ももつサイトは、とても人気が高そうに思える。でも実際には、ページビューは一山いくらだ。私たちの標本でも、利用者は月間平均で２７００ページを閲覧している。つまり1日ざっと90ページだ。フェイスブック――ページビューで言えば最も訪問されているサイト――だけでも、コムスコア社のデータにおけるメジアン市場でページビューの10%（２７０）をもっており、グーグル系のサイトが１８８ページビューを得ている。

ほとんどのページビューは短時間だ。コムスコア社のデータを見ると、ページビューは平均26秒だ。ページビューの98%は2分未満で終わってしまう。99.8%は10分未満だ。ページビューは、二つのサイトがもつ相対的な観察を理解するため、比較用途で使うといちばん有益だ。私たちが最も関心あるページビューの数字は比率だ――総オンライン観察に占める割合、あるいはニューストラフィックに占める割合、あるいは地方ニューストラフィックだけに占める割合など。こうした割合のそれぞれの分母はすさまじく大きいという点はお忘れなく。

だがページビューを指標として使う一つの欠点は、それがサイトのアーキテクチャに左右されるということだ。ページレイアウトが変わると、記録されるページビュー数は増えたり減ったりする。一部のニュースサイトは、短い記事や写真スライドショーを複数ページに分散して、ページビューを水増ししたがるので悪名高い。ページビュートラフィックの研究は、滞在時間の指標で補う必要がある。だが以下で見るように、ページビューとサイト滞在時間は、地方ニュースの観察についてはほぼ同じ結果を物語っている。

ページビューと滞在時間は、別の理由からも重要だ。その理由とは、広告だ。多くのサイトは課金しようと頑張ってはいるが、ほとんどのオンラインニュースの売上はオンライン広告販売から来ている。インプレッションやクリックによる広告売上はページビューと密接に相関している。ウェブでの動画広告はもっと複雑ではあるが、通常は秒単位で販売される。だからニュースサイトに帰属するページビューや閲覧時間は、地方ニュースサイトが左右する広告スペースの量についての代理指標となる。

コムスコア社のデータは、他の情報源に比べて大きな利点を提供してくれる。特に、多くのニュースサイトによるトラフィック量の自己申告よりはずっと優れている。ウェブ利用を広く横断的に研究したいなら、とりわけ何十という地方メディア市場を横並びで見たければ、コムスコアやニールセンのようなパネルデータに代わるまともな指標はない。だがこの種のデータには制約があることには留意したい。

どんなパネル調査でも重要な問題は、参加者がどのくらい一般人口のよい標本になっているかということだ。コムスコアは自社が「多数のオンライン募集技法を使ってパネル参加者を獲得している」と述べる。オフラインで募集した補正用パネル、国勢調査データ、月次電話調査をもとに、オンライン募集のパネリストたちが一般人口に対してどのような比率になっているかが加重されている。いくつかの有効性確認調査で、コムスコアの加重トラフィック推計は、他の独立情報源がまとめた推計から平均で5%以下のずれしかなかった［★13］。それでも、コムスコア社の手法に関する多くの部分は企業秘密であり、独立に検証はできない。オンラインで募集したパネリストは、熱心なウェブ利用者の比率が過大かもしれない。その人が訪問するページが多ければ、それだけ募集広告を見る機会も増えるからだ。だが仮にパネルの加重でこれを補正しきれないとすると、活発なウェブ利用者の過剰は、観察到達統計を過小よりは過大なほうに歪めることになる。

コムスコア社のデータには他の制約もある。重要な点として、ここで使っているコムスコア社のパネルデータは、モバイルデバイスからの利用は計測していない。モバイルトラフィックは、データが収集された2010年には小さかったが、その後急成長している。モバイルによるブラウズやニュースアプリの成長は、全体として地方ニュースにひどい打撃を与えている――これについては第7章で詳しく扱う。だがモバイル利用を無視しているということは、やはり地方ニュース観察のシェアは、ここでのデータが示唆するよりさらに低いということになる。

コムスコア社の職場パネルは、家庭パネルよりも少なく、社会全体をうまく代表するものにもなっていない可能性が高い。ほとんどのデジタルニュースの消費は勤務時間中に起こる［★14］が、コムスコア社の追跡ソフトのインストールを認める職場はほとんどない。家庭と職場のニュース消費パターンがちがっても、ここでのデータセットでは捕捉できていない可能性はある。

オンライン地方ニュース消費の基礎

オンライン地方ニュースの全体的な風景は簡単にまとめられる。地方ニュースはウェブ利用のじつに小さな部分でしかない。総体として、地方ニュースサイトは平均的な市場において、あらゆるページビューの0.5%以下しか得ていない。オンラインで見つかる地方ニュースを決めるのは新聞やテレビ局だ。地方ニュースウェブサイトのうち、伝統的な印刷メディアや放送メディアと関係していないものはほんの一握り——1074サイトのうち17サイトで、すべてあとで詳述する——しかない。100の市場を総合すると、私たちの手法は以下の知見を得ている。

- テレビ局ウェブサイトは395個
- 日刊新聞ウェブサイトは590個
- 週刊誌ウェブサイト（そのほとんどはサブカル誌）41個
- ラジオ局ウェブサイト31個
- 印刷、テレビ、ラジオとは関係のないウェブ固有の地方ニュースウェブサイト17個

このデータを見ると、インターネットが地方ニュースを拡大したという証拠は驚くほどない。そしてインターネットは地方ニュースの新しい情報源をスズメの涙ほど増やしただけだが、オンライン地方ニュースが得ている驚くほどわずかな観察を見ると、地方ニュース組織が陥った財務的な苦境は

表6.1　オンラインニュースサイトのデータまとめ

	平均	標準偏差	最小	最大
ウェブ専門地方ニュースサイト数	0.19	0.44	0	3
地方オンラインニュースサイト数	10.5	4.2	4	28
1人あたり地方ニュースページビュー	13.8	10	1.8	90.2
1人あたり地方ニュース滞在時間	10.6	7.6	1.3	63.4
全ページビューに占める地方ニュース比率	0.51	0.27	0.06	3.4
オンライン総時間に占める地方ニュース比率	0.54	0.39	0.06	3.2
1人あたり非地方ニュースページビュー	60.0	30.8	28.0	370
1人あたり非地方ニュース滞在時間	59.0	16.4	23.4	126
ページビューでのHHI	2749	1297	921	9003
滞在時間でのHHI	2943	1444	939	8955

註：100の放送市場全体でのオンラインニュースサイトに関するデータまとめ。ほとんどの地方市場はインターネット固有ニュース情報源はなく、インターネットが地方ニュース源の数を拡大しているというありがちな想定は否定される。

説明がつく。ウェブトラフィックデータのまとめを表6・1に示した。

まず観察到達の議論から始めよう。これはウェブ利用についての最も広く浅い指標だ。ユニークビジター数で計測すると、それぞれの市場で最大の地方ニュースサイトは、地方利用者の17・8％に達していて、標準偏差は6・3％だ。だが順位を下るにつれて、観察到達数は激減する。第2位のサイト平均は11・6％、3位は8・7％、4位は6・0％、5位は4・3％だ。コムスコア社は、個人レベルのデータや、各サイト間の重複訪問者のデータは開示しないので、少なくとも一つの地方ニュースサイトを訪問する観察の比率は計算不可能だ。

観察到達の統計を、全体としてニュースサイトがどれだけのトラフィックを得ているかを示すのに使うと、ひどく判断を誤る。すでに述べたとおり、全国ニュースサイトを訪れるユニークビジターの大半は、月に1、2回しか訪れない利用者たちだ[★15]。それどころか、もっと詳細なトラフィック指標を見ると、地方ニュースサイトの総観衆はどこでもきわめて小さいことがわかる。

オンライン地方ニュースサイトは、メジアン市場では1人あたり月間たった11・4ページビューしか得ていない。少数のハイエンドの例外があっても、全体としての平均は月間たった13・8ページビュー、つまりウェブ利用者1人あたり週にたった3ページだ。この数字は、メジアン市場における総月間ページビューのたった0・43%でしかない（全体としての平均は少し高くて0・51%だ）。

地方ニュースサイトは、市場の半分では全月間ページビューの0・30－0・62%を占め、これは1人あたり8・3－17・0ページビューに相当する。最も大きな孤立値はソルトレークシティーで、ここでは地方ニュース――特にテレビサイトKSL.com――は全ページビューの3%以上を得ている。その反対の極にいるのがコロラドスプリングス＝プエブロ、ラスベガス、ロサンゼルスで、地方ニュースサイトに対して平均でページビューの0・15%しか与えない。この3地域はすべて、ウェブ利用者1人あたり、地方ニュースに月間4ページビュー未満しか割かないということだ。

似たような話が、ページビューではなくニュースサイトの滞在時間についても見られる。メジアン市場では、地方ニュースサイトでの滞在時間は月にわずか9・1分、オンライン時間のたった0・45%だ。そのうち半分の時間は、地方市場で第1位のサイトに行く。

こうした数字を図で示したのが図6・1で、地方ニュースサイトでの滞在時間分布を示す。滞在時間は、市場の第1サイト――利用者1人あたり月平均5分――から5位のサイト（月平均わずか30秒）へと激減する。市場の半分は、地方ニュースがオンライン滞在時間のうち0・33－0・63%、ある

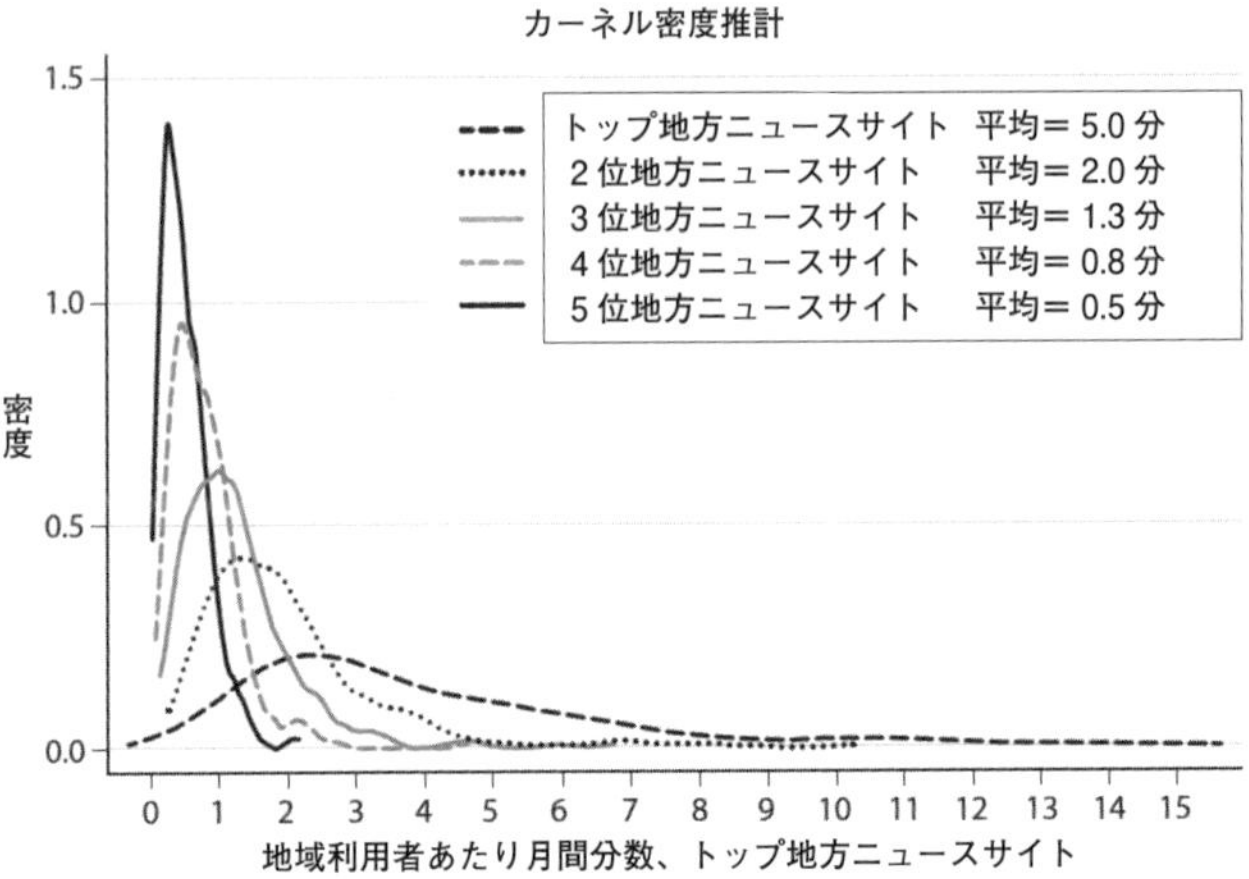

図6.1　地方デジタルニュース観衆の分布を、月間1人あたり滞在分数で示したもの。観衆は地方ニュースサイトにほとんど時間をかけないだけでなく、第1位の地方サイトから順位が下るにつれて、数字は激減するのが通例だ。4位や5位の地方ニュースサイトは、インターネット利用者1人あたり滞在時間が月に1分に満たない。

いは1人あたり6・3－12・4分を占める。ページビューで見ようと滞在時間で見ようと、地方ニュースサイトは、市民の関心のきわめて小さな部分しか得られていない。

こうした陰気な数字は、全体としてのニュース消費が少ないせいだろうか、それとも地方サイトが全国ニュースサイトに負けているからだろうか？　コムスコア社のデータによれば、答えは「その両方」だ。すべてのニュースサイト──「ニュース／情報」部門のものと、以前に同定した追加ニュースサイトすべて──を見ると、平均的な市場で、あらゆる種類のニュースサイトが月間74ページビューを得ている。内訳は、非地方ニュース源に60ページビューほど、地方サイトに14ページビューだ。滞在時間の数字はさらに小さい。平均的な市場で、非地方ニュースのウェブサイトでは月間60分過ごし、地方ニュースサイトではたった11分しか過ごさない。

こうした数字は、ニュースサイトがウェブトラフィックのほんの数パーセントしか得ていないという他のデータ源からの結果と整合している［★16］。それでも、地方ニュースの比率がこれほど小さいというのは驚きだ。ニュース系のページビューのうち、地方ニュースソースに向かうのは五つに一つもないのだ。

サイトはいくつある？　その種類は？

地方ニュースがウェブコンテンツのほんの一部でしかないにしても、そのコンテンツがどこからくるかを知っておくのは重要だ。平均的な放送市場には、そういうサイトがいくつあるのだろうか？

標本市場には平均で、オンライン地方ニュース源が10.5か所ある。平均的な月だと、これは新聞サイト6.1か所、地元テレビサイト3.8か所、ラジオ局0.3か所、ウェブ専門のニュースサイト0.2か所未満だ。最大の情報源をもつ市場はシカゴ（19）、ニューヨーク（20）、ミネアポリス（20）、クリーブランド（21）、ボストン（なんと28）だ。人口の多い放送市場は市場シェアで補正をかけたあとでも、デジタルニュースサイトの数が多い。でも人口の多い市場は、滞在時間やページビューで見ても、地方ニュースの消費が多いわけではない――この結果については後述。サイトの最も少ない市場はルイジアナ州バトンルージュ（4）、アーカンソー州フォートスミス（5）、テキサス州エルパソ（5）だ。

重要な点として、サイト数の最大の差は新聞の数の差からくる。100市場のうち88か所は、三つから五つのテレビ局ウェブサイトをもつ（ケーブル局のみのテレビ局も含む）。ほとんどの市場は、私たちの最小限観察の足きり点を超えるようなラジオ局やインターネット専門サイトは持たない。つまり、他の変動については新聞の数で説明するしかないということだ。市場の半分は、地方紙3紙以下か、あるいは11紙以上をもつ。予想どおり、印刷ニュース源が二つしかない市場——リッチモンド＝ピータースバーグ（ヴァージニア州）、バトンルージュ、ツーソン（アリゾナ州）、エルパソ、コロラドスプリングス＝プエブロ、フォートスミス——は全体としてのサイト数が最小の座を競っている。新聞の数が最も多い2市場——コネチカット州ハートフォード＝ニューヘイブン（14）とボストン（21）——はどちらも小さなニューイングランドの町と結びついた新聞を大量に持つ。新聞のほとんどは日刊紙だが、標本の中で41紙は週刊だ——そのほとんどすべては、標本の中で大都市圏で刊行されているサブカル誌となる。

テレビ系のオンラインニュース源よりも印刷系のニュース源が多い場合、その合計オンライン観察は〔テレビ系と〕同水準になる。あわせると、新聞系サイトは市場の月間ページビューの平均０.２５％を占め、テレビ系サイトは０.２０％だ。だがテレビサイトは滞在時間の面では高い。テレビ系サイトと新聞系サイトの平均滞在時間はまったく同じで、それぞれ総オンライン時間の０.２５％だ。テレビ系サイトが少し滞在時間で長くなるのは、おそらくオンライン動画のおかげだろう。そちらのほうが平均より長いページ視聴時間をもたらすからだ。

ウェブ上の地方ニュース競争

前節での観察数が示すように、地方ニュースはウェブ全体の中できわめて小さなニッチでしかない。だがそのニッチの中で、ほとんどの地方ニュース市場は、かなり集中している。それぞれの市場で第1位の新聞サイトとテレビ局サイトを考えよう。首位の新聞サイトは、平均で全ページビューの0・15％を占め、首位のテレビ局サイトは0・16％となる。最大の観察到達をもつサイトは――必ずテレビ局サイトか新聞サイトだ――平均で地方ページビュー全体の0・22％を占める。この平均値は、少数の孤立値のおかげで少し上に偏っているが、メジアン市場における地方ニュースのページビューで、首位の新聞サイトとテレビサイトが56％を獲得している。

これに対して私たちの検討した最小のサイトへのトラフィックはスズメの涙だ。この標本の平均的な月で、私たちの足きり基準をわずかに超えるだけの1－1・2％を獲得しているサイトは63サイトある（サイト総数は1074）。この63サイトは平均で、あらゆる地方ページビューの0・008％以下だ（標準偏差は0・0012）。つまり平均的なトップ順位の地方サイトは、標本に含まれる最小のサイトの275倍にものぼるページビューをもつということだ。こうした数字はつまり、小さすぎてこれらのサイトに含まれないサイトは、地元ニュース観察の中で取るに足らないページビューしかないということだ。この比率で見ると、この足きり点のすぐ下にある1ダースほどのサイトですら、地元ニュースに総ページビューの0・5％以下しか付け加えないということになる。

集中の証拠は、もっと系統的な指標にも表れている。市場集中で最も普通に使われる指標はハーフィンダール＝ハーシュマン指数（ＨＨＩ）だ。ＨＨＩは、ある市場における全企業の各市場シェア（パーセント）の二乗の値の総和で、取れる値はゼロから10000の間だ。司法省と連邦取引委員会のルールによると、ＨＨＩが1500－2500はある程度集中とされ、2500以上のＨＨＩをもつ市場はきわめて集中とされる。ＨＨＩ統計は、詳しい検討を行うための最初のスクリーニングとして機能するが、集中の完全な検定は、企業が「価格の著しく一過性でない増加」を可能にしかねない他の条件——たとえば参入条件——も見る［★17］。

地方オンラインニュース市場を印刷市場や放送市場と切り離して見るなら、驚くほどの集中水準が見られる。市場シェアの計測に滞在時間を使おうとページビューを使おうと、ＨＨＩを計測すればほとんどのオンライン地方ニュースは規制対象としての詳しい検討を受けるべきだということになる［★18］。標本の3か月を平均すると、メジアン市場のＨＨＩはページビューだと2479で、滞在時間だと2593になる。100市場のうち95か所は、ページビューで見たＨＨＩが1500を上回り、96か所は滞在時間でもその水準となる。確かに各市場はＨＨＩが月ごとに大きく変動し、メジアンの月次変動はページビューだと±296ポイント、滞在時間だと±340ポイントだ。だが全体的な構図ははっきりしている。ほとんどのオンライン地方ニュース市場は、ほんの二、三のニュース組織が圧倒的な地位を占めているのだ。

オンライン専門ニュースサイトの詳細調査

本章の中心的な目標の一つは、伝統的なメディアとは関係しないオンラインニュースサイトの一覧をつくることだ。そうしたサイトは、メディアの多様性を増したという主張を胸を張って言えるサイトとなる。この研究で最大の驚くべき発見といえば、そうしたサイトがいかに少ないかを示したことかもしれない。

研究が同定した1074のオンライン地方ニュースサイトのうち、印刷メディアや放送メディアのオンライン版ではなく、本当に新しいメディアサイトとなっているのは、たった17サイトだ。新しいインターネットサイトがあまりに少ないため、それを全部ここに挙げよう。地方観衆到達の高い順に、以下に私たちの調査に登場したインターネット専門のニュースサイトを全部挙げよう。

- 最大の観衆到達度をもつオンライン専門《オンリー》地方ニュースサイトは、SeattlePI.comだ。かつては『シアトルポスト＝インテリジェンサー』紙のオンラインサイトだったが、同紙が2007年に印刷業を畳み、職員をほぼ全員レイオフした後も、サイトは活動を続けた。コムスコア社のデータで、PIウェブサイトはかなり広い到達範囲を示したが、利用は浅い。観衆到達は7・7－12・7%で、月間ページビューのシェア（全ウェブサイトに占める割合）は0・026－0・046%だ。
- Chattanoogan.comは、テネシー州チャタヌーガ所在のオンライン新聞でオンライン専門地方ニュースプロジェクトとして全米の先駆的存在だ。創設は1999年夏、『チャタヌーガ・タイムズ』が大手の『チャタヌーガ・フリープレス』に売却され、チャタヌーガが新聞1紙しかない町になったのを契機に創設された。Chattanoogan.comは月間観衆到達6・3－5・6%で、月間ページビューの0・06－0・08％を占める。

- TusconCitizen.comは、かつて日刊紙『ツーソン・シティズン』紙の持っていたサイトだった。新聞は2009年5月に廃刊したが、サイトは政治オピニオンをきわめて重視したものへ刷新された。調査期間に同サイトはツーソンの観察到達2・6－6・3％となっているが、ページビューはたった0・003－0・007％だ。
- KYPost.comはケンタッキー州北部を対象としたオンライン新聞だ。かつては日刊紙『ケンタッキー・ポスト』――『シンシナティ・ポスト』の地方版――のウェブサイトだったが、2007年12月に印刷版が廃刊してもサイトは続いた。KYPost.comはシンシナティで観察到達2・1－3・3％を達成し、同市場のページビューの0・007－0・005％を占めた。
- OnMilwaukee.comは、ウィスコンシン州ミルウォーキーのオンライン刊行物で、地元のアートやイベントのお知らせと地元ニュースの組み合わせとなっている。観察到達は2・5－3・1％、ページビューの0・002－0・003％を占める。
- GoWilkes.comはノースカロライナ州ウィルキス郡を扱う地方ニュース情報サイトだ。観察到達は慎ましく、地方利用者の2・1－2・8％しか得ていない。だが意外なことに、ページビュー数はきわめて多く、グリーンズボロ＝ハイポイント＝ウィンストンセーラム地域市場の0・26－0・60％のページビューを得ている。
- FingerLakes1.comはニューヨーク州北部フィンガーレイクス地域を扱う。この比較的単純なサイトは地元イベント記事と、地元ニュース一覧を載せている。到達は1・0－3・1％で、ロチェスター市場のページビューの0・11－0・22%を占める。

- オハイオ州のLorainCounty.comは地方ニュースと事業所一覧のサイトで、兄弟2人が創設した。ニュース源としてのサイトの歴史は1990年代半ばにまでさかのぼる。観察到達は1・0－2・2%でクリーブランド市場の地元ページビューのうち0・004－0・008%を得ている。
- GWDToday.comはサウスカロライナ州グリーンウッドのサイトだ。デザインはさえないが、報道職員は独自の地方取材を行い、1日数記事をアップしている。サイトの市場到達は0・7－1・8%であり、ページビューはグリーンヴィル＝スパータンバーグ＝アシュヴィル市場の0・005－0・010%となっている。
- SanDiego.comは「デスティネーション中心の旅行者ポータル」から「地元民や訪問者の双方にとってのオンラインコミュニティパートナー」へと進化したのだと宣言している。旅行リンクとリソースが最も充実しているが、地元ニュースも少し提供している。サイトは観察到達がサンディエゴ〔市場〕で1・1－1・7%であり、ページビューのシェアは非常に小さく0・001－0・003%だ。
- SOMD.comはメリーランド州南部を扱う地方サイトだ。ほとんどが地元イベントや売買広告だが、地元ニュースもある程度は扱う。そのほとんどはコンテンツパートナーや警察の発表だ。ワシントンDC市場でのサイトの観察到達は1・0－1・2%で、ページビューは市場総計の0・005－0・008%だ。
- iBerkshires.comは小さなニュースと地元情報サイトで、マサチューセッツ州西部をカバーする。

サイトは2月のデータにしか登場せず、オルバニー＝シェネクタディ＝トロイ市場で到達1・2％でページビューは0・008％だった。

・SanJose.comは、食事とイベント中心の「シティガイド」だが地元ニュースも少し扱う。サイトの市場内到達は0・8－1・3％で、ページビューのシェアは0・0007－0・0015％だった。

・MinnPost.comは非営利ニュースサイトで、「ミネソタを気にかけるニュース重視の人々に高品質ジャーナリズム」を提供するのが使命だとしている。地方ニュースのビジネスモデルになる可能性があるとして議論にしばしば登場したものの、私たちのデータに見られるトラフィックはきわめて小さく、ミネアポリス＝セントポール市場の観察到達0・5－1・3％で、ページビュー0・0009－0・0012％だ。

・VoiceofSanDiego.comは調査報道専門の非営利ニュース組織だ。だがトラフィック数は低い。到達は2月には0・48％（サンディエゴのページビューの0・0005％）、4月には1％（ページビュー0・0008％）、3月は計測限界以下だった。

これらのサイトに加えて、データに含まれていた他の二つのサイトが、その後閉鎖されている。PegasusNews.comはダラス＝フォートワースの地方サイトで、自社ライターによる地元ニュースとシンジケートニュースの組み合わせを掲載していた。このサイトはやがて『ダラス・モーニング・ニュース』紙に買収され、2014年に閉鎖された。SDNN.comは、サンディエゴ・ニュースネットワーク「コミュニティハブ」で調査期間中にオンラインニュースサイトに含まれていたが、2010年半ばに閉鎖された。

このデータに見られるパターンの一部は明らかだ。月間到達3%を超えるインターネット専門サイトは、もともと新聞サイトだったのが新聞のほうが廃刊となったものや――Chattanoogan.comの場合は――新聞閉鎖の結果として創設されたものだ。こうしたサイトは、なくなりそうだったニュースの多様性を多少ながら維持する役には立っているが、それが続いているからといって、地方ニュースの選択肢が拡大している証拠とは言えない。

MinnPost.comとVoiceofSanDiegoの乏しい成績には驚く方もいるかもしれない。MinnPostとVoSDは、新種の地元・地方オンラインニュース組織として持ち上げられてはきたが、他の無数の地方オンラインニュースサイトは、上の一覧に登場すらしない――有望な実験として持ち上げられた多くのサイトも出てこない。現実にはこうした「モデル」サイトへのトラフィックは、どこを見てもきわめて小さい。これはジャーナリズムの将来にとって、きわめて厳しい現実をつきつけている。

こうした結果はあまりにがっかりするものだし、ハイパー地方メディアについての有力な主張とは正反対すぎるので、私はデータをさらに詳しく調べてみた。こうしたサイトはデータの中にあるのに、分類がまちがっていたり、一貫性のある市場横断的な足きり基準であるトラフィックの1%をちょっと下回ったりしているのかもしれない。

そこで、インターネット専門ニュース組織のもっと大きな一覧を作成し、それがコムスコアのデータに含まれているか調べた。この詳細サーチでは、分類やトラフィックの水準とは無関係に個別サイト名を探した。コムスコアのデータの基準であり、最低6訪問者という基準をクリアしていれば出てくるはずだ。トップ100の放送市場の外にあるサイトは除外されたし、当然ながら地方ニュースではなく全国ニュースを扱うサイトも除いた。関連するオンライン地方サイトのカタログは、『コロンビア・ジャーナリズム・レビュー』誌のニュースフロンティア・データベース、レイノルズ・ジャーナリズム研究所のミシェル・マクリーンの一覧、ハーバード大ケネディ校ハウザーセンターのまとめた一覧から引き出した。地方オンライン専門ニュース組織の最終一覧は以下のとおりとなった。

- アリゾナ・ガーディアン（フェニックス）
- バリスタネット（ニューヨーク）
- ザ・ベイ・シティズン（サンフランシスコ＝オークランド＝サンノゼ）
- キャピタル（ニューヨーク）
- カリフォルニア・ウォッチ（サンフランシスコ＝オークランド＝サンノゼ）
- シカゴ・ニュース・コーポラティブ（シカゴ）
- ザ・コロラド・インディペンデント（デンバー）
- ザ・コネチカット・ミラー（ハートフォード＝ニューヘイブン）
- フロリダ調査報道センター（マイアミ）
- ザ・フロリダ・インディペンデント（マイアミ）
- ザ・ゴッサム・ガゼット（ニューヨーク）
- インデンバー・タイムズ（デンバー）

・インベスティゲート・ウェスト（シアトル）
・ジ・アイオワ・インディペンデント（デモインズ＝エイムス）
・ザ・レンズ（ニューオーリンズ）
・メイン調査報道センター／パインツリー・ウォッチドッグ（ポートランド＝オーバーン）
・ザ・ミシガン・メッセンジャー（デトロイト）
・ザ・ミネソタ・インディペンデント（ミネアポリス＝セントポール）
・ニューイングランド調査報道センター（ボストン）
・ザ・ニューヘイブン・インディペンデント（ハートフォード＝ニューヘイブン）
・ニュージャージー・ニュースルーム（ニューヨーク）
・オークランド・ローカル（サンフランシスコ＝オークランド＝サンノゼ）
・オープン・メディア・ボストン（ボストン）
・ポートランド・アフット（オレゴン州ポートランド）
・ザ・ラピディアン（グランドラピッズ＝カラマズー＝バトルクリーク）
・ロッキーマウンテン調査ニュース・ネットワーク（デンバー）
・ザ・サクラメント・プレス（サクラメント＝ストックトン＝モデスト）
・ザ・サンフランシスコ・アピール（サンフランシスコ＝オークランド＝サンノゼ）
・ザ・SF・パブリック・プレス（サンフランシスコ＝オークランド＝サンノゼ）
・ザ・シアトル・ポスト・グローブ（シアトル）

・Spot.us（サンフランシスコ＝オークランド＝サンノゼ）
・ザ・セントルイス・ビーコン（セントルイス）
・ザ・サウス・ロサンゼルス・レポート（ロサンゼルス）
・ザ・テキサス・トリビューン（オースチン）
・ザ・ツーソン・センテニエル（ツーソン）
・ツイン・シティーズ・デイリー・プラネット（ミネアポリス＝セントポール）
・VTDigger.com（バーリントン＝プラッツバーグ）
・ウィスコンシン調査ジャーナリズム・センター（マディソン）

この詳細調査の結果は驚くべきものだ。ザ・ミネソタ・インディペンデントは、4月のミネアポリス＝セントポール市場データーには登場し、訪問者6人だった（パネリスト3201人中の6人だ）。同じ市場のツイン・シティーズ・デイリー・プラネットも、4月に訪問者9人を記録しているが、2月と3月にはまったく訪問者記録がない。ザ・サンフランシスコ・アピールは2月に訪問者8人（パネリスト5540人中）、4月には6人、3月には少なすぎて記録がない。ザ・ゴッサム・ガゼットは3月と4月のニューヨークの標本には入っていたが、2月はなかった。どちらの月も、1万9998人のニューヨーク市市場パネリストの中から訪問者12人を記録していた。こうした数字はどれも、私たちのトラフィック足きり値のはるか下だ。

他の35サイトはどれ一つとして、コムスコア社のデーターには一度たりとも登場していない。

データにほとんど登場しないもう一つのサイトは、冒頭に出たPatch.comだ。Patchはデータの中でたった4回しか登場しない。ニューヨーク市場では3か月すべてに登場し、37－50人の訪問者がいた。サンフランシスコでは4月に訪問者9人だ。Patch.comが創設されたのはニューヨークのメディア市場だし、ここはハイパー地方サイトが高密に存在している。だがこのニューヨークですら、無数のPatchサイトを集めても、1％の観衆到達には達していない。同時期に公開された報告によると、平均的なPatchの記事はページビューが100以下だ[★19]。こうした報告が正確なら、ほとんどのPatchサイトは私たちの期待検出足きり値のはるか下ということになる。

コムスコア社のカバー範囲の広さのおかげで、デジタル時代の地方ジャーナリズムに関する既存の詳細研究に便乗することが可能となる。まず、インタラクティブジャーナリズム研究所（Jラボ）はフィラデルフィアにおけるオンラインニュースエコシステムの研究を2010年に行っている。この研究は、地方ブログ260サイトを同定し、そこには「ニュースに対してコメントするだけでなく、自ら報道するという点である程度のジャーナリズムDNAを持ったおよそ60サイト」も含まれている[★20]。Jラボはこうしたサイトの完全な一覧は出していないが、きわめて成功した例をいくつか具体的に挙げている。

フィラデルフィアのメディア市場は、標本中で4番目に大きなパネルであり、他のどこと比べても、市場到達の低いサイトを見つけるのが劇的に簡単だ。PlanPhilly.comは2月のデータだけに登場している。パネリスト7967人の中から7人が訪問している。他のオンラインニュース源は一つも登場していない。

ジャーナリズム卓越プロジェクト（PEJ）もまたボルチモアのオンラインニュース環境について「ニュースはどのように起こるのか――あるアメリカ都市におけるニュースエコシステムの研究」[★21]で詳細に調べている。PEJは、ボルチモアにある独立系デジタルニュース源を10か所見つけている。半分は、BlogspotやTwitterのような大規模サイトにホスティングされていたので、私たちのデータでは見えない。独立ドメインでホスティングされているサイトとしては、BaltimoreBrew.com（『ボルチモア・サン』紙の元職員が創設）、BMoreNews.com、ExhibitANewsBaltimore.com、InsideCharmCity、InvestigativeVoice.com（『ボルチモア・エグザミナー』紙の元職員が運営）がある。このどれ一つとしてコムスコア社のデータには登場しない。

こうした空振り状態をどう解釈すべきだろうか？　まず、コムスコアのパネルにおける訪問者1人がどれだけのトラフィックを表しているのか思い出そう。目安として、コムスコア社のパネリスト1人はおよそ――かなり大ざっぱではあるが――現実世界の観察600人に相当する。たとえばニューヨーク市のテレビ市場は、1100万人強のオンライン観察を持ち、コムスコア社はこれをニューヨークの1万9998人のパネルで追跡しようとする。仮に、この標本構成が完全に無作為だとしよう。この場合、月間で市場内のユニークビジター数が平均3000人のサイトであっても、私たちのデータには半分未満しか登場しない。私たちのデータはトラフィックの足きり水準を設けているから、市場をまたがる地方サイトの一部は、もっと多くのトラフィックを獲得していても、なかなかデータに登場しそうにない。

パネル手法でとても小さい集団の規模を計測するというのは、社会科学での有名な難問だ。こうした場合、ごくわずかなバイアスや計測誤差が、推計すべき集団の規模を上回るものになってしまう［★22］。コムスコア社のデータセットは全国調査の基準からすれば莫大だが、きわめて小さい地方市場における、極小のウェブサイトについては厳密な観察推計が出せない。それでも、そうしたサイトが計測不能なほど小さいという事実は、それ自体が強力な本質的知見となる。私たちのデータは、その観衆の最大数についてはっきりとした上限を提供できるのだ。

回帰分析

地方ニュースは、市民が消費するコンテンツのきわめて小さなサブセットでしかないが、コムスコア社のデータは地域ごとに、オンラインの地方ニュースサイトの数もちがうし、その地方ニュースが受けるトラフィックもちがうことを確かに示している。こうしたちがいはどれほど系統的なのだろうか？　たとえば、どの種のメディア市場だとウェブ専門ニュースサイトが見つかるのだろうか？　どんな要因があると、地方デジタルニュース消費が増えると予想されるだろうか？　そしてどの地方ニュース市場が最も集中しているかについて、一貫したパターンはあるだろうか？　こうした疑問に光を当てるべく、コムスコア社のデータとFCC提供による追加データを組み合わせ、100の地方市場に回帰分析をかけた。

回帰分析に使った変数の一覧は補遺に載せた。データは2種類の回帰モデルを使って分析されている。まず、ある市場で見つかるウェブ専門ニュースサイトの数と、あらゆる種類の地方オンラインニュースサイトの数を推計するのに、負の二項分布モデルを使った。第二に、地方ニュース消費と市場集中水準を分析するために最小二乗回帰モデルを使った。

すべての場合に、分析は市場ごとにクラスター化した堅牢《ロバスト》な標準誤差を使っている。同じ市場の月次での繰り返し観測はまちがいなく独立ではないので、有効標本サイズは小さくなる。標本サイズが小さいから、統計的に有意となりそうなのは、最大で最も一貫した関係だけだ。

表6.2は負の二項分布モデルの結果を示す。こうしたモデルは、従属変数が正の整数だと仮定するので、計数データの場合には最小二乗回帰より優れている［★23］。

まずはある市場に見られるウェブ専門ニュースサイトの数から始めよう。インターネット専門ニュースサイトが多いのは、1人あたりの紙の新聞部数が少ないところだ。この関係は統計的な有意水準がとても高く、印刷新聞が刊行を止めたのにウェブサイトは維持し続けたという市場を除外しても有意性が残る。こうしたオンラインだけのサイトはカバー範囲のギャップを埋めるには到底いかないけれど、インターネット専門ニュースサイトは、印刷新聞の読者数が少ないところで見つかる確率が高い。

モデルはまた、大きくてヒスパニック比率がとても多い市場は、インターネット専門サイトが少ないと示唆している。ただしこれは統計的に十分に有意とは言えない。他の変数で統計的有意性に近いものは他にない。

オンライン地方ニュースサイトの総数を見ると、話が少しちがってくる。この分野は、日刊紙とテレビ局のサイトが圧倒的に大きい。まず、大きい市場にはニュースサイトも多いという強い証拠がある。t値＞5で、この数字は偶然だけで生じることはほとんどあり得ない。それでも効果量はそこそ

表6.2　回帰分析：地方オンラインニュースサイト数

	ウェブ専門地方 ニュースサイト数	オンライン地方 ニュースサイト総数
テレビ市場人口	.0007	.00026
	(.0005)	(.00005)
ブロードバンド契約数	1.80	.045.
	(2.84)	(.277)
1人あたり新聞部数	-2.92	.135
	(1.36)	(.129)
日刊紙数	.142	-.030
	(.321)	(.035)
新聞親会社	-.0049	.031
	(.0887)	(.009)
商業テレビ局	-.088	-.005
	(.086)	(.012)
地元保有テレビ局	.094	.044
	(.258)	(.029)
少数民族所有放送局	-.063	-.012
	(.452)	(.040)
新聞テレビ持ち合い	.209	-.045
	(.529)	(.091)
ラジオとテレビ持ち合い	.186	-.003
	(.218)	(.029)
ニュース形式ラジオ局	-.064	-.0047
	(.066)	(.0055)
ヒスパニック人口比	1.56	.462
	(2.55)	(.291)
ヒスパニック人口比×市場人口	-.0016	-.00043
	(.0009)	(.00008)
黒人人口比	-.656	1.35
	(3.76)	(.52)
黒人人口比×市場人口	-.0014	-.0008
	(.0015)	(.0002)
所得	.123	.002
	(.108)	(.010)
年齢65+	-2.92	-1.46
	(11.2)	(.95)
2月	.223	.012
	(.101)	(.008)
3月	.223	.014
	(.118)	(.006)
定数	-3.07	1.77
	(2.05)	(.25)
ln(α)	-14.5	-18.6
	(.63)	(.38)
α	.0000	.0000
	(.0000)	(.0000)
N	294	294

註：この表は負の二項分布回帰モデルの結果を示し、ウェブ専門地方ニュースサイトとオンライン地方ニュースサイト総数を分析。標準誤差（カッコ内）はロバストで、メディア市場ごとにクラスター化した。

こでしかない。人口が400万人増えると、平均で地方ニュースサイトは一つ増えるだけと予測される。

またオンラインサイト総数と、その市場で活動する新聞社の数との間に強い相関が見られる。これはほとんどの偏差が新聞サイトの数の差から生じているという先ほどの分析とも整合している。

インターネット専門ニュースサイトの分析と同じく、市場の人種構成や民族構成とそこに見られるオンラインニュースサイトの関係は複雑だ。ヒスパニック住民と黒人住民の比率についての係数はどちらもプラスだが、有意なのは後者だけだ。しかし相互作用効果は強くきわめて有意水準が高い。モデルによると、大きくてかつ少数民族がとても多い都市では、オンラインサイトは少なくなる。高齢者が多い市場は地方オンラインサイトが少ないという傾向も多少は見られるようだが、結果は有意ではない（両側検定で$p < .13$）。他の説明変数はどれも統計的有意水準に近づいていない。

このデータで地方ニュースの消費も、ページビューと滞在時間の両方で検討できる。ここでは標準的な最小二乗回帰モデルを使った（表6・3）。

ページビューと滞在時間の両方で、地方ニュース消費を特に一貫性あるかたちで予測するのは、ヒスパニック人口比だ。ラテン系人口の多いコミュニティは他の点で類似の都市に比べ、地方ニュース消費が少ない。さらに、市場規模と民族構成の相互作用効果がこの結果を増幅している。ヒスパニック比率の高い市場は、地方ニュース消費が平均で少ないだけでなく、ヒスパニック比率が高い大規模市場での地方ニューストラフィックはさらに低くなる。アフリカ系アメリカ人の市場住民比率では似たような結果は得られない。

モデルはまた、メディア所有のパターンが地方ニュース消費水準を予測できることを示唆する。少

表6.3　回帰分析：地方オンラインニュース観衆と集中度

	ページビュー	滞在時間	HHI ページビュー	HHI 滞在時間
テレビ市場人口	-.0002	.0003	-.525	-.403
	(.0016)	(.0014)	(.279)	(.318)
ブロードバンド契約数	16.6	17.3	896	2174
	(13.0)	(11.2)	(1453)	(1573)
1人あたり新聞部数	4.63	1.92	-581	-975
	(3.31)	(2.83)	(550)	(652)
日刊紙数	1.21	.590	47.7	98.51
	(.88)	(.744)	(114)	(156)
新聞親会社	-.134	-.070	-9.20	43.0
	(.421)	(.317)	(55.7)	(60.4)
商業テレビ局	-.091	.217	-.53	-18.9
	(.386)	(.317)	(57.8)	(64.8)
地元保有テレビ局	3.11	2.13	52.1	37.9
	(1.95)	(1.27)	(170)	(173)
少数民族所有放送局	1.60	2.20	125	254
	(1.23)	(1.18)	(234)	(264)
新聞テレビ持ち合い	3.96	1.68	1115	1201
	(2.41)	(1.62)	(514)	(559)
ラジオとテレビ持ち合い	.521	.095	125	94.2
	(.921)	(.656)	(156)	(164)
ニュース形式ラジオ局	.516	.247	57.3	25.4
	(.399)	(.269)	(35.9)	(39.1)
ヒスパニック人口比	-10.5	-7.15	-586	-27.8
	(5.5)	(4.14)	(953)	(1049)
ヒスパニック人口比×市場人口	-.0058	-.0061	.345	.045
	(.0024)	(.0021)	(.327)	(.373)
黒人人口比	2.26	1.09	-507	-1589
	(10.3)	(7.38)	(2705)	(2543)
黒人人口比×市場人口	-.0046	-.0028	1.02	.82
	(.0040)	(.0041)	(1.03)	(1.16)
所得	-.670	-.480	-10.8	-28.4
	(.334)	(.254)	(44.9)	(46.6)
年齢65+	-109	-75.9	-9670	-8643
	(71)	(45.2)	(7207)	(7239)
2月	1.52	1.80	-81.0	77.9
	(.54)	(.53)	(85.7)	(101)
3月	-.088	.608	-67.0	78.1
	(.35)	(.35)	(68.6)	(93.1)
定数	26.2	16.0	4435	4456
	(10.8)	(7.2)	(1233)	(1292)
R^2	.374	.323	.269	.225
$\sqrt{}$ MSE	8.26	6.47	1155	1323

註：この表は地方ニュース観衆を予測する最小二乗回帰モデルの結果を示す。最初の二つのモデルはページビューと滞在時間によるコムスコア社観衆データを示す。三つめと四つめのモデルは、ハーフィンダール＝ハーシュマン指数を使った、ページビューと滞在時間によるオンラインニュース集中度を示す。標準誤差（カッコ内）は堅牢でメディア市場ごとにクラスター化した。

数民族所有のテレビ局があると、ページビューと滞在時間の両方で、地方ニュース利用が高まるが、統計的に有意なのは滞在時間のほうだけとなる。こうした少数民族所有テレビ局の多くは、大規模でヒスパニック比率の高い市場（たとえばマイアミ＝フォートローダーデールやロサンゼルス）にある。同様に、地元保有のテレビ局があると、オンラインニュース消費水準は高いと予測されるが、ここでも統計的に有意なのは滞在時間だけとなる。

テレビと新聞の持ち合い水準も関係するらしい。持ち合いの新聞とテレビ局がある市場は、地方ニュースサイトに向かう1人あたり、追加で月間ページビューが四つ増える（両側検定で$p<.10$）。地方ニュース滞在時間も同様の傾向ながら統計的に有意ではない。

おもしろいことに、1人あたり所得が多い市場は、類似の貧しい市場に比べて、オンラインでの地方ニュース消費は少なくなると推計される。この知見は、滞在時間とページビューの両方で得られ、どちらの指標でも統計的に有意だ。65歳以上の人口の多い市場も地方インターネットニュース消費が低いが、結果で有意なのは滞在時間のほうだけだ。

最後に、ＨＨＩで見たオンライン地方ニュース市場集中の予測因子を見る。滞在時間とページビュー両方での集中を検討したが、どちらも指標もきわめて似た物語を語っている。全体として、市場の集中状況は、これまでのモデルに比べると弱い。ほとんどの予測因子は統計的有意性にはほど遠い。ただし例外が二つある。

まず、他の条件が同じなら、人口の多い市場のほうが推計集中度は低い。この結果はページビューでは有意であり、滞在時間でも有意に近い水準となっている。

第二に、新聞とテレビの持ち合いがある市場は、滞在時間もページビューも集中度が激増している。こうした市場はデータの中に19か所あるが、推計効果量はすさまじい。テレビと新聞の持ち合いがあると、モデルによればページビューのＨＨＩは115ポイントはねあがり、滞在時間では1201ポイントはねあがる。どちらも指標でも統計的に有意だ。

地方ニュースの声を拡大する（しない）ためには

インターネットは、地方ニュースの声の数を大きく拡大しただろうか？　コムスコアのデータから出てくる答えは、文句なしの「ノー」だ。月間ユニークビジター数が数千以下で、データに登場しそうにないオンラインニュース源について言えることはほとんどない。だがそんな泡沫級のサイトに関するデータがなくても、地方オンラインニュースが、相変わらず抱かれている希望にはほど遠い代物でしかないことはわかる。

ほとんどのテレビ市場は、地方ニュースサイトは1ダースに満たない——そしてデジタル観察のほぼすべてを、2、3サイトが独占している。比較的よい成績を示すサイトは圧倒的に、新聞や地元テレビ局のウェブサイトであり、地方ニュースの新しい独立情報源ではない。私たちのトップ100市場のうち、1％の観察という足きり水準を超える独立インターネットニュースサイトは16市場にしか存在しない。

例外ですら、むしろこの傾向を裏づけるものとなっている。インターネット専門ニュースサイトで、最も成功した4サイトはすべて、伝統的な印刷新聞の廃刊に伴うものだ。SeattlePI.comのようなサイトがごくわずかな職員で継続しているというのは歓迎すべきことではあるが、メディア配信の拡張を示すものとは言えない。オンライン地方ニュース市場は、伝統的なメディアニュース市場をダウンサイズしただけのもので、同じニュース記事が同じ新聞とテレビ局によって生産されている。

サイトの数の少なさや、新しいウェブ専門ニュース組織の不在よりもさらに驚かされるのは、地方オンラインニュース市場があまりに小さいということだ。新聞の危機についての議論はしばしば、オンラインニュースが抱えているのは売上問題であって読者問題ではない、という主張で始まる。「観衆はかつてないほど多い」[★24]と何度も聞かされ、新聞サイトの問題は「読者はたくさん来たのに、広告はたくさん来なかった」ことだと言われる[★25]。こうした怪しげな、いや率直にまちがった主張については、次章でさらに詳しく見よう。

コムスコア社のデータは、この診断がまちがっていることを示す。地方オンラインニュースサイトが直面する中心的な問題は、観衆が少ないということだ——多くの出版社やジャーナリストが認識しているらしき水準より、さらに桁違いに小さいのだ。月間観衆到達といった指標はしばしば水増しされていて、正確に計測した場合ですら誤解を招きやすい。月間1万ページビューあると、新興ニュースサイトは大成功と賞賛されるが、多くの個々の市民は毎月何千ものページを見ているし、そうしたページビューは平均で30秒も続かない場合が多いのだ。オンライン地方ニュースが売上問題を抱えているのは、まさに読者問題を抱えているからという理由が大きい。

インターネットが地方ニュースの声を増やしたという主張や、新しいウェブ専門ニュースサイトがニュース報道〔範囲〕のギャップを埋めるようにしたという主張は、このデータを見るとまったく裏づけられない。プロメテウス対FCC裁判（2004）の判決において、法廷の多数派意見は、オンライン地方ニュースというのが、テレビと新聞のコンテンツの焼き直しでしかないのではと懸念した。コムスコア社のデータを見ると、まさにそのとおりだということがわかる。

オンラインと伝統的ニュース源の間で消費者の代替が起こっているという証拠を見つけた人もいる［★26］。全国ニュース、特にコモディティ的なニュースコンテンツの場合、こうした結果も成り立つかもしれない。だがコムスコア社のデータを見ると、地方ニュースコンテンツで同じ議論を支えるのは困難だ。ウェブ専門ニュースサイトで、テレビ局や新聞の産物をストレートに代替しているものは、ほとんど見つけられていない。こうしたサイトへのトラフィックの欠如は、当の市民たちですら、それがテレビや新聞のウェブサイトに比肩するものとは思っていないという強い証拠となっている。

地方ニュースサイトへのトラフィックの少なさは、別のかたちでも私たちの評価を色づけするはずだ。オンライン地方ニュースの観客規模の小ささを見ると、中規模または小規模なメディア市場が、適切な職員とリソースをもったオンライン専門ニュース組織を数多く支えられるというのは考えにくい。これまでのハイパー地方ジャーナリズムの物語は、ほとんどが失敗した実験の長い一覧となっている。

さらにほとんどの地方デジタルニュースサイトの状況は、本章でのデータを集めた時点からさらに悪化している。執筆時点で、オンラインニュースについてメディア市場レベルで行われた包括的な研究は本章のもの以外に存在しない。だが最近の研究は、デジタル地方ニュースの苦闘は悪化する一方だと示している。アイリス・チイとオリ・テネンボイムは、主要51紙の長期研究で、半分以上が2011－2015年の期間にデジタル読者が減少したという結果を出している〔★27〕。特にモバイルニュースの台頭が悲惨な影響をもたらした。これについては次章で詳しく見よう。

最後に、オフラインのメディア集中はオンラインのメディア市場にももち込まれる。ウェブ上のほとんどの地方ニュース市場は、ごく少数の企業に独占されている。オンライン地方ニュースを独立した市場として考えるのであれば、トップ100市場のうち半分は、司法省と連邦取引委員会のHHI指針に基づいて、極度に集中していると判定されるし、そのほとんどすべては、少なくともそこそこ集中していると判定される。

オフラインのメディア構造がウェブ上の地方ニュースと交差するという最も驚くべき例は、新聞とテレビの持ち合い構造に見られるだろう。一つの企業が新聞とテレビ局の両方を所有している都市では、ハーフィンダール＝ハーシュマン指数が1000ポイント以上はねあがると推計される。その根底にある因果関係は、もっと研究が必要だが、こうした数字は規制上の注意が必要だという強い主張をもたらす。メディアの持ち合いについての規制は、印刷物や電波だけで重要なのではない。それはウェブ上のニュースの多様性にも影響するのだ。

こうした結果はすべて、本書〔原書〕が印刷にまわる時点でのFCCの決断を考えるときわめて懸念すべきものとなる。

FCCの2017年12月の決断は、ネット中立性ルールを後退させようとするもので、嵐のような社会的大論争を引き起こした。だがオンライン地方メディアにとって、その1か月前に行われた、メディアのクロスメディア所有規制を廃止するという決断も、同じくらい大きな影響をもつ。批判者は、このルール変更を保守派寄りのシンクレアブロードキャスト〔全米最大のTVグループ〕への棚ぼただとみた。FCC議長アジット・パイはこうした懸念を一蹴し、古いルールは「ニュースや分析を1日中、数え切れないほどの全国・地方ウェブサイトやポッドキャスト、ソーシャルメディアサイトから得ている世界を反映していない」と主張した〔★28〕。

でもパイはまちがっている。デジタルニュースサイトが「数え切れないほど」あるというのは、はっきりまちがっているのだ。なぜわかるかといえば、私たちがそれを数え切ったからだ。インターネットは地方メディア風景にほとんどまったく新しい声を付け加えていないし、ほとんどの既存新聞やテレビ局を弱体化させた。いまやFCC指令はそれをさらに弱体化させようとしていて、その過程で全国の小市場に地方メディア独占をつくり出そうとしている。地方メディアがどうすれば――こうしたさらなる苦境に直面しながらも――生き延びられるかというのが、次章のテーマとなる。

第7章　ニュースの粘着性を高めるには

だれも一瞬たりとも、自分の新聞に対してお金を払うべきだなどとは思わない。（……）市民は自分の電話、鉄道乗車、自動車、娯楽にはお金を払う。だがニュースに対しては公然と支払わない。

——ウォルター・リップマン『世論』1922

アメリカ共和国は、地方新聞のページ上で生まれた。二世紀にわたり、地方紙はほとんどのアメリカのジャーナリズムを生み出し、全国の記者のほとんどを雇用してきた。1990年代半ばにインターネットが到来したことで、不安な予言がもたらされはしたが、当初はそれが大きな変化をもたらす様子はなかった。だから2008年にやっと、過去数世代の間で最悪の不景気とともに新聞の衰退がやってくると、そのすばやさと激しさには、多くのペシミストたちですら驚いたほどだった。

2007年にはアメリカの記者室に5万7000人の新聞記者がいた。7年後にはそれがたった3万2900人になり、この時点で最も広く使われていた記者室の人数調査が廃止された。アメリカの新聞広告売上は2000年には650億ドルだったのが、2016年にはたった180億ドルへと激減した［★1］。近年の最大のニュース記事は、ニュースそのものの未来だ。

山ほどの有名人たち——ジャーナリスト、編集者、メディア&テクノロジー重役、学者、政府高官

——がジャーナリズムを救うために、矛盾した提案をいろいろ出してきた。ニュース組織は大型化すべきだ(合併を通じて)といわれ、一方で小型化しろ(ハイパー地方化により)といわれる。新聞サイトに課金すべきだという人もいれば、新聞は印刷機を捨てて完全なデジタル組織になりオープンなウェブを受け入れろという人もいる。またジャーナリズムはそもそも儲けようとしてはならず、政府補助、慈善、新しい非営利ジャーナリズムモデル、あるいはブログや市民コンテンツにすら向かうべきだという人もいた。さらにまた、最近になって動画に転向すればデジタルジャーナリズムが持続可能になると提案した人もいる。

こうした「解決策」の提案はひどく懸念を引き起こすものだ。どれも不適切で成功するはずがないばかりか、ほとんどのメディア指導者たちが、自分たちの未来を支えるはずのデジタル観察をじつに深く誤解していることを証明しているからだ。本当の解決策はすべて、トラフィックがどのようにだんだん高まり衰えるかについて、さらにあらゆる種類のウェブサイト——ニュースサイトも含む——がそのトラフィックをどのようにして売上に変えられるか(または変えられないか)についての基本的な理解から出発するしかないのだ。

本章は、第4章と第5章で構築したウェブトラフィックとオンライン売上のモデル——そして第6章で見た、地方ニュース観察の陰気な現実——に基づき、ニュースの未来について異なった視点を提供する。粘着性の問題、観察の累乗的な成長を生み出さねばならないという問題こそが、今日のジャーナリズムが直面する最も喫緊の問題なのだ。もしジャーナリズムの成功に観察が必要なら、ほとんどのデジタル刊行物は失敗している。

このデジタル読者の欠乏は、特に地方新聞で深刻だ。前章で見たとおり、地方新聞撤退の穴を、大量の地方ニュースサイトやハイパー地方ニュースサイトが乱立して埋めてくれるという発想は、おとぎ話でしかない。お気に召さないかもしれないが、地方ジャーナリズムを維持するというのは、地方新聞がデジタル時代に適応するのを支援する、という話がほとんどなのだ。

ウェブトラフィックに関する動学的な視点は、希望の余地と疑問の余地を両方残す。一方では、私たちのトラフィックモデルは、地方紙の直面する最大の問題が、一般に認識されているものとはちがう――はるかに深刻だということを示した。その一方で、トラフィックを増やす具体的な方法も示唆されるし、変化が効いているかどうかを判断する指標も得られた。ウェブトラフィックの動学的モデルは、「イノベーション」だの「さらなる実験」といったふわふわした提案を超えてニュース組織が行動し、実際に成功を測る指標を提供してくれる。

累乗化する観察は、インターネット上で最も強力な力だ。21世紀における地方ニュースの成功は、この累乗プロセスに依存しており、粘着性を計測してそれを最適化できるかどうかに左右される。だがまず、新聞はいくつか不愉快な真実を認めねばならない。

マネタイゼーションの神話

地方新聞は多くの課題に直面しているが、その最大の脅威の一つは自業自得だ。多くの新聞指導者たちは、陰気な根本的事実を見えにくくするような、手前勝手なおとぎ話をやたらにつくり上げたがってきた。なかでも最も人気があり、危険なものは、マネタイゼーションの神話とでも呼べるものだ。

それによると、なんでもオンラインニュースには巨大な観衆がいるのだという——ただそうした読者にお金を払わせるのがむずかしいだけだ。業界指導者は何度も繰り返し、デジタルも含めた総新聞読者数は空前の規模なのだと言う。こうした物言いは通常、ユニークビジター数や観衆到達を参照して正当化されているが、これらは浅はかでいい加減な統計であり——前章で見たとおり——しばしば実際の観衆を4倍以上も水増ししてしまう[★2]。

もっとよい指標を使うと、ずっと陰気な図式が見えてくる。あらゆる主要デジタル計測企業は、人々が関心をオンラインでどう使うかについて似たような物語を語る。ウェブ利用者は、グーグルやフェイスブックやポルノサイトでは大量に時間を使う。ヤフー!やBingを訪れ、買い物をしてメールを読む。

この広い背景の中で、ニュースサイトはウェブトラフィックの3%ほどしか得ていない。さらにひどいことに、その観衆のほぼすべては地方ニュース組織ではなく、全国ニュースサイトに向かう。第6章で示したように、ニューストラフィックのたった6分の1——全体の0.5%ほど——しか地方ニュース源には行かない。地方トラフィックは新聞サイトとテレビ局サイトで山分けされており、地方ニュースサイトは、オンライン時間のわずか4分の1%しか手に入らない——ウェブ利用者の関心で言えば、月間1人あたりわずか5分だ。地方ニュースサイトへのトラフィックは、ウェブ全体で見れば丸め誤差の範囲でしかない。

すると結局のところ、地方ニュースサイトは、存在しない観衆をマネタイズすることはできない。

マネタイゼーションの神話の問題はそれにとどまらない。地方サイトは昔から、自分たちのデジタル観察は、その地元に集中しているから特に価値が高いのだと主張してきた。こうした物言いは、デジタル革命がどれほど包括的なものだったかを完全に見すごしている。インターネットは伝統的な広告経済をひっくり返してしまった。どれほど地元に集中していようと、デジタル観察が小規模であるなら、広告主たちにとってはまったく価値がない（第3章参照）。

本書はこれを広告逆転と呼んだ。アメリカの地方メディアは、1人あたりで見ると地元観察が全国観察よりも価値が高いという事実のおかげで栄えてきた。だがビッグデータの時代には、この論理が逆転する。最大級のデジタル広告キャンペーンを、最大級のウェブサイトで打ったほうが、新聞の提供するチマチマした地理的ターゲティングよりもはるかに効果的になるのだ［★3］。新聞はどうあがいてもこれを変えられない。数学がとにかくそうなってしまうのだ。データマイニングが大規模な観察で精度を増すというのは、2＋2＝4と同じくらい動かしがたい。

また前章で見たように、小規模なオンライン専門サイトやハイパー地方サイトが地方ジャーナリズムを救うなどというふりもできない。本書はオンラインの規模が重要だという様々な側面を記録した。そして報道サイトや新聞は、グーグルやフェイスブックやアマゾンのような企業に比べるとひどく不利な状況になっている。それでも、相対的な規模も重要だ。そして新聞にとって一つ救いなのは、他の地方ニュースの競合に比べるとそれでも大きいということだ。

オンラインの地方ニュースで、最もはっきりした成功物語ですら、記者はほんの数人しか雇っていない――それぞれの都市でクビになった新聞記者の数よりはるかに少ない。さらに不安なのは、地方ニュースサイトを主に牽引しているのが、そういうものを最も必要としていない、豊かでソーシャルキャピタルも豊富なコミュニティだけだという事実だ。ミネアポリスや東シアトルやオースチンで記者を数人雇うのは結構。でも同じモデルは他の多くの場所で破綻している。生み出されたジャーナリズムの質が高くても破綻するのだ。

このため地方ニュースにとっては新聞がいまだに圧倒的に重要な情報源だ。〔新聞は〕最大の地方ニュース観衆をもつだけでなく、地方コミュニティにとってのニュースのテーマを決め、地方テレビよりはるかに多くの新規報道を行う［★4］。新聞はグーグルとの競争では規模的に不利だが、地方レベルではその論理が逆転する。新聞は、デジタル専門《オンリー》のあらゆる競合に対して飛び抜けたリードをもっている。お気に召さないかもしれないが、地方ジャーナリズムを救うための解決策は地方紙を救い、彼らがデジタルニュース時代に移行しやすくする、という話になるのだ。

デジタルニュース観衆の動学

今日のジャーナリストや編集者は、デジタル観衆についてすさまじい量のデータを得られる。だが編集室がそのデータをどう使うかは、じつに様々だ。多くの新聞はいまだに、一面トップ記事を書いた記者を、最もメール転送された記事を書いた記者よりも高く評価する。これはニッキ・アッシャーが『ニューヨーク・タイムズ』で経験したことだ［★5］。『デモインズ・レジスター』のような他の新聞は、データ解析を日々のワークフローにずっとしっかり取り込んでいる［★6］。

だがデジタル観察指標を積極的に採用した編集室ですら、この図式の重要な部分を見逃している。新聞は総トラフィック量ではなく、粘着性に注目すべきなのだ——つまりサイトの経時的な成長率だ。要するに、新聞は動学的に考える必要がある。

動学的な考え方がなぜ差をつけるかを理解するには、単純な問題を考えればいい。すなわち、どうしてゲストブロガーなんてものが必要なのだろうか？

ブログ最初期から、最も成長するブログは1日中たくさんの投稿があるブログだというのは明らかだった。粘着性の大きな因子が新規投稿の頻度であり、新しいものがトップに表示される形式は、最新の投稿を目立たせる。ブロガーたちはすぐに、ちょっと休んだり、少し休暇をとったりするだけで、悲惨な結果が生じることを知った。そうしたサイトを日々の巡回の一部にしていた利用者たちはすぐに訪問を止めてしまうのだ。だからブロガーたちが休暇から戻ってみると、観察がほとんどいなくなっていたりする。

ブロガーが復帰すれば観察はまた増加し始めるが、ベースラインは更新されてしまい、ずっと低いところから再出発となる。かつてのトラフィック量を回復するには何週間、何か月もかかる。この難問に対する解決策は、主要著者が留守にしている間に交替してくれる別の人を見つけることだ。ゲストブロガーは、通常は観察減少を完全には止められないが、トラフィックの減少がほどほどでおさまるようにはしてくれる。

政治ブログは、オンラインでのコンテンツ制作の最も簡単な形態の一つだ。だからトラフィックの動学が時間とともにどう展開するかをはっきり示してくれる——そしてブログエコシステム全体が選択圧力〔淘汰圧〕にさらされる仕組みすら見えてくる。

たとえば、独立ブロガーの驚異的な衰退を考えてほしい。ブログ草創期――たとえば1998－2003年――には、ブログの圧倒的多数は単独で書かれていた。だが2000年代半ばになると、変化が生じた。「アルファ（A-list）」ブロガーの大半は、結束してスーパーブログをつくったか、あるいはニュース組織のサイトに移行したのだ。今日では、ブログ界上位を見ると、独立した単独著者のブログはむしろ例外だ。さらに最も長い間この動きに抵抗した独立ブロガーたちは、極端に投稿の多い人々だった。

これは一種の進化だ。利用者選択と呼んでもいいし、デジタルダーウィニズムと呼んでもいい（これについては最終章で触れる）。任意の日に利用者は、わずかな優位性をもつサイトを、わずかに高い率で選ぶ。こうして気に入られたサイトはほんの少しだけ速く成長する。独立のままとどまった単独著者ブログは、消えたわけではない――単に成長がそんなに速くないため、結局競合に喰われてしまっただけだ。

この例は、単一の特性――投稿頻度――の強い選択圧が次第にブログ風景を変えていった様子を示している。だが他の様々なサイト特性も、強い選択圧をもたらす。他のすべてが同じなら、利用者は遅いサイトより高速なサイトを選ぶ。ソーシャルメディアをうまく活用するサイト、たとえばバズフィードやハフィントン・ポストなどは観察がふくれあがった。ただしそうした優位性の多くはいまや危機に瀕していることをこれから説明しよう。よいコンテンツ推薦エンジンをもつサイトは、競合サイトを犠牲にして成長してきた。

オンラインメディアの進化的な性質は、デジタル観察が伝統メディアよりも動的だという事実から生じる。伝統メディアは、おおむね囲い込まれた観察をあてにできる。これは印刷版の新聞で特に顕著だ。その観察は、何年、何十年と驚くほど安定していた。

だがウェブサイトだとそうはいかない。オンライン観察の盛衰は、きわどいところで起こるのだ。あと一つ追加のニュースを利用者が見たくなるように仕向け、すぐに戻ってきたくなるように仕向けるのだ。こうした小さくわずかな効果が、時間と共に指数関数的に積み上がるのだ。

解決策もどき

デジタル観察の動学的な性質をこのようなかたちで理解すると、重要な結果が生じる。まず、地方ジャーナリズム復活のためと称する無数の「解決策」は見直さざるをえなくなる。

近年では、地方ジャーナリズム救済計画は、ちょっとした産業の様相を呈しつつある。こうした提案はありとあらゆる面に及ぶ。新聞は、課金制にしろといわれ、一方で印刷機をやめてオープンウェブを受け入れろといわれる。ニュース組織はもっと小さく考えろといわれ、地方コンテンツやハイパー地方コンテンツにもっと注目しろといわれる。また別の人々は、そもそも新聞は儲けようとせず、ジャーナリズムは慈善や政府補助金や非営利団体、あるいは市民コンテンツに頼るようにしろといわれる。もっと最近では、スマホやタブレットの成長が新聞の「デジタル刷新〔やり直し〕」の機会だともてはやされた。

こうした各種の提案はどれも相互に矛盾するものばかりだから、全部がまちがっているはずはない。一部はダメな発想だ。一部はゼロサム提案で、一部の新聞組織——それも通常は最大級のニュース組織——には役立つけれど、他のニュース組織が犠牲になる。だがウェブトラフィックが動学的だという発想を真面目に考えるなら、こうした提案はどれも問題の診断ミスに基づいていることがわかる。あらゆるニュース組織にとってデジタルパイを成長させるという、みんなが勝てる解決策はまったく出てきていない。

　こうした提案を順番に検討しよう。

課金制の問題

　近年で最ももてはやされた「解決策」といえば課金制（ペイウォール）だろう。だが課金制の利点はしばしば誇張され、その真のコストは見すごされている。

　多くの人々は、新聞がウェブの初期段階で課金制を採用しなかったのが「原罪」なのだと主張した［★7］。それがいまの新聞危機の根源だったのだ、と。でも実際には、課金制は様々なニュース組織により、1990年代半ば以来何度も試されている。

　ファイナンス系の刊行物、たとえば『ウォールストリート・ジャーナル』や『フィナンシャル・タイムズ』は、すぐに課金コンテンツで大成功した。だが他のほとんどの新聞だと、課金は何度も試されては失敗を繰り返した。ウェブトラフィックやオンライン広告は、以前の水準の数パーセントへと激減し、新規の売上はほとんど生じなかった。

こうした課金への古くからの否定的な評価は2011年に激変した。『ニューヨーク・タイムズ』が、通称「従量制課金」と言われるものを導入したのだ。『ニューヨーク・タイムズ』への訪問者は、月に決まった数の記事を与えられ、その上限に達したら、みんな購読を求められる。結果は大成功として広く喧伝された。2013年末までに、『ニューヨーク・タイムズ』購読売上の3割近く――その総売上の1割――はデジタル購読によるものだった[★8]。これが成功したように見えたため、他の新聞も競って類似システムを導入した。2014年には、アメリカの日刊紙450紙が従量制課金方式を導入した[★9]。

「ソフト」な課金がこれまでのやり方より優れていた理由はすぐわかる。以前に論じたトラフィック数が示唆するように、ほとんどの新聞サイト利用者は、月に数回しか訪問しない。サイト訪問者の9割は、そもそも課金される水準にならない。従量制課金はつまり、ヘビーユーザーだけから購読売上を求める。課金により新聞は価格差別ができる――どの利用者の支払い意志が高いかを見分け、その集団だけに支払いを求めようというわけだ。

だが従量制課金はハードな課金よりは優れたトレードオフを提供するが、長所ばかりではない。課金の最大の費用は、トラフィックの低下だ。失われたトラフィックは、一時的な低下というかたちでは生じない。もっと密やかに、永続的にトラフィック増加率が下がるというかたちでやってくる。この失われた観察は、最初はわずかに思えるが、観察ギャップは時間とともに累乗化する。当の『ニューヨーク・タイムズ』ですら――そのリークされたイノベーション報告にも書かれていたように――長年にわたり、課金のおかげで着実にトラフィック減少を経験した[★10]。2016年の選挙期間にやっと大きなトラフィック増大が起きたが、本書執筆時点ではこの後押しが持続的なものかはまだ判断できない。とはいえそのデジタル購読者の増加は、減少する印刷版からの売上を補うくらいの勢いはあった[★11]。

だが地方新聞で『ニューヨーク・タイムズ』のようなデジタルな成功を享受したところは一つもない。『ニューヨーク・タイムズ』は全国で最高のニュースブランドをもち、大量の多様で、むらのない高品質なコンテンツ群をつくり出している。ベゾス時代の『ワシントン・ポスト』も似たような成果を挙げた。そのデジタルな所産を改善して、デジタル購読者数を激増させたのだ。だがこうした全国ブランドの成功は、とても代表例とは言えない。もっと典型的な例は、全米最大の印刷新聞チェーンであるガネットだろう。2013年、傘下のコミュニティ新聞80紙すべてで課金制を導入したあとで、ガネットはそれにより得られた購読者が4万6000人という惨めな数だったと報道した[★12]。デジタルのみの購読者がやっと増え始めたのは、「トランプ効果」のおかげで新規のデジタル購読者が34万1000人増えてからだったとガネットは報じている[★13]。だがこうしたデジタル購読のじつに多くは大幅な割引価格によるものだったし、また印刷新聞事業が急激に衰えたので、ガネットは相変わらず新聞1紙あたり年に9パーセントの売上低下を記録している。その傘下の中で、すでにかなり減らした既存職員の大半をクビにすることなくデジタル専門事業として存続可能な資産は、ほとんど、いやまったくない。

つまり課金は、それ自体としては地方紙を蝕むものの解決策にはならない。いまのところ、課金制は止血帯になっていて、新聞の中核となる印刷事業からの売上喪失を抑えている状態だ。だからといって、それが全体としてダメな手口だというわけではない——なんといっても、ときには止血帯は医療でも役に立つのだから。だが課金のための費用は、それが分割払いになっている場合ですら、きわめて大きいのだ。

オープンウェブ

課金には問題があるが、提案された代替案のほとんどにも問題がある。多くは新聞が「無料であげてしまうのをやめる」べきだと論じたが、ある少数派は、新聞は正反対の方向に向かうべきだと論じた。この理屈だと、新聞はデジタル専門出版物になるべきだ——そしてそれにより、印刷機や紙、インク、配送トラックにかけている諸経費を40–50％節約しようという。新聞は印刷機を止め、「退路を断って」ウェブにコミットすべきだと言われる[★14]。

この見方にはいろいろ問題がある。そもそも、新聞サイトが得ているトラフィックの量をすさまじく過大評価しているし、そのトラフィックの価値も過大に見ている。マネタイゼーションの神話が、こうしたデジタル専門という妄想の背後にある中心的な駆動力だ。『ニューヨーク・タイムズ』ですら執筆時点では、デジタルからの売上は総売上の4割に満たない[★15]。

地方ニュースをオンラインだけでという提案は、デジタル広告から得られる金額について誤解を招く数字に依存している。混乱の一部は、新聞がオンライン広告収入についてインチキな会計をしていることから生じる。じつはデジタル広告の相当部分は、印刷物広告との抱き合わせ販売からきている[★16]。「満額」でのデジタル広告が売れるのは、印刷広告のほうでそれに応じた割引をしているからにすぎない。新聞が本当に印刷版をなくしてしまったら、こうした抱き合わせのデジタルな売上もすぐに消えてしまう。

慈善、非営利ニュース、政府補助金

一部の人は、慈善、非営利ジャーナリズム、政府補助金が地方の危機の解決を支援してくれると提案した。だがここでも、データを見ると問題が出てくる。

慈善や非営利ジャーナリズムに関する話は、いくつか有力な全国レベルの事例が原動力だ。たとえばいくつか賞もとった非伝統的なニュース組織ProPublicaやCenter for Public Integrityなどだ。あるいは『ニューヘイブン・インディペンデント』のような一握りの地方活動や、『テキサス・トリビューン』などの全州的な活動が、大いに注目を集めている。だがこうした例で全体の図式から目をそらしてはいけない。慈善ジャーナリズムは、地方ジャーナリズムの危機の規模に比べれば不十分だ。

2013年時点で、慈善活動、個人資産、ベンチャー資本資金をあわせても、全国の地方ジャーナリズム資金のちょうど1%だ[★17]。新聞専門の慈善が10倍になったとしても、地方ジャーナリズムはほとんど職員なしで続けざるをえない。先に述べた全国的な事例を何千もの地方コミュニティで再現するほどのお金は、どこにもないのだ。

また成功していたはずの地方メディア新興企業が、急に閉鎖されて話題を呼ぶ例を見ても、ジャーナリズムの資金源として数人の金持ちに頼るリスクは明らかだ。億万長者ジョー・リケッツは、ニューヨーク市地方ニュースサイトDNAinfoを2009年に創始し、2017年3月にはロサンゼルス、

シカゴ、ワシントンDC、サンフランシスコに出先をもつオンライン専門新聞のゴッサミストネットワークを買収した。だが2017年11月に、ニューヨークの職員が労組結成を可決した1週間後、リケッツは事前予告なしにサイトをすべて閉鎖して、職員110名全員を解雇した［★18］。ゴッサミストの例が示すように、たった1人の金持ち出資者の善意に頼るのも、独自の大きなリスクを引き起こす。

問題の規模を考慮して、他の論者は政府からの直接で大規模な出資を提案している［★19］。政府出資には一つ大きな利点がある。これは問題の規模に対して適切なリソースを提供できる可能性をもった唯一のまともな提案なのだ。ニュースは公共財なので、政府補助は国防から公共教育にいたる様々な政策分野で見られるのと同じ論理で正当化できる。そして政府資金が報道の独立性をダメにするという主張は考慮に値するものの、国が出資しつつも政治的な独立性を長きにわたり保っているジャーナリズムの例はある。

それでも大規模政府補助金は政治的にはまったく話題にもあがらない。現在の水準のごく一部ですら地方ジャーナリズムを維持するためには、何億ドルも——おそらくは何十億ドルも——毎年必要となる。この水準のリソースは、州や地方自治体政府の計画ではなく、全国政府の行動が必要となる。アメリカ議会が新しい大規模な政府マスコミ補助金を可決する可能性はほとんどない。

あるいは、人によっては新聞が非営利組織になってはどうかと提案している。この戦略は、政府の税制補助と慈善活動を組み合わせたものとなる。確かにニュース組織やその献金者に税制優遇を提供するというのは、直接補助よりは政治的に受け入れやすい。だが非営利戦略ですら、多くの人が主張するよりも課題が多い。

じつは、非営利団体になっても新聞の納税額は下がらない――理由は簡単で、いまも彼らはほとんど税金を払っていないからだ。総売上は常に、控除可能な経費によって相殺されてしまっているのだ[★20]。さらに新聞は、ほとんどの硬派なニュース以外のコンテンツ――新聞の最も人気の高い部分だ！――を排除し、商業広告の大半をなくさない限り、非営利とは認められないだろう。新しい税制優遇で、潜在的な寄付者たちの財布の紐がゆるむという怪しげな理屈のために、それだけのものを放棄するのは考えものだ。現在の新聞所有者が邪魔をしないよう説得できたとしても、このシフトはほとんどあらゆる地方新聞の財務的な苦境を劇的に悪化させるだろう。また非営利団体は、党派的な選挙において、特定候補者を応援してはいけないことになっているから、新聞は伝統的な役割の小さいながらも重要な一部をあきらめねばならない。

慈善ジャーナリズムや政府補助金は、地方ニュース組織が観察を見つけねばならないという圧力を多少は軽減してくれる。だがこの救いは部分的なものでしかない。地方ジャーナリズムに出資するそもそもの理由は、人々がそれを読むはずだからということだ。民間の寄付者も政府出資者も、自分の出したお金が有意義に使われたかどうか知りたがる。その資金が議会委員会からこようと、ウォール街の投資家からこようと、安定した将来の資金源は、同じくらいしっかりしたデジタル観察を必要とするのだ。

タブレットやモバイルデバイス

一部の人が期待しているのは、モバイルニュースやタブレットニュースの台頭だ。ある評論家の一派は、タブレットへのシフトが新聞に「デジタル刷新」をもたらし、これまでのまちがいから学ぶ機会を与えてくれるという[★21]。

確かにタブレットやモバイル系の所有はすさまじい増加を遂げている。iPhoneとiPadは、どちらもカテゴリーを新たにつくり出した商品で、それぞれ2007年と2010年に登場したばかりだ。2017年までに、アメリカ成人の77％はスマートフォンを所有し、51％がタブレットを保有している[★22]。ニュースは両方のデバイスをもつ人々にとって人気ある活動だ。アメリカ人の45％は、モバイルデバイスでニュースを見ることが多いと述べ、さらに29％は、ときどきモバイルデバイスでニュースを見ると述べている[★23]。残念ながら、モバイルやタブレットのニュースへのシフトは、地方新聞の状況をさらに危ういものにしてしまう。

初期の観察データを見ると、タブレット利用者は他のプラットフォームでの読者よりも、ニュースへの関与が高いようだった。でもこの効果のほとんどは、結局は単なる選択バイアスだった。裕福でテクノロジーに精通した、アップル大好きなアーリーアドプターは、大量にニュースを消費するので、特にニュースアプリを使おうとする層だ。タブレットやスマートフォンが普及し、市場の大半をおおむね安いAndroidデバイスが席巻すると、ニュースの全部や一部をアプリに頼る利用者は、むしろ縮小した[★24]。

つまりタブレットやスマートフォンでのニュース消費は、まったく新しいものになるどころか、ウェブのニュースのパターンを繰り返すだけとなる。モバイルアプリは、ちょうど従来のウェブニュース同様に、その観衆の圧倒的多数を、大規模な全国ニュース組織へと送り出す。全体としてのウェブと同様に、モバイルやタブレットのニュース観衆は、広範ながらすさまじく浅い。モバイルデバイス上での時間のうち、ハードやソフトなニュースに使われるのはざっと5%――もっと広いウェブでのブラウズパターンに比べて、ごくわずかな改善でしかない[★25]。モバイルニュースに使われる時間の比率は一定しているが、フェイスブックやツイッター、アップルニュースの重要性が高まるにつれて、独立ニュースアプリはむしろ人気が下がっている。

小規模ニュース組織の場合、こうしたタブレットやモバイルデバイスへのシフトはことさらひどいものだ。地方サイトの場合、モバイルトラフィックはデスクトップ訪問者に比べて数分の一の広告売上にしかならない。モバイル広告費は爆発的に増え続けているが、地方新聞にはほとんど恩恵がまわってこない。グーグルとフェイスブックの両者で、タブレットとモバイル広告の3分の2を支配しているのだ[★26]。

スマートフォンやタブレットへの移行は、開発費も激増させる。新聞はこうした新プラットフォーム上でうまく機能を発揮できるように、サイトをデザインし直すしかない。新聞で働く（通常は少数の）コンピュータプログラマやウェブデザイナーが知っているのは、圧倒的にHTMLやCSSやJavaScriptといったウェブ中心の言語や標準だ。アプリはほとんどがObjective C（iOSの場合）やJava（Androidの場合）で書かれる本物のソフトウェアプログラムであり、新聞職員でこうしたプログラム言語に熟達した人間はほとんどいない[★27]。新聞アプリをつくるには、通常はかなりの費用をかけて、専門ソフト会社に開発を委託するしかない。

様々なプラットフォームのそれぞれについて利用者体験をモニタリングするのは、いまや悪夢だ。

新聞はiPhoneとAndroidを両方サポートし、しかもどちらについても、ちがうバージョンのアプリやブラウザをサポートせねばならず、さらには利用者のデバイスの持ち方に応じて「ランドスケープ」モードと「ポートレート」モードも考えねばならない。巨大な全国ニュースサイトなら、地元新聞よりもこうした新開発検証費用を吸収しやすいだろう。

このマルチプラットフォームでの開発はなかなか避けられない。モバイルだけのニュース読者は少ないし、スマホでニュースを読む人ですら、あれば他のプラットフォームを使いたがる[★28]。ニュースの相当部分は職場で消費されていて[★29]、利用者は職場環境でiPadは使わない。結果として、地方紙読者はスマートフォンやタブレットではたいていひどい購読環境しか得られない。一部の小規模出版社は、独自のニュースアプリ構築を完全にあきらめてしまった。開発と維持費が高すぎてとても引き合わないと結論したのだ[★30]。

モバイルやタブレットへのソフトをあきらめようとする出版社を狙って、フェイスブックもグーグルもアップルも、みんな移行を楽にするイニシアチブを開始している——もちろん有料だ。フェイスブックのインスタントアーティクル、グーグルのアクセラレーテッドモバイルプラットフォーム、アップルの刷新されたニュースアプリは、重要な点でちがいはあるものの、すべて明白にニュース出版社のモバイルデバイスでの失敗に対するソリューションとして売り込まれている。他人のコンテンツを自分のサーバーで直接ホスティングしようと申し出ることで、デジタル巨人は、読み込み時間を速く保ち、利用者体験をもっとサクサクしたものとし、高品質のコンテンツ推薦が利用者個人の嗜好にあわせられる(なぜこうした特徴が重要かはあとで詳述)。

ニュース組織側からすると、こうしたイニシアチブに乗るのは悪魔との取引だ。一方では、まともなモバイルサイトやアプリがなくても、モバイル利用者に手が届く。だがその裏面として、参加すると売上の3割を永遠にこうしたプラットフォームに払い続けるということになるし、さらに観察のコントロールを失うということにもなる。研究によれば、多くの利用者はどこで各種ニュースを見たか覚えていないから、インスタントアーティクルやアップルニュースに参加すると、すでに衰えたブランドの資産価値をさらに犠牲にすることになる［★31］。だが地方ニュースサイトはあまりに交渉材料がないから、何も取引がないよりは、ひどい取引でも受け入れるところが多いという結果になる。

「動画への転回」

ジャーナリズムの危機に対する最新の「ソリューション」は、いわゆる動画への転回と呼ばれるものだ。2016年半ばに始まり、翌年にわたり加速した傾向として、多くのデジタル出版社は印刷媒体からジャーナリストを解雇して、動画製作職員で置きかえようとした。こうした首切りは、特にそれまで成功物語として見られてきた全国的なデジタルニュース組織などで目立った動きだった。たとえば、Mic、ハフィントン・ポスト、ヴァイス、マッシャブル、バズフィードなどだ［★32］。

ジャーナリズムの危機へのソリューションとしての動画への転回には、いろいろ問題があるし、地方レベルではそれが顕著になる。動画への転回は、マネタイゼーションの神話が装いを変えただけだ――全国サイトにとってすら問題だし、特に地方ニュースサイトでは大問題だ。さらに動画への転回は、別に観察の要求によるものではなく、広告環境が不利なかたちで変化した結果でしかない。バナー広告のお金が減り続けたので、広告業者たちはますます動画広告に移行していて、動画広告費は2016年に100億ドルだったのが2020年には180億ドルになると予想されている。これは主にフェイスブックの後押しによるもので、広告を載せるための動画コンテンツをフェイスブック向けにつくれと、ニュース組織に猛然と要求している[★33]。

動画への本気の転回は、コスト削減戦略にはならない。ニュース記事にいくつかスチル写真をつけるのは安上がりだし、特に記者が現場で取材しているならすぐに可能だ（これについては後述）。これに対し、動画コンテンツは時間あたりではるかに高価だ。もっとひどいことに、転回サイトでかかる自動再生動画は、利用者には鬱陶しい。印象的なお笑いとして、ジャーナリストのザック・ショーエンフェルドは動画への転回についての報道の冒頭で、この記事に伴う自動再生動画について謝るところから始めたほどだ[★34]。

つまり動画への転回は成長促進戦略ではない。転回を行ったサイトの多くは、観衆が激減している[★35]。もっとひどいことに、すでに見たとおり、こうした観衆喪失は1回限りではすまない。動画への転回が粘着性を下げたら、損失は時間とともに雪だるま式にふくれあがる。

動画への転回は、デジタルニュース観衆がグーグルや（特に）フェイスブックでの各種方針変更にいかに弱いかをあらわにしている。ニュースサイトからの動画コンテンツに最大の観衆がつくのはユーチューブとフェイスブックでのことであり、その動画を制作した組織ではない。そして過去に起こったことと同様に、もしデジタル巨人の片方が、動画への転回が自分の利益にならないと悟った瞬間、動画への投資は一夜にして消え去ってしまう（このリスクについては後述）。たとえば執筆時点で潜在的なややこしさの源は、アップル社のサファリやグーグルのクロームが、転回したニュース組織が依存している自動再生動画をブロックすると発表したことだ。

地方ニュースサイト、特に地方新聞は、通称動画への転回による影響は少なめだ。だが巨大デジタルサイトで起きたことはずいぶん恐ろしいので、地方サイトはあまり気軽に印刷のジャーナリストをクビにして動画に飛び込まないほうがいい。そして動画への転回が本当にデジタル広告崩壊の前兆であるなら――ジョッシュ・マーシャルのような出版人はそう主張する［★36］――地方ニュースサイトも無事ではいられないだろう。

結局のところ、デジタル地方ニュースの成功戦略はすべて、観衆を増やすものでなければならないということだ。これは広告収入に頼るサイトでは言うまでもないことだが、地方新聞サイトは大規模ウェブサイトが稼ぐほどの1人あたり広告売上は期待できない。観衆の成長は、購読販売に頼る計画においても、同じくらい不可欠なものだ。現代の地方ニュースサイトで中核となる観衆は、小さすぎてデジタル持続可能性を提供できない。あるサイトで月にほんの数分しか過ごさない訪問者は、購読者となる見込みがあまり高くない。非営利ジャーナリズムですら、自分たちの仕事が広い観衆に到達していると実証しないと、資金の継続性は確保できない。

デジタル観衆と粘着性――何が成功する？

これまで提案されてきた各種のソリューションが成功しないなら、どんなものが成功するだろうか？　オンライン地方ニュースの観衆を増やすというのは、結局二つの問題に帰着する。まず、他のあらゆるコンテンツ――フェイスブックからメールからポルノ、買い物、ユーチューブまで――と比べてニュースの粘着性を高めるにはどうしたらいいだろう？　第二に、ニュース観衆の85％を吸い上げる巨大全国ニュースブランドに比べ、地方ニュースサイト自体の粘着性を高めるにはどうすればいいだろう？

　ありがたいことに、新聞はゼロから作業を始める必要がない。これまでの章が示したように、デジタル読者の習慣をつくり上げる方法については20年にわたる研究がある。だが新聞にとって、この研究は告発状のように読めてしまう。地方新聞サイト、特に小規模新聞は、粘着力のあるサイト構築のルールをすべて破ってきた。新聞はウェブトラフィックのもっとまともなモデルを採用すべきだ――そしてそれとともに、グーグルのようなウェブ巨人をそもそもあれほど大きくしたツールや技法、戦略を採り入れねばならない。

　ウェブトラフィック研究すべてにおいて最も一貫性ある知見は、読み込み時間が速いとトラフィックが増える、というものだ。何十もの研究が、この結果を各種サイトや多様な範疇のコンテンツで再現している［★37］。10分の1秒でも遅れるとトラフィックが減ると示されている。

　今日のニュースサイトはいまだに、他のどんな種類のコンテンツよりも読み込みが遅い［★38］。グーグルのCEOエリック・シュミットが２００９年にアメリカ新聞協会大会を訪問したとき、デジタル新聞について彼がまっ先に挙げた苦情は、「サイトが遅い。文字どおり速度が出ていない。冗談抜きで、紙の新聞を読むより遅い」［★39］ということだった。

だが近年では、一部の新聞はこれを理解したようだ。『ワシントン・ポスト』買収後に、Amazon.comのCEOジェフ・ベゾスは即座に、読み込み時間を4割減らすことに固執した[★40]。2013年以来、『ニューヨーク・タイムズ』はウェブアーキテクチャ全体、ハードウェアからサーバー構成から巨大コードベースまで強化して、新しい速度目標を達成しようとした[★41]。『ガーディアン』はページ読み込みを、12.1秒から3.2秒に減らした[★42]。いまや『ガーディアン』は中核ページ要素——レイアウト、見出し、記事本文——をモバイル利用者ですら1秒以内で読み込めるようにしようとしている。これは嬉しい変化だが、何百という他の組織のサイトでも同じことをすべきだ。大規模新聞がまっ先にこれを理解したという事実は、小規模新聞が直面する規模の不利をさらに裏づけるものとなる。

速度以外だと、サイトデザインとレイアウトがサイトのトラフィックと購買決定に大きな影響を与える。こうした効果の一部は、単純な審美的理由からくるものかもしれない。だがトラフィック構築にデザインをことさら重要にしている他の要因もある。

一部の研究分野では、サイトデザインとレイアウトがサイトの品質と信頼度の代理指標になっていることを示している[★43]。デザインはまた、利用者がサイトをナビゲートする能力にも大きく影響する。ナビゲートしやすいサイトは再訪のトラフィックを生み出し、高い売上につながる。

サイトデザインは、トラフィック自体よりもさらに強くe-コマースの売上に影響するらしい——新聞はこれをよく考えよう。課金の流行により、新聞はいまやe-コマースサイトになっていて、デジタル購読者をなんとか集めようとしているわけだ。素人臭く、古くさいウェブデザインは、読者の品質認知に悲惨な影響を及ぼす。

研究文献で明らかとなったもう一つ重要な結果は、パーソナル化されたコンテンツ推薦システムの決定的な重要性だ（第3章参照）。自動化し、アルゴリズム化された推薦はいまや、ほとんどの大規模デジタル企業の要石となっている。アマゾン、ネットフリックスといった企業は、売上の相当部分をコンテンツ推薦システムに依存しており、利潤に占める比率はさらに高い。

「人気トップ」あるいは「最も多くメールされた」記事の一覧は、ニュースやメディア系ウェブサイトではますます一般的になったし、ページの中で目立つところにあれば、トラフィック数増大に役立つ。でも多くの研究で、推薦システムのほうがずっと効果が高いことが示されている。たとえばグーグルニュースのパーソナル化ニュース推薦システムは、ホームページでのトラフィックを激増させた［★44］。

確かに、推薦システムをうまくつくるのはハードルが高い。新聞はこうした分野での職員の技能が限られているし、こうした専門特化した知識に要求される高給もなかなか支払えない。だが推薦システムはもっと投資に値するものだ。これほどニューストラフィックを激増させられる技術的な変更は他にほとんどない。

サイトの速度やコンテンツ推薦といった技術問題はどちらも重要なのに、いまは軽視されている。だが地方ニュース観衆を構築するには、サイトの特性だけでなく、読みたくなるデジタルコンテンツをつくるのも重要だ。ここでも結果は明らかだ。コンテンツがより多く、更新頻度の高いサイトが、トラフィック構築面でずっと優れているのだ。力強い観衆増大には、大量の記事が必要条件だ（が十分条件ではない）。

ほとんど静的なサイトでは観衆を盛り上げるのは不可能だ。定義からして、静的なサイトには戻ってくる理由がない。『アトランティック』紙の重役が著者に語ったように「利用者がサイトに戻ってきて何も変わっていないのを知ったら、戻ってくる頻度を減らせと告げたも同然だ」。第4章の経済学モデルが示唆するように、量の少ないサイトは、質の高い読者の好みに十分あったコンテンツを生産していても、量の多いサイトに負けてしまうのだ。

新鮮なコンテンツの重要性は、最近の通称「ハムスターの回し車ジャーナリズム」に関する議論の核心にある。もっとコンテンツを、もっと頻繁にという進化圧力のため、しばしば即時性がすさまじく重視され、短いニュース記事が濫造されることになる。広く議論された『コロンビア・ジャーナリズム・レビュー』の論説で、ディーン・スタークマンはこうした傾向を嘆いた。

ハムスターの回し車は速度が重要なのではない。運動のための運動なのだ。ネズミ車は、考えなしの量だ。ニュースのパニックであり、規律欠如であり、ノーと言えない状態だ。恣意的な生産性指数を満たすために、コピペ生産されている。[★45]

確かに、こうした戦術がときに伝統的なニュースの価値観と対立するという点でスタークマンは正しい（これについては後述）。だがこうしたアプローチは単なる「考えなしの量」ではない。むしろ、何が読者を増やすかについての大量の研究の結果として考案されたものなのだ。こうした技法が栄えている理由は、それを採用したニュース組織が競合よりも急成長したからだ。

他の条件が同じなら、少数の中程度の長さの記事よりは、大量の短い記事のほうが、ニュース組織はトラフィックを増やせる。チャートビートからのデータを見ると、平均的なニュース記事の最後までスクロールして読む利用者は10%以下だ――ほとんどの利用者は、じつは半ばまでしかスクロールしない［★46］。これは記者たちがしばしば、だれも読まない言葉を書くのにえらく時間をかけているということを示唆する。

こうした知見はますます編集室の方針を形成しつつある。2014年5月6日、AP通信とロイターは記者たちに、ほとんどのニュース記事は500ワード以下にしろというメモをそれぞれ独立に（同じ日だったのはまったく偶然とのこと）出した。これは記者や編集者の時間節約になるだけでなく、AP通信のメモのほうは「大量の水ぶくれした副見出しの山」を批判し、「われわれのデジタル顧客は、読者がほとんどの長い記事を読むだけの集中力がなく、記事が長すぎると読む気を失ってしまうことを知っている」と宣言している［★47］。

はっきりさせておくと、研究は別に、トラフィックを最大化するには長い記事を一掃しろなどとは言っていない。第3章で見たように、推薦システムの研究は――他の種類の証拠とともに――ほとんどの新聞において最高のソリューションは、記事の内容と形式の多様性なのだと示唆している。長い特集記事は、ほとんどのデジタル新聞で「最も読まれている記事」の相当部分を占める。だが地方新聞サイトは、長ったらしい特集だけでは安定した日次読者を構築できない。短い記事の絶え間ない流れが、サイトの粘着性を確保する第一歩なのだ。

新聞はまた、すでに生産しているコンテンツをもっとうまく活用するだけで、大幅な進歩を遂げられる。特に、見出しの検定とリード文の改善は、トラフィック激増につながる。

アップワージー、バズフィード、ハフィントン・ポストといった成功した新興オンラインメディアで他と最もちがっているのは、編集者たちが見出しをつけるのにどれほど時間をかけるか、ということだ。ニュースや公共問題のコンテンツをよく採りあげるサイトのアップワージーは、職員にあらゆる記事について見出しを25種類書けと要求している［★48］。バズフィードの職員とのインタビューでも、同じ点が強調されていた。ライターの時間の大半は見出しとリード文に費やされる。独自の報道記事についても同じだ。ハフィントン・ポストでの慣行もそれに近い。

見出し検定は、新聞にとっては諸刃の剣だ。クリック狙いの見出しをあまりに追求し、キャッチーな見出しを求めて記事の内容を歪めると、新聞のブランドを貶め、読者の信用を台無しにしかねない。それでも見出しは、記事の中で圧倒的に読まれる部分であり、読者行動を変える最大の機会となる。何度も繰り返すが、まとめサイト／オンラインアグリゲーター〔各コンテンツホルダーからコンテンツを集め、それをユーザーに提供する事業者〕たちは他の組織の報道をもってきて、A／B試験を行った見出しを追加し、定量的に（検証された）キャッチーなリード文をつけるだけで、津波のようなトラフィックを獲得しているのだ。

最近のニュース組織に見られるシフトは、この分野への投資が増えていて、見出しの重要性に対する認識が高まっていることを示唆している。『ワシントン・ポスト』はベゾス時代の他の投資に加え、見出しを書き直してトラフィックを増やす専門チームをつくった［★49］。見出しづくりは、多くの新聞に見られる鈍重な代物と、アップワージーのような「そのとき信じられないようなことが起こった！」みたいな見出しとの二者択一ではない。新聞は、自分の価値観やブランドアイデンティティを尊重しつつも、もっと注目される見出しは書けるのだ。

同じように、ニュースサイトをソーシャルメディア向けに最適化することで読者を増やせる。多くのニュースサイトは、フェイスブックがトラフィックの出所として唯一最大だと見ている。これは確かに、バズフィードやハフィントン・ポストでは顕著だ。フェイスブックの激流から少しでもおこぼれをもらえたら、トラフィックは激増する。

ソーシャルメディア向けに最適化するというのは、ウェブサイトに「いいね」や「ツイート」ボタンをつけたり、記者たちにツイートを義務づけたり、果てはフェイスブックに馴染むような見出しを検定するといった話だけではない。ほとんどの中規模紙や大規模地方新聞は、いまやソーシャルメディア専門職員を1人は置いていて、出発点としてはよい。だがよいソーシャルメディア記事の特徴は、記事の売り込みから、最終的な原稿まで、ニュースプロセスのあらゆる部分で考慮されるべきだ。成功するデジタルニュースサイトは、このプロセスを調整するために専属ソーシャルメディアチームをつくり、有望な記事は強力にプッシュして、ヴァイラルになるよう期待する。たとえばハフィントン・ポストでは、各部門や「バーティカル」〔政治や科学といった分野ではなく、LGBTや環境といったテーマで部門横断的に記事を作成するチーム〕は、ソーシャルメディアチームに対して1日に何度も記事を売り込むよう要求される。

フェイスブック経由のトラフィックは、じつはウェブトラフィック全体よりもさらに大規模全国ニュースサイトに偏っている。新聞は自社サイトを完全にソーシャルメディア向けに変える必要はない（というかそんなことはすべきではない）が、ソーシャルメディア向けの記事も途切れることなく出し続けなくてはならない。ほんのわずかな改善ですら、地方紙と全国サイトとのギャップを埋めるにあたり、莫大な影響をもつ。

もちろんソーシャルメディアからの恩恵には限界がある。フェイスブックからの訪問者はほとんどが一見さんで、ページ一つだけを見て1分未満しか滞在しない[★50]。フェイスブック利用者は、2ページ目、3ページ目すら読む手間はかけたがらず、まして有料購読者などには変えられない。フェイスブック訪問者に頼りすぎるニュース組織は、知らぬ間に自分の裁量を大幅に譲り渡している。

さらにソーシャルメディアにかなり投資をしても、フェイスブックやツイッターがルールを変えればすべてが予告なしに水の泡になりかねない。有力な例としては『ワシントン・ポスト』のソーシャルリーダーがある。このアプリは、「自分が読むものを友だちとシェアしよう」というもので、購読者のニュースフィードに、「最近読んだ記事」というのを追加した。ソーシャルリーダーの開発者は、アプリ作成にあたってフェイスブックの職員からかなりの技術支援と激励を受けていたし、最盛期には1700万人以上の利用者がいた。ところが2012年晩春、何の予告もなしに、フェイスブックはサイトのデザインを変えてアルゴリズムも変えた。トラフィックは一夜にして激減した[★51]。2012年12月には、『ワシントン・ポスト』はこのアプリを廃止した。『ガーディアン』の類似のソーシャルリーダーアプリも、やはりフェイスブックの支援でつくったものだったが、同じ運命をたどった。

多くのニュースサイトはいまや似たような経験を持っている。本書の執筆時点で、フェイスブックからニュースサイトに向かうトラフィックは、2015年のピークから激減している[★52]。新しいイニシアチブは、一部はソーシャルメディアが2016年の選挙に果たした役割に対する反発に応えるためのものだが、フェイスブックがひいきにする外部サイトや、フェイスブックがニュースサイトに送る総トラフィックもさらに変わることになりそうだ。近年のアルゴリズム変更で、他にも被害は出ている。「いい話」系ニュースをソーシャルメディアで共有するサイトであるLittleThingsは、2018年初頭のフェイスブックのアルゴリズム変更でトラフィックが75％も減ったので、閉鎖した[★53]。

最後に、マルチメディアコンテンツは、ただの文字記事よりトラフィックをたくさん集める。これはインタラクティブな要素や図を含む。こうしたものは昔から、読者エンゲージメントが高いことで知られている。だが動画を含んだり、単にスライドショーを含むだけでも、通常は文字だけのものを上回る。一部のデジタルニュースサイトはすでに、この知見を活発に活用する。ハフィントン・ポストやバズフィードは、どちらもスライドショー（ハフィントン・ポスト）やスクロールできる画像ギャラリー（バズフィード）に大量投資をしている。ハフィントン・ポストはこの戦略に大いに賭けていて、本書執筆時点ではほとんどの記事にスライドショーをつけるよう義務づけている。

これを見ると、地方新聞は楽に入れられるゴールを逃している。印刷ニュースは掲載できる写真の数がきわめて限られるが、オンラインならそんな制約はない。デジタル新聞記事はしばしば文字だけだが、写真がいくつかあったり、さらにギャラリーなどがあれば、利用者からずっと多くの時間と関心を得られるのだ。

だが高い投資水準を必要とするコンテンツの場合、この知見はどちらの解釈もできる。『ニューヨーク・タイムズ』の「降雪」という記事は、ワシントン州での悲惨な雪崩についてのものだが、デジタルニュース組織が新しく、ときにわくわくするようなかたちで報道できるという事例としてよく採りあげられる。だが「降雪」はジャーナリズム資源のすさまじい投資を必要とした。ジョン・ブランチ記者は報道に6か月を必要とし、さらにカメラマン1人、動画担当3人、図とデザイン担当チームにはなんと11人（！）がかかった。『タイムズ』のコンテンツ管理システムはこの記事の豊富なコンテンツを扱いきれなかったので、ページフォーマットすべてをゼロからつくりなおす必要もあった。こうした機能は、いずれは同紙の標準デジタルプラットフォームに組み込まれ、将来のプロジェクトはもっと容易になるかもしれない。だがお金がかかるのだという事実は動かせない。マルチメディアコンテンツはトラフィックは増やせても、製作にかかるリソースも増える。豊かなコンテンツをもつ記事を検討している編集者の多くにとって、機会費用が高すぎることもあり得る。

成長インフラ

これまで論じてきた戦術は、デジタル観衆を増やすために新聞がとれる手だてを包括的に述べた一覧ではないが、出発点にはなる。平均的な地方紙は、こうした領域のすべてで改善の余地がある。お金に糸目をつけないのであれば、処方箋は簡単だ。全部やりなさい、しかも今すぐに。

もちろん、新聞にとってはお金に糸目は当然つくし、すべてを一気にやるなどという戦略は不可能だ。新聞は限界効用を考える必要がある。最小の追加費用で、最大の粘着性を提供してくれる変化を見つけねばならないのだ。

一部の戦略は重要すぎるので、とにかく今すぐにやるしかない。これを読んでいる編集者がいるなら、ここだけは外さないでほしい。サイトが遅いなら、トラフィックを毎日毎日ダダ漏れさせているに等しい。サイトがモバイルやタブレットできちんと見られないなら、何でもいいからとにかくそれを直そう。ホームページに少なくとも1時間ごとに何か目に見える新しいコンテンツがないなら、これもトラフィックを投げ捨てているに等しい。こうした点をまっ先に直そう。

だがこうしたお手軽な対策の後は、粘着性を高めるハードルはだんだん高くなるし、トレードオフもよく考える必要が出てくる。こうしたもっとむずかしい問題の場合、試験がきわめて重要だ。新聞はウェブサイトでライブ実験を行い、必要な情報を集めねばならない。データに代わるものはない。

今日のウェブ巨人たちがそもそも巨人になるにあたっては、A／B試験のおかげが何よりも大きい。第2章で説明したように、巨大デジタル企業——いや小規模なところも増えている——は利用者体験に影響しそうなものをほとんどすべて試験している。この試験の影響はすさまじい。元アマゾンで、いまはマイクロソフト社の実験主任ロン・コハヴィは、オンライン実験こそがマイクロソフトの収益を何億ドルも増やしたと述べている[★54]。あまり注目されないが同じくらい重要な点として、損失をもたらす点を公開前に見つけることで、同じくらいの損失が回避されている。グーグル、マイクロソフト、フェイスブックなどの大企業は、あらゆる時点で1000個以上の実験を実施している。

A／B試験は1990年代からAmazon.comやヤフーのようなサイトで利用されているが、ほとんどの新聞はオンライン実験を行うためのインフラや技能をもっていない。まず第一に、新聞は個人利用者を信頼できるかたちで追跡する必要がある。これは経時的にも、複数デバイスにまたがるかたちでも行えねばならない。これは決して容易ではない。利用者を信頼できるかたちで処置群と対照群には、新聞としてオムニチュアやチャートビートのようなサービスを購読する方法もある。〔試験プログラムに参加するグループと参加しないグループ〕に区別できなければ、どんな実験も機能しない。利用者追跡問題を解決するには、新聞としてオムニチュアやチャートビートのようなサービスを購読する方法もある。

第二に、新聞は自社ウェブページの改変版を別途提供できなくてはならない。ほとんどの新聞は、現状ではこうした能力をもたない。アマゾンウェブサービス（AWS）やグーグルアプリエンジン／コンピュートエンジンは、安いしかなり使いやすい――だがもちろん新聞としては、読み込み時間や応答時間が複数のサーバーで同じになるようにしなくてはならない。いくつかのベンダーは、対象となるウェブページにごく数行のコードを追加するだけでA／B試験を行ってくれるサービスを提供している。フェイスブックのPlanOutなど〔★55〕、新しいオープンソースの多属性変更試験プラットフォームはさらに高度だし、費用は開発者の時間だけで済む。

つまり新聞として、オンライン実験をやらない理由はますますなくなっている。多くのニュース組織はすでにオンライン試験を行っている。巨大なオンライン専門ニュースサイト、巨大デジタル企業（ヤフー！など）のニュース部門や、いくつか高名なニュースブランドは、すでにこうした計測に大量投資している。

だがこうした機関の中でも、ニュースサイトが何を基準に最適化すべきなのかについては、あまりに理解が不足しすぎている。この不確実性はまた、ジャーナリズムの危機に対する論評にも多く見られる。こうした論評はやたらに「イノベーション」を訴えるが、いつも漠然としていて無内容すぎる。新聞は「とにかく実験しまくれ」と言われるが、そうした実験がどんな仮説を検定すべきかについては何も具体的な指示がない。

しばしば、ニュース編集室でのA／B試験についての議論は、総トラフィックの増減をもとにしている。だがこれは、メディアについての古い考え方に基づいている。観衆がおおむね安定していて、サイトに変化を加えたら、それがほぼすぐさま総トラフィックを永続的に増減させるという発想だ。最も効果をあげるには、A／B試験はまずウェブトラフィックがダイナミックだという理解から出発しなければならない。新聞が求めているのは総トラフィックの変化ではなく、むしろその成長率の変化だ。人々が戻ってきやすくするようなプラスの変化や、あと一つ追加で記事を見るようにしてくれる変化が、何か月、何年の間に累乗化する。もっと小さい影響の試験は、その効果を正確に計測するためには、数週間、数か月にわたり試験を行う必要がある。

さらにA／B試験では、まちがったものに向けて最適化してしまうのもじつに容易だ。たとえば『ワシントン・ポスト』は早期に見出しを試験しようとした。驚いたことに、最大のクリック数をめざして選択した見出しは、実際には総ニューストラフィックを減らすことになった[★56]。華々しい見出しは、大量の一見さんソーシャルメディア観衆を集めたが、二つ、三つと記事を読んでくれそうな観衆は、そういう見出しをむしろ敬遠してしまうからだ。この例はまたもや、アナリストたちを惑わしにくい堅牢な指標に集中する必要性を強調するものだ。

費用

試験は重要ながら、オンライン地方ニュースを助けるために知るべきことの半分しか教えてくれない。同じくらい重要なのは、粘着性増大戦略の費用を計測することだ。ありがたいことに、クラウドコンピューティングの普及とともに、新聞が新しいハードウェアのためにいきなり何万ドルも出す必要はない――とはいえ、新たな職員、特に技術職員を雇うのにはお金が必要となるが。だが費用の問題は、新規の財務支出を超えるものであり、すでに変容してしまった新聞の経済についてもっと深い思索を必要とする。ニュース組織にとって、お金よりさらに重要な希少リソースは職員の時間なのだ。

新聞予算のかなりの部分は固定費、たとえば賃料や資本設備にあてられる。ある編集長が著者に語ったように、「私は何に限らず［総］費用はわからない」。だが成長への投資には、ありがたいことに、総費用の計算は必要ない。粘着性そのものと同様に、成長戦略の費用は追加分の費用だけ考えればいい。ブロガーを雇ったり、新しいウェブ分析専門家を雇ったりするには、追加でいくらかかるだろうか？　サイトを高速にしたり、ツイッターのクロールをトップページに載せたりするには、追加費用がいくらかかるだろうか？

最大の費目は、新しい技術職員、特にソフトトエンジニア、ウェブデザイナー、統計の素養をもったアナリストの雇用だ。新聞社の重役と著者との会話では、プログラマなどの技術職員を募集して辞めないでもらうのはむずかしいとのことだった。だが突っ込んで話を聞くと、なぜむずかしいかは不思議でも何でもなかった。

新聞が必要とするソフトトエンジニア――ウェブのスケーリング技術を実際の生産環境で経験している人物――はテック企業でなら年間給与を数十万ドルもらえるし、さらにボーナス、ストックオプションなどの報酬もある。最高のプログラマなら他でもっと稼げるだけでなく、新聞の職場環境は技術屋には魅力がないことが多い。ソフトエンジニアは、同じ技能をもつ人を大量に雇う会社で働きたがるし、自分の仕事が会社の業務の中核だと思ってくれるところにいきたがる——同僚にプリンターを直してくれとか言われるところは嫌う。

こうした障壁はすべて、ニュース組織が必要な支出をためらわなければ克服できる。新聞はプログラマの高給にひるむのをやめ、相場並みの給料をプログラマやアナリストに支払い、デジタル職員がすぐに辞めてしまうような職場の問題を直すべきだ。新聞は、他の技術投資、たとえば印刷機などが自社の仕事に不可欠なのを知っている。印刷機が止まれば、新聞は読者に届かない。だがデジタル職員がいないのも同じことだ。かっこいいデザインと絶え間ない試験がないと、新聞はデジタル観衆を失う。技術職員は、印刷機と同じくらい流通費用であり、同じくらい不可欠なのだ。

社内の技術職員への支出を増やせば、新聞がダメなサイト開発モデルを変えるのにも役立つ。多くの新聞のウェブ開発は、断続平衡〔種の進化は長く安定した期間と急速な種分化の期間とが交互に現れるとする説〕を通じたウェブ開発だ。サイトのテンプレートは何年も同じままで、やがてそれが恥ずかしいくらい古くさくなったところで、やっと外部企業が雇われてデザイン刷新を行う。結果としての更新は、見た目はきれい（かもしれない）だが、重要なデザイン上の決定は、サイトの中をトラフィックがどう流れるかという深い理解をほとんど反映していない。社内職員はトラフィックを理解できるいちばんの立場にいるし、鍵となるデザイン上の決断もできる。社内に技術技能がなければ、外部委託業者からよい結果を得るのはむずかしい。組織内のだれも、契約作業の品質をまともに監督できないからだ。

さらに外注企業がよい仕事をした場合でも、通常、仕事は道半ばまでしかやってくれない。グーグル、ヤフー！などのデジタル企業の経験を見ると、最初の新レイアウトへの移行よりも、その後のウェブデザインの最適化のほうが影響が大きい場合が多い。サイトデザインの公開に続いて、何回となく試験と修正を繰り返し、新しいサイトのテンプレートから追加の粘着性を徹底的に絞りとらねばならない。デザイン契約はしばしば、このプロセスに不可欠な最終段階を不可能にしており、多くの新聞はこうした作業を自前で行う技能がない。

系列化した新聞も、外部企業を雇わない場合ですら類似の問題で苦しむことがある。理屈のうえだと、複数の新聞を抱える企業は、ウェブデザインと分析で規模の経済を享受できるはずだ。だがむしろ、そうした新聞企業はしばしば完全な統一ウェブサイトをつくってしまい、系列のあらゆる新聞を一つのウェブテンプレートに押し込もうとする。その会社の一紙だけで必要とされているデザイン要素が、すべての新聞に押しつけられる。結果としてできあがるサイトは、ごちゃごちゃして醜く、ナビゲートしにくい――成功したサイトが向かう、クリーンですっきりした、エレガントなデザインとはほど遠い代物になってしまうのだ。

技術面だけでなくコンテンツ制作面でも、ほとんどの新聞は新規雇用をして職員を新しい役割にシフトする必要がある。ほとんどの地方紙はいまだに量産型のブロガーを擁していないし、はっきりしたソーシャルメディア戦略もない。ソーシャルメディア編集者を雇ったところは多いが、それだけでは戦略とは言えない。トップページに、絶えず更新されるコンテンツを掲げる地方紙はほとんどない。重要なデジタル技能を同定し、それを既存の記者や編集者に教える正式なプログラムをもつところはほぼ皆無だ。たとえば適切な指標があれば、編集部で最も成果の高い見出しを選ぶコンテストを行って、編集部全員が技能向上を図れる。

粘着性を高めるデジタル戦略について、口ではいいことを言う多くの新聞ですら、組織内のインセンティブはその足を引っ張るものになっている。何百という新聞は、デジタルジャーナリズム職に最も安手の職員をあて、ときにはそれをインターンに任せたりする。だがデータを見ると、こうした仕事は読者層を構築するための最も重要な仕事の一つだ。これだと、まるでプロフットボールのチームが何千万ドルもレシーバーやオフェンスのライン選手に費やしながら、クォーターバックにはドラフト選出ですらないFA選手を使うようなものだ。給与や無形の報酬をどちらも変えて、最高の職員――新入りだの若手だの安い職員だのではなく――を影響の大きい役割に据えねばならない。

戦略人材を何人か雇うだけで、新聞が成長促進戦略を採用できると考えたくもなるだろう。現実には、ほとんどの新聞は中核人材の新規雇用、既存職員の異動、そして――売上減少が続けば――人員整理を組み合わせることでこの移行を果たすしかない。最終的には、どの職員を整理すべきかという理解が重要な業務になる。

一部のデジタルジャーナリストは、硬派なニュースを生み出し、組織のミッションの中核にある報道のお手本を示すことで成功する。それはその新聞の直接の読者とは関係なく、新聞のブランドに大きな影響力をもつ記事だ。他のデジタルジャーナリストは、新聞の中核《コア》観察にたくさん読まれる記事を生み出す。中核観察とはしょっちゅうそのサイトにやってきて、サイトの購読者候補としても最有力の人々だ。さらに他のジャーナリストたちは、浅いながら広範な観察に到達し、コミュニティの多種多様な人々から数ページビューずつをもたらす。この二つや、ときに三つの役割で高い成績を挙げるデジタルジャーナリストは少数だ。ほとんどはどれか一つでしか成功しない。そして多くのデジタルジャーナリストは、残念ながらこの三つのどの分野でも、同僚たちに比べてあまりよい成績を挙げられない。こうしたジャーナリストは、硬派な記事も書けず、広い読者層も深い読者層も得られない。ホームランにも貢献せず、安打を量産するわけでもない。

こうした場合には何かを変えねばならないし、問題を診断してそれを直さねばならない。編集上の指示が乏しく、記事の配置がうまくできていないのがありがちな原因だ。ソーシャルメディア対応の改善、見出しの改善、写真の増加で、その記者の読者層は広げられる。だがそれでも問題が残るなら、その記者や担当編集者は配置換えすべきだ――そしてそれでもダメなら、放出するしかない。

新たに職員を雇うのは高くつくし、いまの職員をクビにするのはつらい――だがデジタル成長のための刷新で最大の費用となるのは、このどちらでもない。圧倒的に最大の費用は機会費用だ。職員を新しい役割にまわし、記事にするネタを変え、長い特集記事1本のかわりに何十もの短い記事を書かせ、サイトの目玉の一部に投資しつつ、他の潜在的な改善は無視することになる。新聞のデジタル観衆を構築するには、それまでやってきたことの相当部分を捨てることになる。こうした変化の一部はどうしても、編集部内部でも、既存読者の一部にとっても、不満の多いものとなる。だが試験を行うことで、こうした犠牲にそれだけの価値があるのだという最高の保証が得られるのだ。

協力

A／B試験は不可欠だが、人材の配置や編集部のリソース面で高価だ。こうした費用を分散する一つのやり方は、もっと広い業界内の協力だ。

オンライン試験は、特に小さい組織にはハードルが高い。読者1人あたりで見ると、実験は観察が少ないほど高価になる。『ニューヨーク・タイムズ』や『ガーディアン』なら試験インフラの費用や分析職員雇用の費用を、何十万人もの読者に分散させられる。だが中規模の都市圏日刊紙ではそうはいかない。もっとひどいことに、試験それ自体の数字も課題となる。グーグルやヤフー！のような大企業は、潜在的な改善を何千回も試験できる。こうした変化はしばしば小さいか、ほとんどどうでもいいようなものだ。たとえばサイトの色づかいだの、縁取りのピクセル幅などだ。でもこうした試験の影響が積み上がると莫大になる。こうした企業のウェブページは、ほとんどあらゆる要素、利用者体験のあらゆる部分が、試験され最適化されている。

新聞、特に部数の少ない新聞は、そんな小さな影響は絶対に検出できない。ウェブトラフィックは変動がとても大きい。こうしたトラフィック変動の一部は系統的だ。たとえば土日に比べて平日のほうがトラフィックが高いとか、選挙前後でトラフィックが増えるとか、何か特定の記事がヴァイラルになるとかだ。だが上下変動のほとんどは単なるランダムなノイズだ。

こうしたノイズはつまり、無作為に選んだ二つの読者群は、決してまったく同じ経時的な増大を示すことはないということになる。処置群は常に、対照群より少しは高かったり低かったりする。むずかしいのは、処置群と対照群との差が本当に処置〔試験〕の結果なのか、たまたまの結果でしかないのかを見極めることだ。グーグルやヤフー！のような大規模サイトは、処置群と対照群のほんの小さな差ですら、本当の差を反映したものだと自信をもって言える。グーグルとヤフー！のトラフィックが普通の中規模紙サイトの1万倍のトラフィックをもつなら、ざっと100倍小さい影響でも検出できるということになる。

小さな影響を検出する統計的なむずかしさと、分析リソースの制約のため、新聞は力を合わせて、他のニュース組織と研究や技能を共有する必要がある。協力の利点はとても多い。多くの新聞が集まれば、はるかに広い研究内容を検討し、重複した活動はカットできる。分析技能はジャーナリズムで最も希少なリソースだし、それを共有すれば、こうした技能を大いに活用できる。協働作業で統計の分析力も高まる――これは少ない観察や長い試験期間の場合に特に重要だ――そして重要な結果に再現性も確保してくれる。

もちろん、すでに非公式の共有は行われている。アイデアや研究は、ツイッターやブログ、業界会議、メール、対面会話などで共有されている。『ニューヨーク・タイムズ』『ガーディアン』は、自分たちの研究結果や技術プラットフォームについて、すばらしく率直に公開してくれている（前の議論を参照）。アメリカ出版研究所、ナイト財団、ピューリサーチセンターなどの業界団体や学術センターは、ニュース組織間の研究共有を促進してくれている。

それでも、もっとまとまった活動に勝るものはない。新聞は、共通の研究課題を出しあい、結果を共有し、他社からのフィードバックを得て知見をまとめるフォーラムが必要だ。失敗した実験もちゃんと広め、引きだし問題（都合の悪い結果が出た実験はしまいこまれてしまい、たまたま偶然生じた都合のいい結果やセンセーショナルな結果ばかりが公表されることで、全体としての知見が歪む問題、お蔵入り問題とも）を避けるようにすべきだ。こうした研究グループは、アメリカニュース編集者協会やオンラインニュース協会などの業界団体を通じて組織してもいい。あるいは各種財団がとりまとめを買って出てもいい。

多くの業界では、企業は当然ながら中核事業情報を公開したがらないし、共通インフラ構築に協力したがらない。だが地方紙はちょっと立場がちがう。お互いに直接競合することはほとんどない。〔西海岸の〕『シアトル・タイムズ』は〔フロリダの〕『タンパ・ベイ・タイムズ』とは競合しないが、どちらもCNN.comやヤフー！やバズフィードとは対決している。さらに当の記者や編集者たちが声高に宣言するように、ジャーナリズムは単なるビジネスではない。ジャーナリズムは公開性を重視するからこそ、救う価値があるのだ。この公共精神のエートスを備え、仲間と共有する意志を示すのは、新聞がデジタル時代に適応するために不可欠なことなのだ。

最後にして最大の希望

新聞の悲惨な状況は、多くのジャーナリストや編集者たちが認識しているよりもはるかにひどい。地方紙のデジタル観衆はとにかく少なすぎて、印刷広告収入が減り続けるなかで維持するのは不可能だ。新聞としてどんな戦略をとるにしても——課金から非営利ジャーナリズムからモバイル端末を全力で狙う戦略まで——デジタル観衆を増やすのが不可欠なのだ。

デジタル地方ニュースに対してお金を出す観衆がどのくらいいるかは、はっきりしない。だが皮肉なことに、新聞のウェブサイトがウェブサイトとして昔からひどい代物だったという事実は、希望を抱ける一つの理由ではある。ずっと続いてきたまちがいは、急速な改善の余地を与えてくれる。

改善のためには、新聞がウェブやモバイル観察についての考えを変えねばならない。新聞は計測とオンライン実験に大きく投資しなくてはならない。同じく重要なこととして、何に向けて最適化するかを見直すべきだ。生のトラフィック量ではなく、観衆の成長をめざそう。粘着性を少し高めるだけで、時間がたつうちに複利計算ですさまじい量へと積み上がる。

本書で概説した戦略は、恥も外聞もないデータ主導のものだ。だから疑問視する人もいるだろう。人によっては、指標への近視眼的なこだわりがすでにジャーナリズムを破壊してきたのであり、ページビュー追求がジャーナリズムの中核となる価値を裏切り、忠実な読者に愛想をつかさせる結果をもたらしたのだ、と論じる。指標をさらに重視すれば、新聞を何千もの地方版バズフィードに変えてしまい、釣り見出しや小犬のスライドショーや、「地方役人タイプ診断！」クイズの山ばかりになる、というわけだ。

だがこうした指標に対する文句は、問題を逆さまに捉えている。ジャーナリストは自分を、なくてはならない公僕だとみている。ビル・コヴァックとトム・ローゼンスティールがうまく述べたとおり「ジャーナリズムの主要な目的は、市民に自由と自治に必要な情報を提供することだ」[★57]。だが観衆の数が衝撃的なほどに少ないということは、新聞が明らかにこの市民社会の中での役割を果たしおおせていないという証拠なのだ。

ありがたいことに、ジャーナリストは問題を診断し修復するための新しいツールキットをもっている。大きな科学的躍進は、計測の改善のおかげで生じてきた。たとえばニュートンの法則が望遠鏡の発明で実現したように。今日のジャーナリズムもそうした岐路に立っている。ジャーナリストはもはや、通称「想像上の観衆」だの、へっぽこな通念だのに頼る必要はない。史上初めて、個人ジャーナリストが直接、自分の記事が得ている読者を計測できるようになったのだ。練習を積めば、ジャーナリストも本当に重要な記事に読者をどうやって引きつけるかについて、もっと広範な教訓を抽出できるようになるのではないだろうか。

ここで挙げた事例に見るとおり、まちがった指標にこだわると悲惨な結果になる。だが指標は、新聞がそれだけの努力をする気があるなら、硬派なニュースの観衆を拡大するのにも使える。ほとんどあらゆる記事の特性が試験できる。どの見出しが読者をつかめるか、どんな視点からの記事が説得力をもつか、果てはどの段落が読者を逃すかすら調べられる。新聞がページビューなどの粗雑な指標を捨て、読者の関心や累乗観衆成長といったもっと深い指標に注目するようになれば、目先の便宜と理想とのギャップも埋められる。

だからといって、つらいトレードオフを常に避けられるというわけではない。だが商業的な圧力と民主主義的価値との賢い妥協のためにはデータが必要だし、今日の小規模な編集室はいまだに手探り状態だ。子ネコのスライドショーを入れたら、硬派なニュース読者は増えるだろうか、それとも市長選の報道記事をかえって邪魔することになるだろうか？　ある紙面の読者数は、ある記者が1か月にわたる取材で留守にしたらどのくらい減るだろうか？　硬派なニュース読者を最大化したいなら、記者は取材に時間をかけるより、見出しの工夫に時間を使ったほうがいいのだろうか？　あらゆる新聞編集室はこうした問題に取り組むべきなのだ。デジタルジャーナリズムの倫理を云々したいなら、まずデジタル観衆についての事実を手に入れる必要がある。編集者やジャーナリストの力を増すためには、まず各種戦術の費用と便益についてきちんと明らかにすることから始めねばならない。

もちろん各種の倫理に関する論争は、新聞がそもそもまともなかたちで生き残れなければまったくの無駄話でしかない。地方紙の財務健全性の劣化はあまりに熾烈で、もはや何の保証もない。トラフィックの激しい変動は、新聞がいまや時間との競争になっているということだ。今日失われた読者を、明日回復するのはますますむずかしくなる。

デジタル新聞の読者を増やすのはまだ不可能ではない——だが急がねばならない。

第8章　インターネットの「自然」

勝つのは最高の製品ではない。みんなが使う製品が勝つのだ。これを聞きたがらない人が多いのは知っている（……）だが勘違いしてはいけない。私たちがここまで到達したのは、成長戦術のおかげなのだ。

——フェイスブック副社長アンドリュー・ボスワース、「醜きもの」と題した社内メモ、2016年6月18日

1996年2月、グレイトフル・デッドの作詞者として最も有名なジョン・ペリー・バーロウが、「サイバースペース独立宣言」という短いマニフェストを発表した。ジェファソンよりはヘーゲルを思わせる鈍重な散文で、バーロウはインターネットが規制をまったく受けず、「工業世界」から完全に切り離されていると主張した［★1］。インターネットは「精神の新しい故郷」であり、「人間精神が創り出せるものはすべて、まったく費用なしに複製流通できる。思考の世界的伝達を実現するのに、もはやおまえたちの工場は必要ないのだ」という。政府はサイバー空間を統治できるはずもない、というのもインターネットは単なる技術ではなく「自然の活動」だからだ。

インターネットについて語るときに「自然」法則や生物学的な比喩を持ち込んだのは、何もバーロウが初めてではない。南カリフォルニアのテックカルチャーは『ホール・アース・カタログ』がかったカウンターカルチャー［★2］と、ジョセフ・シュムペーターがかった「進化」資本主義により形成さ

れてきた。だがバーロウの主張はこうした見方にもっと広い観察をもたらした。この論説はすぐに、4万ものサイトに掲載され、その時点で1990年代ヴァイラルコンテンツの最も見事な例とすら言えるものになった。今日、この宣言はしばしば1990年代テクノユートピアのまぬけさ加減の絶頂を示すものとして挙げられることが多い。当のバーロウも、2004年のインタビューでこの宣言について尋ねられ、「みんな歳をとって賢くなるんだ」とやりかえした[★3]。

だがきわめて重要な点で、私たちはインターネットについて賢くなっていない。インターネットの「自然」についての誤解が、いまだに公共政策の根拠としてはっきり述べられたりしている。これは国務長官たちやFCC議長や、アメリカ大統領さえ口にするものだ。査読論文やベストセラーにも見られる。5000億ドル規模の巨人企業が、ガレージの学生たちからの脅威に直面していると声高に主張する——そしてその過程でしばしば、自分たちの下積み時代の起源を捏造したりしてみせる[★4]。

つまり「インターネット」について述べるときの問題は、インターネットが一つではなく、二つあるということだ。最初のものは、実際に存在して私たちのほとんどが日々、いや途切れなく使い続けているものだ。第二のものは、ここで空想のインターネットと呼ぼう——理想化され、フィクション化され、現実的なものとして扱われるインターネットで、通信と経済生活を民主化していると「だれもが知っている」存在だ。何度も何度も、本物のインターネットに関する私たちの理解は、理想化されたインターネットに対する根拠レスな信仰により阻害されてきた。

空想のインターネットと現実のインターネットとのギャップは、強調部分の差や、楽観的な論調や、レトリックの華やかさにとどまらない。本書が示したとおり、この二つのインターネットを混同することで、基本的な事実の誤解が引き起こされるのだ。

空想のインターネットでは、観察が何万ものサイトに薄く広がっていると多くの人が思いこんでいる。これに対して現実のインターネットでは、ウェブ訪問の3分の1はトップ10の企業に向かう。元FCC議長トム・ホイーラーはインターネットが「経済活動を(……)分散させる」と想像しているが[★5]、現実のインターネットでは二つの企業がオンライン広告の半分以上を支配している。トランプ政権のFCC議長アジット・パイもまた、インターネットが「数え切れない」オンライン地方ニュース源を提供すると想像しているが、FCCの現実世界のデータを見ると、ほとんどのアメリカ人がもつ本当の地方オンラインニュースの選択肢はごくわずかだ。空想のインターネットでは、パーソナル化は小規模サイトに有利に働く。現実のインターネットでは、規模の経済とターゲティングの数学により、パーソナル化した広告やコンテンツをうまく打てるのは最大級のサイトだけだ。空想のインターネットは「ポスト工業」かもしれないが、現実のインターネットではほとんどの利潤は巨大工場をつくっている企業に向かう。重機械が精製しているのがデータだろうと鉄鉱石だろうと、規模の経済が支配するのだ。

空想のインターネットはまた、デジタル観察の動学についても誤解を引き起こす。空想のインターネットでは、観察の入れ替わりはサイトの平準化をもたらす力だ。現実には、まさに不均等な入れ替わりこそがこれほどまでに激しいデジタル集中を引き起こす。現実のウェブはてっぺんより底辺でははるかに急速に入れ替わり、最大級のサイトは相対的に安泰だ。空想のインターネットでは、切り替え費用はないも同然で、競争は「クリック一つで決まる」。現実のネットでは、消費者は物理的な店舗よりもデジタル店舗にさらに強く固定されている。

インターネットについての人々の誤解は、ニュースや市民社会的なコンテンツの場合に特に大きな影響をもつ。空想のインターネットでは、地方紙の観察は「空前の規模」だ。現実のネットでは、ローカルニュースへの関心は丸め誤差にすぎない。空想のインターネットでは、ハイパーローカルサイトは少ないが価値の高い観衆を捉えていると思われている。現実のインターネットでは、少ないが価値の高い観衆などというものは撞着語法だ。広告の経済は、かつては全国メディアより地方メディアに対して読者1人あたりで高い金額を支払っていたが、いまやそれが逆転している。

インターネットの架空版は、技術的なアーキテクチャすら正確に理解していない。空想のインターネットはいまだに1995年と同じピア・ツー・ピアのネットワークだ。だが今日の現実のインターネットでは、ほとんどのトラフィックは公共バックボーンに触れもしない。小規模サイトは、計算ハードウェアやソフトウェアスタックや光ファイバーでまったく対等な立場にはない――もちろんアマゾンやグーグルのようなデジタル巨人にホスティングしてもらっているなら話は別だが、その場合に格差はさらに激化する。コンテンツ配信ネットワークと有償ピアリングにより、大規模サイトが利用者への近道をもつことになる。

本書の狙いの一つは、この空想のインターネットと現実のネットとのギャップを埋めることだ――じつに多くの人がほめそやすインターネットと、人々の生活にいまや編み込まれている、もっと重要で、もっと複雑で、あまり平等でないインターネットとのちがいを明確にするのだ。現実が人々の想定とまったく一致しない具体的な分野を指摘するのが、そのプロセスの第一歩だ。

だが思いこみを破壊しても、インターネットに関するくだらない通俗理論に代わる、もっとましなものを提供できないなら無意味だ。皮肉なことに、インターネットについてもっと明晰に考えるためには、インターネットの「自然」についての話を本気で考える必要がある。

観察の進化モデル

技術についてのレトリックでは、生物学的な比喩の使用は長い歴史をもつ。スチュワート・ブランドによる人類と技術の「共進化」の話から、シュムペーターによる技術変化を「産業突然変異」として捉える話[★6]まで様々なやり方がある。最近の通信研究はメディア「ニッチ」[★7]や「観察進化」[★8]を論じたがるが、これまたメディア風景の重要な変化を説明するのに生物学の用語を使っている。

だがオンラインの観察を理解したいなら、ダーウィンの思考に戻るといい——そしてそれを、これまでの学術研究よりも少し文字どおりに解釈するのだ。これまでの章で見てきた話に基づき、私はデジタル観察の進化モデルを提案する。ダーウィンの最初の議論と同じく、このモデルも相互に依存しあった一連の前提に還元できる[★9]。

最初の前提から。オンラインのほぼあらゆるサイトは現状より多くの観察を受け入れられる。ウェブの技術的なアーキテクチャはほぼ即時の観察増加に対応できる。うまく設計されたウェブサイトは、予想されるビジターの10倍、100倍がやってきても落ちない。

第二に、コンテンツのカテゴリーは安定した観察を示している。ニュースや天気や買い物の観察シェアは、総体としては時間がたっても驚くほど安定している。最大の観察シフトは、新しいコンテンツニッチの開拓（たとえばネットフリックスやユーチューブ）や、従来はむずかしかった状況でのインターネット利用開拓（たとえばスマートフォンやタブレット）で生じている。だがたとえばニュースコンテンツに向かう観察の比率は、この20年にわたり、おおむね3％でずっと安定している。

第三に、消費者とウェブサイト自身にとって、リソースは限られている。サイトの財源も限られている。仕事、家族、睡眠が利用者の関心をめぐって争うし、他にも無数のメディアがある。職員も限られているし、まして本物の才能や技能はなおさら不足している。

こうした三つの前提をあわせると、結果（第四の前提）は関心をめぐる熾烈な競争だ。ウェブが観察をめぐって仁義なき戦いを生み出すというのはすでに常套句になっていることは第1章で見たとおり。だがオンライン観察をめぐる熾烈な競争はまちがいなく存在するものの、その競争の性質と結果はとんでもなく誤解されている。

オンラインでの観察をめぐる競争は、これまでは完璧に同じ土俵での勝負になったおかげで生じたと思われていた。この理屈だと、競争が極度に激しいのは、みんなが平等だからだ。たとえばクレイ・シャーキーは、オンライン競争が「万人の万人に対する闘争だ」とトマス・ホッブズを持ち出して主張する［★10］。これは珍しくもきわめて示唆的な筆の滑りだ――特に当のホッブズは、科学的探究と「言葉に基づく技芸」［★11］は、人間の平等性に関する自分の主張における重要な例外だと述べているのだから。ほとんどのデジタル観察分析はここで止まってしまい、その自明なはずの平等性によってきわめて平等な大乱闘が生じるのだと結論づける。

だがダーウィンの議論の残りの部分をたどると、なぜ平等な競争がいつまでも続くはずがないのかがわかる。第五の想定を考えよう。限られたリソースのおかげで、ウェブサイトごとに観察構築をもたらす性向がちがっている。すでに羅列したように、サイトの一部の特性は観察の構築にあたってすさまじい重要性をもつ。サイトの読み込み時間が重要だ。技術的なアーキテクチャも重要だ。レイアウト、ブランド構築、利用者学習も重要だ。他の無数の特性も効いてくる——一部はあらゆるウェブサイトで効くし、一部はオンラインの限られたニッチ内だけで意味をもつ。

最後に、有利な性向を持つサイトはだんだん市場シェアを増やす。有利な性向はサイトの粘着性を高める。利用者が訪問する可能性が高く、訪問したときも長居しがちになる。便宜的にこのモデルを観察選択と呼ぼう。生物学の自然選択にちなんだ命名だ。観察選択というレッテルは、なんだか観察に力を与え、能力主義的な印象さえもたらす。でもじつは観察は、同じくらいよい選択肢の中からどれかを選ぶような機会はほとんど与えられない。

ダーウィンの説明は多くの人事な点を省いているし、DNA発見の一世紀前に書かれているのだから無理もないだろう。だがマクロな生物学——生物種や生態系《エコシステム》——と個々の生物への圧力とを結びつける大きな力をもっていた。ダーウィン自身の話では、ひらめきの瞬間がやってきたのはトマス・マルサスを読んでいるときだったという。マルサスは、人口は幾何級数的に増えるから、社会は（人口増加が）食糧生産を上回るという悲惨な運命を迎えるのだと論じた。あらゆる夫婦が子供を4人残せば、人口は世代ごとに倍になる。これを見てダーウィンは、自然選択は累積的なものにはならず、複利で累乗的になるのだとひらめいた。有利な性向をもつ生命体の個体数は、世代ごとにふくれあがる。自然選択は指数関数的成長に後押しされているのだ。

インターネット研究の中心的な課題も似たようなものだ。学者たちは、デジタル観察のマクロ構造とミクロレベルの行動――何をクリックし、読んで、見聞きするかという選択――を結びつけようと、人々を前に悪戦苦闘してきた［★12］。本書はデジタルメディアにとってのひらめきが、生物学の場合と同じだということを示す。観察増加のごくわずかな日々の差ですら複利計算により指数関数的に拡大するのだ。サイトの何百もの特性が、利用者の滞在時間、戻ってくる確率に影響する――ページ読み込み時間から全般的なレイアウト、コンテンツの新鮮さまで各種の特性が関係する。小さな影響が利用者の訪問ごとにかけあわされ、平均以上の粘着性をもつ版元はだんだん市場シェアを高める。このプロセスこそが、ウェブのマクロ水準での構造をつくり出す。

つまり観察選択は、成長がそのサイトがもつ既存の観察規模の関数になるということを意味する。新鮮なコンテンツや高速な読み込み時間という見返りを手にできるのは、いまのビジターだけだ。競争的な平等の期間は、このためきわめてはかないものとなる。初期のほんのわずかな優位性が、圧倒的な優位性へと雪だるま式にふくれあがる。日々の成長が0.5%高いだけで、1年も満たずに規模の優位性が5倍になる。

話は小規模組織にとってさらに不利なものとなる。すでに見たように、粘着性は高価だ。巨大サイトは利用者ベースが大きくて費用を分散させられるだけでなく、ビジター1人あたりの稼ぎも大きい。同じ利用者でも、地方新聞にとってより、フェイスブックやグーグルにとってのほうが価値が高いのだ。

つまり観衆の入れ替わりを有機的で進化的なプロセスとして扱うと、劇的な均等化は生じない。インターネットの破壊的エネルギー――「創造的破壊」かどうかはさておき――は平等には適用されないのだ。

デジタル配信は決して無料ではない

このトラフィックの進化モデルは、デジタルメディアのあらゆる面に大きな影響をもたらす。まず何よりも大きなものは次のとおり。関心をめぐる競争が絶え間ないダーウィン的闘争であるなら、デジタル配信は決して無料ではない。

経済学者ミルトン・フリードマンは（経済学者の中でもとりわけ）「無料のランチなんてものはない」という成句がお気に入りだった。フリードマンの論点は、どこかのだれかが必ずその「無料」の食事の費用を負担しているのだ、ということだった。禁酒法以前のアメリカの酒場は「無料」ランチという手口を発明したが、そのランチはドリンクの値段を上げることでまかなわれていた――そして無料の食事はやたらに塩辛くして、お客はのどが乾くので高いドリンクを飲まざるを得なくなる。

同じ原理がデジタル観衆についても言える。だれかが必ずデジタル配信の費用を負担しなければならない――つまり観衆構築の費用を負担する、ということだ。サーバーファームやソフトウェアプラットフォームにかける何十億ドルもの費用は、配信費用だ。サイトデザインやモバイルアプリデザインも配信費用だ。というのもポンコツなインターフェイスは観衆の増加を抑えてしまうからだ。新鮮なコンテンツは配信費用だ。同じ内容を何度も読みたがる読者はあまりいないからだ。

配信費用にはまた探索費用も含まれる。これはデジタル巨人、もっと小さい版元、利用者すべてが分散して負担している。グーグルとフェイスブックは、何十億ものアイテムをフィルタリングして、利用者を最も満足させそうなものを見つけることで負担する。版元はまた、コンテンツを検索エンジンやソーシャルサイトで目立つように最適化したり、単純に広告枠を買ったりすることでそれを負担する。バズフィードやハフィントン・ポストは、フェイスブックが自分たちの記事を採りあげてくれるよう何百万ドルも支払う——そのお金は、サイトデザインからコンテンツ管理プラットフォーム、試験用インフラ、ライターの給料まですべてを負担する。これはフェイスブックがお金をもらってバズフィードのコンテンツを公開する場合と同じく、配信費用となる。そして利用者たちの負担もバカにならない。彼らは自分の関心に合うコンテンツを見つける努力というかたちで負担している。

こうした配信費用は、中立プラットフォームというインターネットの理解をひっくり返す。インターネット・プロトコルが初期の競合する他のネットワーク標準に勝ったのは、それが最低限《ミニマル》で余計なものがないアプローチだったという理由が大きい。「大ざっぱな合意と動くコード」に頼ることで、インターネットはすでに何百万台ものマシンで動いていたのに、企業や政府が後押しする代替プロトコルはまだ設計も終わっていない状況だった[★13]。

だがインターネットのミニマリズムはいまやその致命的な弱点となっている。観察構築のための重要な機能性がないため、デジタル版元は私企業のプラットフォームに頼らざるを得なくなっている。グーグル、フェイスブック、iOS、AndroidOS、さらにはアマゾンのＡＷＳやマイクロソフトのクラウドサービスすらそこに含まれる。近年の新興急成長出版サイト——バズフィードやハフィントン・ポスト、ゴーカーからアップワージー、Vice、Vox.comなど——はこうした民間プラットフォームに完全に依存している。

最も重要な問いを挙げよう。小出版社は、観察構築のまともな可能性をもっているのだろうか？今日の答えはノーだ。少なくとも、巨大デジタル企業からの支援がなければ無理だ。

政治的な声

こうした高価でこれまでにない配信費用は、インターネットのオープン性という私たちの考え方を疑問視するものであり、大量のインターネット研究について見直しを迫るものとなっている。何百本もの学術研究は、インターネットが政治的な声を広げ、市民や集団が観察に到達する費用を下げてくれると主張してきた。ジェニファー・アールとカトリーナ・キンポートの表現を借りると、インターネットは集団、個人、小規模出版社に「費用アフォーダンス」を提供してくれるはずだった[★14]。だが関心をめぐるダーウィン的競争により、こうした費用アフォーダンスのほとんどはやがて破壊された。確かに、配信費用のすさまじいシフトは生じた。グーグルとフェイスブックは、何十億ドルも自身のプラットフォームに投資し、それを無数の集団や版元が観察構築に活用できる。一部の集団や組織は、非伝統的な通貨〔お金とは別の新しいかたち〕で観察構築の費用を支払うこともできる。だがデジタル配信が安いとか「無料」などと思うのは大きなまちがいだ。

高価な配信は、デジタルな参加における格差が続いている理由の説明にもなる。多くの研究で、政治的なインターネットが相変わらず「強者の武器」になっていると指摘され続けている［★15］。独立サイト上に存在していたブログは、もはや絶滅寸前だ（第7章参照）。進化の力学は、政治的な議論を少数の人気サイトへと向かわせている。これは分断された公共圏に対する部分的な抑止にはなっているものの、政治論争の幅を制約し、インターネットで約束されたオープン性の相当部分を潰してしまう。

同じ困難が、政治の組織上のレイヤーでも見られる。利益団体は特に、インターネットの費用アフォーダンスの恩恵を受けるはずだった。トレヴァー・スラール、ドミニク・ステクラ、ダイアナ・スウィートらの研究は、デジタルメディア環境では費用アフォーダンスは最小限《ミニマル》であり、利益団体は世間の関心を集めるのがかえって困難になっているのを発見している［★16］。デヴィッド・カープの『分析アクティビズム』も同様に、新しいデータ駆動型の政治組織は巨大な規模から恩恵を受けると示している［★17］。激しい関心競争は、小規模アクティビストたちが世間の注目を集めるのが相変わらずむずかしいことを意味しているのだ。

コンテンツのピア生産

関心競争が政治集団の足枷となるなら、市民コンテンツのピア生産にとってはなおさら重荷となる。インターネット研究で最も参照される業績のいくつかは、インターネットが分散コンテンツプロダクションをあたりまえのものにするという主張だ。ゆるやかにまとまった市民たちがメディア発信源となり、市民社会の情報や政治的意見を公開し、独自の取材報告さえ行う。ウィキペディアや政治ブログは、分散コンテンツ生産の成功例として何度も引き合いに出されてきた。

だがヨハイ・ベンクラー、アーロン・ショー、ベンジャミン・マコ・ヒルの研究が指摘したとおり、問題はピア生産が可能かではなく、ピア生産が成功しそうなのはどんな条件の下でか、ということだ[★18]。再三言うように、現実世界でのピア生産は、伝統的な企業モデルに太刀打ちできずにいる。

進化観察モデルはこの失敗を、粘着性についてのやっかいな問題に着目することで説明する。高速な読み込み、よいウェブデザイン、A／B試験プラットフォーム、サクサク動くモバイルアプリ、絶えず更新されるコンテンツ——その他いろいろある——は階層型組織構造のほうがずっと実現しやすい。コンテンツを作成しフィルタリングするのに利用者に大きく頼るサイト、たとえばフェイスブック、ツイッター、レディットなどですら、重要な決断については上意下達の仕組みに頼る営利企業だ——もちろん何十億ドルもの民間資本も受けている。

コンテンツのピア生産についての研究は、進化を理解するために島の生態系を研究するのと似ている[★19]。ウィキペディアは当初から、同業社から珍しいかたちで保護されてきた。ブリタニカ百科事典やマイクロソフト・エンカルタでさえ、価格、速度、ポピュラー文化のカバーにおいてウィキペディアとは対等ではあり得なかった。だがウィキペディアのきわめて例外的なニッチを考えると、ピア生産が他のコンテンツについてもモデルになるという主張は成り立たない。ウィキペディアは、デジタル版ドードー鳥のようなものだ。すばらしい進化的なソリューションだが、機能するのは競争から切り離されているときだけなのだ。

インターネットのガバナンス、ネット中立性、反トラスト規制

デジタル観察のもっとよいモデルは、インターネットのガバナンスについての研究見直しにとっても決定的なものとなる。

過去20年にわたり、学術研究は国家、民間企業、その他の機関がインターネットにどう権力を行使するか分析してきた。懸念の一つは、企業アクターたちが公共的議論なしに情報エコシステムを構築できてしまうということだった[★20]。ロバート・G・ピカードが論じるように、巨大デジタル企業は「ますますメディアに対する統制力と影響力の仕組みを、公共圏から民間圏へと移行させており、民主的に決めた政策に従って影響を及ぼす公共の能力を減らしている。そしてメディアや、通信のシステムと運用に対する公共の監督をむずかしくしている」[★21]。この影響の一部は、一見すると中立的な技術的決定が、しばしば権力関係を強化してしまうという事実から生じている。ローラ・デナルディスの言葉で言えば「技術アーキテクチャの取り決めは権力の取り決めなのだ」[★22]。

本書はいくつかのかたちでインターネット・ガバナンスの文献に貢献する。まず、トラフィックの進化モデルは大企業のアーキテクチャ的権力と経済的権力のつながりを強化する。企業の視点からすると、企業が粘着性を左右できる——つまり自社の成長を確保できる——能力がその影響力のカギとなる。本書は観察の集中がどうやって生まれ、企業の投資や技術選択が自分の地位を固めるのに貢献するかについて、ずっとよい説明を提供する。

一部のメディア学者は「コンテンツこそ王様」[★23]なので、インターネットがコンテンツ生産者へ

の集中を再生産するのではと懸念した。このコンテンツ生産者の市場支配力についての信念は、メディア集中の学術的批判の中核に長らく据えられてきた。たとえば、ベンジャミン・バグディキアン『ニューメディア独占』（2004）は、五大コンテンツ企業がメディア売上の8割を支配していることをことさら懸念していた[★24]。エリ・ノームを筆頭とする学術研究はこの見方を疑問視し、決定的な障害はコンテンツ生産ではなく配信であり、このギャップは今後ますます拡大する一方だと論じた[★25]。

本書もまた、配信の独占について懸念している——だが配信をさらに広く捉える必要があると論じる。配信というのはISPや物理的なパイプだけでなく、観衆構築に向かうあらゆる粘着性の構成要素なのだ。グーグルとフェイスブックのような大企業は、関心公益事業会社（attention utilities）と考えるべきだ。まともな代替物のない決定的な配信アーキテクチャを提供している企業なのだから。ニュースフィードや検索結果のページでランクを落とされるのは、コンテンツ生産者にとってはひどい影響をもつ。

ネット中立性を超えて

インフラをもっと広く捉えるのは、ネット中立性に関して復活してきた論争を理解するにあたっても決定的な意味をもつ。本書の進化的で絶えず複利化する観衆モデルは、なぜネット中立性がオープンなインターネットにとって不可欠でありつつも不十分かについて、新しいいっそう優れた説明を提供する。

インターネット、さらに後のワールド・ワイド・ウェブの創造神話は、その技術がオンラインのあらゆるコンピュータとデータのあらゆるパケットを平等に扱う、というものだった[★26]。だがインターネットのサービスプロバイダたちは、顧客へのアクセス改善のために追加の支払いをしてくれる、お気に入りの一部企業に対しては「優先レーン」を何度も設けようとしてきた。

2015年2月、連邦通信委員会(FCC)はネットワーク中立性を支持する大きな決断を下した。FCCは、インターネットプロバイダが合法コンテンツをブロックしたり、特定のサイトや用途の帯域を絞ったり、優先トラフィックのために課金したりするのを禁止した。そしてそれまでのFCCの活動とはちがい、2015年の決断は、インターネットトラフィックを第2条の下に分類し直した。これは1934年通信法の下で、FCCの規制対象の中核に位置するものだ。だが2015年ネット中立性指令は、はかない勝利でしかなかった。ドナルド・トランプの当選と、アジット・パイがコミッショナーから議長に昇格したことで、FCCは2017年12月にネット中立性保護を廃止した。

デジタル観衆の進化モデルは、なぜネット中立性施行の終結がコンテンツ生産者、特に小規模なコンテンツ生産者にとって深刻な脅威なのかを説明してくれる。コムキャストやタイムワーナーやベライゾンといったサービスプロバイダが、出版業者に対して読み込みの速いサイトやアプリに対してお金を払うよう要求できるようになったら、コンテンツ生産者はそれに従うか、あるいは観衆ギャップが広がるのを見守るしかなくなる。つまりコムキャストやタイムワーナーは、マフィア式の恫喝が可能となる。「ほほう、素敵なサイトをお持ちですなあ、でも読み込み時間が長くなって、トラフィックが雪だるま式に減っていったら、ずいぶんもったいない話じゃありませんかな」。もちろんISPたちは繰り返し、〔ネット中立性保護の廃止の〕どんな影響も小さなものにしかならないと主張してきた。

でも、規制に逆らうべく彼らが行ってきた何百万ドルもの投資を見ると、その主張は怪しいものだ。本書でわかることが一つあるなら、小さな影響でも、それが何百回も複利式に積み重なれば、もはや小さな影響なんかではなくなるということだ。

トランプのFCCによるネット中立性破棄は残念だ。だが本書の中核となる教訓の一つは、ネット中立性だけでは不十分だということだ。インターネットをかつてのエンド・ツー・エンドのアーキテクチャに戻せたとしても、少数の大型サイトに観察と権力が集中するのを止めるには不十分なのだ。だからオープンなインターネットを確保するのは、FCCや国際電気通信規制当局だけの仕事ではない。もっと広範な規制機関からの協力が必要となる。

反トラスト法の施行強化

つまりネット中立性は、それだけでは不十分だ。有意義なインターネットのオープン性を維持するには、アメリカとEUの規制当局は、既存の反トラスト法をもっと積極的に適用すべきだ。そのためには、デジタル観察がもつ複利性の進化的な性質を理解するのが不可欠だ。企業が自分の成長を左右できるというのが、その独占力の鍵となる要素なのだ。

アメリカとEU〔市場〕は、グーグルとフェイスブックの売上のざっと8割を占めるので、この二つの市場は両企業の行動を形成するにあたっての鍵となる。基本的な反トラスト法は、大西洋のどちら側でも似ているが、2013年以来、その法の適用についてはますます両者の見解が分かれている——その不一致が、すさまじい結果をもたらす。アメリカの法だと、ある企業が独占と見なされるのは、それが「著しく、持続的な市場支配力をもつ——つまり、長期的に価格をつり上げたり、競合他社を排除したりする能力をもつ」[★27]場合だ。この基準の前半——価格を変えられる能力——を見れば、こうした企業がもつ市場支配力は明らかだ。グーグル、フェイスブック、マイクロソフト、アマゾン、アップルはすべて中核ビジネスにおいて、認められた市場支配力の基準をはるかに上回る市場シェアをもっている。アマゾン以外のすべての企業は、何年も連続で30%以上の利幅を計上しており、これは無制限の参入が可能な競争市場ではあり得ないことだ[★28]。

だがアメリカの規制当局は、企業がまさに現行犯で捕まったときでさえ、あまりに引っ込み思案だ。たとえば2012年にグーグルは、競合他社よりも自分たちの製品やサービスをプッシュしているのがバレた。これは当のグーグル社のデータで、利用者が外部コンテンツのほうを気に入っていることが示されている場合でも行われていたのだ[★29]。これは反競争的な行為の見本のような代物であり、連邦取引委員会(FTC)の職員は、「消費者とイノベーションに対する実害」があったと結論している。それなのに2013年には委員会の全委員がこの事件を裁判沙汰にするのに反対し、ずっと曖昧な示談ですませ、おかげでグーグルはパートナーサイトとの独占契約を好き勝手に要求できるようになった。

そこに政治的な影響の影があるのではと主張した人もいた。『ウォールストリート・ジャーナル』は、FTCの決断に先立つ数週間に、グーグル社とオバマ政権高官との間で頻繁な接触が行われていたことを記録している。だが、鍵となる極秘FTC報告書がうっかりリークされて、グーグルの神話づくり作戦も重要な役割を果たしていたことが明らかになった。機密であるはずの報告書の中ですら、FTCの弁護士たちは「競合他社はクリック一つでたどりつける」[★30]という主張を嬉しそうに繰り返していた。そしてグーグルの利用者は「ロックインされていない」と結論づけた。そこで使われているロックインについての理解は、まちがっているとしてグーグルの主任エコノミストであるハル・ヴァリアンその人が否定しているものだったが[★31]。そして報告書は「グーグル社の独占力の持続性は明らかではない」と結んでいる[★32]。

グーグルをそれ以上追及しないという2013年のFTC判断により、それまでは密接だったEU反トラスト規制当局との蜜月は終止符を打たれた。2017年6月、EU高官は捜査を終えて、比較ショッピングで自らの製品を競合他社より優先させたとして、グーグル社に24億2000万ユーロの罰金を科した[★33]。欧州委員会競争担当委員のマルガレーテ・ヴェスタガーは、グーグルには他の件でもお咎めが下るかもしれないと示唆した。一部のアメリカ側評論家や当のグーグル社自身は、EUの決定が保護主義によるものだと苦々しく示唆している。だがアメリカのルールに照らしてもEUのルールに照らしても、EUの決断はしっかりしたものだ。

インターネット企業を、その他あらゆる産業と同じ基準で判定するなら、グーグルの市場支配力の持続性はこれ以上はないほどはっきりしている。他の企業の工場は参入障壁とされるのに、グーグルのデータ工場はなぜか分析に含まれない。マイクロソフトの何百万行ものコードベースと、大量のロックインされた顧客は、持続性ある優位性と見なされた。だがグーグルのものはそう判断されない。最大級のデジタル企業はすべてマーケットメーカーであり、彼らのエコシステムの中を動く総売上のざっと3分の1をかっさらう。マーケットメーカーは、いったん確立したら置きかえるのがむずかしいことで悪名高い。

グーグルなどのデジタル巨人は確かに、いくつか目新しい優位性をもつ。ターゲティングの経済は、価格支配力を提供し、利用者層の大きな企業が利用者1人あたりもっと多くのお金をむしり取れるようにする。A／B試験は大企業によるしくじりのリスクを激減させてくれるし、新規の競合他社による参入機会を制約する（第2章）。だがこうした優位性は、実店舗型の産業において等しく重要なたくさんの昔ながらの優位性にさらに加えてのものなのだ。

歴史的に、通信技術はオープンからすばやくロックインへと向かってきた――電信、電話、放送などはすべてこのパターンをたどっている［★34］。インターネットはいまや、その確立したニッチのほぼすべてで、このティッピングポイントを過ぎている。過去10年で、最も資金力豊かな競合ですら、確立したデジタルニッチには入り込めずにいる――これはソーシャルネットワークのGoogle+や、ウィンドウズフォーンOSが示したとおりだ。Bingは形ばかり成功し、第2位の検索エンジンになりおおせているが、これはまったく報われない勝利でしかない。マイクロソフトは10年以上かけ、何百億ドルも投資し、124億ドルという驚異の累積損失を計上して［★35］、Bingをまともな競合として確立させようとしてきた。現代の検索エンジンを構築するよりも、有人宇宙飛行計画を実施するほうが安上がりだしお手軽なのだ。

アメリカの反トラスト法の鍵となる特徴の一つは、1890年シャーマン法そのものにさかのぼるもので、中小企業への被害について懸念しているということだ。そうした中小企業が、巨大トラストの直接的な競合にならない場合ですら――いやむしろそういう場合に――トラストの力を押さえようとするのだ[★36]。反トラスト規制の狙いは、フランク・イースターブルックのような保守派法学者ですら強調することだが、社会の豊かさを促進することだ[★37]。スタンダード石油がガソリンの価格を2倍にしたり、農民たちが作物を市場に出すときに収奪的な鉄道料金を支払ったりしなくてはならないなら、社会が全体として貧しくなる。反トラスト法は、独占業者が他人に大きな費用をかけて自分の利益を追求するのを防ぐはずのものだ。今日、そのリスクはデジタル経済のあらゆる部分で浸透し甚大なものになっており、そしてそのデジタル経済は経済全体でますます大きな割合を占めるようになっている。

皮肉なことに、グーグル、フェイスブック、アマゾンのような企業の歴史は、なぜ反トラスト規制が重要かを示している。1990年代後半、マイクロソフトは通称ブラウザ戦争でネットスケープを打倒した。マイクロソフト社の戦略は、ウェブの基盤となったオープン標準を意図的に壊し、インターネットをマイクロソフト製品でしかアクセスできない、閉ざされた庭園にしてしまうことだった。司法省によるマイクロソフト社の長期にわたる捜査で得られたのは、慎ましい示談ではあった。だがはるかに重要な点として、捜査が続いたおかげで、当時は新興だったグーグル社、アマゾン、イーベイといった企業を踏み潰したはずの反競争的な活動が抑えられたのだ。

もし反トラスト規制の施行がとても重要なら、こうした企業が自社の観衆を増すために狂ったように使ってきたツールが、規制当局の仕事も楽にしてくれるはずだ。特にA/B試験は、デジタル企業の力を計測する強力な手法であり、HHI(ハーシュマン・ハーフィンダール指数)のような昔ながらの指標を超えた働きができる。規制当局は、現実世界の実験データを使って、巨大企業の選択が下流のサイトにとってどれほど大きな影響をもつか、現在の利用者がどれほどロックインされているかを見ることができる。規制当局にとってさらに有用なのは、もっとよい決断を下すために必要なデータがすでにかなり存在しているということだ。それは日夜実施されている、何千ものオンライン実験で得られるはずだ。このデータを要求し、定期的にルール策定とその施行に組み込むようにするのが、21世紀の反トラスト法における鍵となるだろう。

民主主義と国家の安全保障

だがネット中立性と反トラスト法をめぐる戦いは重要ながら、最近の出来事を見ると、デジタル巨人の台頭はイノベーションや消費者のお財布にとっての脅威にとどまるものではないことがわかる。それは国家的なアクターを強化する――そこには民主主義を潰そうとする国家アクターたちも含まれる。バーロウの独立宣言から20年たって、サイバー空間はかつてないほど国家権力からの独立性を失っている。

国家の影響の一部はオンライン監視からくるものだ。2013年のスノーデンによる暴露は、NSA(国家安全保障局)やイギリスのGCHQ(政府通信本部)など同盟国の諜報機関の能力をめぐる激しい公開論争を引き起こした。蔓延するデジタル監視はいまもきわめて重要な問題で、本書はそれについてほんのさわりしか触れられていない。

だが国家の監視は、巨大デジタル企業の力と密接にからみあっている。NSAの能力はグーグル、フェイスブック、ベライゾンといった企業のネットワーク、ツール、技法に便乗したものだった。NSAのインフラは、デジタル巨人のデータ倉庫をコピーし、グーグルやフェイスブックが開発したソフトウェアのアーキテクチャに大きく依存し、元フェイスブック社員を雇いさえしている。そしてもちろん、最大のデジタル企業たちはいまや、各種個人データの総合窓口になっている。メール、ブラウズ履歴、位置データ、そして度を増してクレジットカードの購買データまで。政府がこのデータを、合法・違法手段を通じて利用したいという誘惑は強い。

「監視資本主義」[★38]への効果的な対応はすべて、私たちをここまで連れてきた進化論的な観察動学から出発しなければならない。グーグルなどの企業における利用者監視は、まず何よりも他社より速く成長するというのが原動力だった。A／B試験や観察データ収集は、ターゲット広告に使われる以前から、推薦を改善しパーソナル化するために使われていた——それもグーグルに明確なビジネスモデルがまったくない頃からだ。

つまり監視を抑えるあらゆる試みは、成長命題に対処しなければならない。監視は成長の加速を生み出す技法の根底にある。それはオートコンプリート検索結果や、位置情報利用サービス、音声駆動アシスタント、パーソナル化されたニュース推薦、ソーシャルメディアのタイムラインなど、無数の高粘着性機能にとって不可欠なものだ。

これはつまり、どうあがこうとも個別企業は利用者を追跡しないわけにはいかないということだ。進化的ウェブにおいて成長が鈍れば、それは緩慢な自殺に等しい。「オレたちを追跡するな」しか言えないプライバシー支持者たちは、粘着性と累乗化した観察の決定的な役割がわかっていない。アップル社は、機械学習をサファリブラウザに統合し、サードパーティーによるトラッカーをブロックした。これは考えられる第一歩だ——巨人1社が、グーグルやフェイスブックといった競合にダメージを与えるために手だてを講じるというわけだ。これに対し、少数の小さな企業による自発的行動に頼るソリューションはまったく何の役にも立たない。私的情報収集を制限したい企業にとって、この囚人のジレンマに対する解決策は、いまのところ何もない。このキャッチ-22〔ジレンマ〕から逃れる唯一の道は強い規制だ。

公共の対話と虚報

進化的な観察は他の弱点もつくり出す。国家が社会的な対話に影響を与える、目新しくしばしば狡猾な方法を提供するのだ。サマンサ・ブラッドショーとフィル・ハワードによる最近の研究は、「サイバー部隊」——ソーシャルメディア上で世論形成を狙う、組織化された政府、軍、政党のチーム——が2ダース以上の国で急速に台頭してきたのを記録している［★39］。

一部の国がこうした能力を開発し利用したのは、国内メディアを抑えるためだ。たとえば中国のインターネットは、政治コンテンツをフィルタリングする「金盾《きんじゅん》（防火長城）」により他の世界と切り離されている。そして中国政府はオンライン行動をモニタリングして、集団行動を制限すべく介入する。だが通肝心なときには中国政府は何十万もの市民を動員してオンライン議論を形成することもある。常は、気に入らない言論に直接挑むよりは、陽動作戦を使うほうが多い［★40］。

さらに不穏なのはロシアの例だ。ロシアの活動は国内の検閲と監視をはるかに超えるものとなっている。これまで見たように、ウェブではフェイクニュースなど怪しげなコンテンツを生み出すビジネスモデルも成り立つ。だがロシアは、そうした力学を増幅し、ニュースの方向性を形成すべく、空前の規模で一斉にキャンペーンを仕掛けてきたらしい。

2016年のアメリカ大統領選に対するロシアの影響の全貌は、本書執筆時点ではいまだにはっきりしないものの、すでにわかっていることだけでも不穏きわまりない。ロシアは何千ものインターネットトロールを雇い、そのそれぞれが無数のフェイクアカウントを運用している。選挙前の1か月で、フェイスブックで最も人気のあったトップ10の記事のうち、8本は完全な捏造だった[★41]。ミシガン州など鍵を握る接戦州では、2016年選挙に先立つ数週間にツイッター上で共有された記事のうち、本物の記事よりもインチキ記事のほうが多かったほどだ[★42]。

こうしたデジタル手法がきわめて有効なのは、それが伝統的なスパイ手法により補われているからだ。検索エンジンやソーシャルメディアでの順位を改善するための、ルール破りな手法や違法な「ブラックハット」手法は昔から頭痛の種ではあったが、国家諜報機関は、通常の犯罪者や有能なハッカーにできることをはるかに超えている。たとえば『タイム』誌は、アメリカで働いていたロシアのプログラマが「モスクワに戻ったときに、影響力作戦で使える大量のアルゴリズムも持ち帰り」、即座にロシア諜報機関に雇われたと報じている[★43]。グーグルが中国本土から撤退したのも、産業スパイがあまりに多いからという理由が大きかった。

2016年選挙戦のあとで、グーグルとフェイスブック、ツイッターは一様に、フェイクアカウントに対処し、この手の影響力作戦を止めさせるために取り組むと発表した。だがこうした国家アクターによる脅威は、最大級の民間企業ですら、防衛がとんでもなくむずかしい。脆弱性の一つを考えてみよう。外国に暮らしていたり親戚がいたりする、何千人ものテック産業労働者たちだ。フェイスブックやグーグルの背後にある中核アルゴリズムは世間からは秘密だが、敵対政府には恐ろしいほど簡単にアクセスできてしまう。ウラジーミル・プーチンは、どんなニュース組織よりも巨大で、賢く、資金豊富で、はるかに容赦のないソーシャルメディア戦略をもっている。巨大デジタル企業は、通信ネットワークにとってのみならず、潜在的には民主主義そのものにとっても、大きな単一障害点（SPOF）となっているのだ。

新聞――笛吹きにだれが支払いをするのか

敵対国がデジタルメディアをハックできるというのは、新しい不安な脅威ではある。だが長期的には、メディアの経済的変化も同じくらい恐ろしい。もはや地方メディアが全国メディアよりしっかりターゲティングができるとは言えない。全国メディアは通常、同じ読者について地方メディアより多くのお金をもらうし、この大規模な広告逆転が民主主義に与える影響はじつに大きく深い。

現代のアメリカの新聞は１８００年代の半ばから末にかけて登場した。これは輪転機と安いパルプ印刷のおかげで、成功した新聞はずばぬけて大きくなれたからだ――そしてその過程で、何百もの中小紙を倒産させた。ニュースの経済的シフトのおかげで、報道の独立性も生まれた。というのも、価値の高い広告市場にいる新聞は、次第に政党からの独立性を高めていったからだ［★44］。ジョセフ・

ピューリッツァー自身が説明したように「流通は広告を意味し、広告はお金を意味し、お金は独立性を意味する」［★45］。

過去10年は、ピューリッツァーの等式が逆方向にも向かうことを実証した。新聞の印刷発行部数は半分以上減り、そのデジタル観衆はいまでもオンライン時間の1パーセントにも満たない。広告売上は観衆の減少に伴い激減した。デジタルへの「シフト」というお題目はしょっちゅう出てくるが、ほとんどの新聞のオンライン観衆は減る一方だ［★46］。

こうした変化はすべて、新聞の影響力と独立性を脅かす。だが決定的な点として、この脅威は配信費用が低下したのではなく、シフトしたからこそ生じたものだ。何度も見てきたように、観衆構築に使われるのはすべて配信費用だ。こうした観衆の獲得維持費用がほとんど他の企業によって負担されているという事実は、恵みではなく呪いだ。というのも新聞はもはや、自分の観衆を自分でコントロールできなくなっているからだ。

ほとんどの業界談義や学術論争は、この鍵となる問題をごまかしてきた。インターネットが配信費用を減らすという主張はそこらじゅうで見られる——前著では、この私自身がそんな主張をしていた。新聞の観衆が空前の規模だなどというのはウソだし、新聞が抱えているのが観衆問題ではなく売上問題だというのもウソだ。そして「ポスト工業時代のジャーナリズム」という議論も、洞察を与えてくれる面もあるが、問題の肝心なところを誤解させる。印刷版の新聞は、印刷機を所有せずにレンタルするからといって、別に「工業性」が減るわけではない。同じ理屈で、観衆を引きつけるのに、グーグルやフェイスブックやアップルの工場に決定的に依存しているのであれば、デジタル版新聞はちっとも「ポスト工業時代」などではない。デジタル観察がこれほど集中している重要な理由は、相変わらず重工業の経済学にあるのだ(とはいえ、それだけとはまるで言えないが)。

グーグル、フェイスブック、アップルはいまや、ニュース組織のコンテンツを自分たちのプラットフォームに移行させようと手を講じている。フェイスブックのインスタントアーティクル、グーグルのアクセラレーテッドモバイルプラットフォーム(AMP)、アップルニュースはどれも、多くのサイトの見にくい、不安定な、陰惨なまでに遅いモバイル性能を改善する手段として売り込まれている。というのもそれは、フェイスブックとアップルのソリューションは、ニュースサイトの自立性を特に破壊するものだ。フェイスブックとアップルのソリューションは、フェイスブックとアップル自身のアプリやプラットフォーム内でしか機能しないからだ。オープンソースのAMPはマシではあるが、それでもウェブ標準を壊し、版元のグーグルへの依存を高める——ニュース記事はしばしばグーグル自身のキャッシュサービスから直接ホスティングされるのだ。AMPは他よりはマシかもしれないが、すでにニュース組織が体験してきたコントロール喪失をさらに悪化させるものだ。

これまで見たとおり、新聞がまったく絶望的というわけではない。粘着性についての理解が増せば、新聞や市民社会向けコンテンツの生産者たちは、賢い投資をして観察構築の機会を最大化できる。フェイクニュースをめぐるパニックもあって、「主流メディア」を嫌う市民の多くはいまだに、地元の新聞への強い愛情を抱いている。この善意はいまでも巨大な資産だし、中規模新聞は小規模なハイパー地方スタートアップなんかを恐れる必要はまったくない。だが多くの新聞——そして新聞以外のニュース組織もますます——いまやその生存そのもののために、政策立案者やデジタル巨人の行動に依存するようになっているという事実は、もはや隠しようもない。

進化論はまた、成長だけでなく絶滅の物語でもある。生物種や生態系は、何百万年も安定していたのに、突然崩れてしまうこともある。食べ物がなくなればニッチも消え、そうしたティッピングポイントは必ずしも事前にわかるようなものではない。本当の生態系の仕組みを考えれば、「エコシステム」だの「多様性」だのといった常套句など気休めにすらならない。そしていずれにしても、私たちがオンラインで構築したものは、まるでエコシステムなんかではなく、コマーシャルな単一栽培作物が二つできただけだ。インターネットのエネルギーピラミッドのほぼすべては、いまやフェイスブックとグーグルの二頭独占下にある。アイルランドのジャガイモ飢饉のような出来事が示すとおり、あらゆる単作経済は、たった一つの病原菌により一気に破壊されかねない。

どこかの時点でまちがいなく、生物学的な比喩も限界に達する。進化モデルはデジタル観衆の動学理解を助けてはくれるが、インターネットは相変わらず完全に人工の領域だ。インターネットに「自然/天性」はない。インターネットが地方ニュースを破壊したり、民主主義を転覆させたり、新たな成金と格差の時代をつくり上げたりすれば、それは自然法則による不可避の結果なんかではなく、人間の選択の結果だ。本書の期待は、私たちの選択がどのように加算され、かけあわされるかを理解することで、賢明な決断を下せるようになるということだ。だが本書はまた、手をこまねいていたらどうなるかを警告するものでもある。みんなが依存するインターネットの特性についての誤解も指摘する。もしインターネットをオープンに保ちたければ、まずそれを理解することだ——そして、そのオープン性のために戦わねばならないのだ。

訳者解説

本書はMatthew Hindman, *The Internet Trap: How the Digital Economy Builds Monopolies and Undermines Democracy* (Princeton University Press, 2018) の全訳となる。翻訳にあたっては、原著出版社からのＰＤＦファイルとハードカバー版を使用している。

1　本書の概要

これはかなり壮絶な本だ。インターネットをめぐる通俗的な常識とされるものの多くが、実証的に次々とくつがえされてしまうのだから。

すでに、生まれた時からインターネットがあった世代も社会の大きな割合を占めるようになっている。だが、この訳者のような歳寄りは、インターネットのなかった時代のことをよく覚えている。そして、インターネットが登場したときの衝撃も。その衝撃は、じつに多くの期待、夢、妄想を生み出した。いまやお笑いだが、すでに手垢のついた既得権益のはびこる物理的な社会とはまったく別の、自由で平等で規制のない、ある種の理想郷を実現するのではと、多くの人がかなり本気で期待していた。でも……それらは次々に否定されていった。インターネットは、国境を知らない世界になるはずだったのに、中国の金盾はおろか単純なＩＰ管理により、もはや国別の管理は常識と化し、ティム・ウーがはやくから懸念したとおりインターネットは国がいくらでも介入する世界となった。一般的な規制の及ばない世界になるはずのネットは、ローレンス・レッシグが指摘したとおり、ＴＣＰ／ＩＰという物理アーキテクチャの上に構築されているからこそ、ヘタな法律や規範の及ばないほど完璧な規制を実現しつつある（法律や規範は、クソ食らえと思えば無視できるけれど、物理アーキテクチャはこちらが何を決意しようとそこにあり続けるからだ）。

そして本書は、それ以外の各種思いこみ、妄想を次々に破壊してくれる。インターネットは、物理資本とはまったく独立した仮想世界だ、というのは本当だろうか？　ドッグイヤーの技術革新により、既得権益の囲い込みが通用せず、後発の新参者でも一夜にしてトップ企業を出し抜ける下剋上の実力主義社会というのは本当だろうか？　読者や視聴者に到達する費用がほぼゼロになり、個人でも大企業と対等に情報発信できる、平等化プラットフォームだというのは本当だろうか？　メディア独占が不可能で、ダメな情報はいずれ自然淘汰されて優れたものが優位になるというのは本当だろうか？大企業の広告資本に操られる粗雑な全国大メディアの独占力は弱まり、真に実力があり人々のニーズに応えたアルファブロガーたちや、各地の細やかなニーズに応えたローカルメディアが群雄割拠する、クリック民主制が栄えるという話は本当だろうか？

もちろん、この疑問はすべて修辞的なものでしかない。このすべてが、じつはまったくの見当違いだった。それを、ほとんど反論の余地がないかたちで示してくれたのが本書だ。

2　著者について

著者マシュー・ハインドマンは、インターネットの政治学を専門とする。ハーバード大学のケネディスクールにおける全米デジタル政府センターのフェローなどを経て、現在はジョージ・ワシントン大学メディア公共問題学校の准教授を務めている。

前著は『デジタル民主主義の神話（The Myth of Digital Democracy）』（Princeton University Press, 2009）であり、題名が示唆するとおり、政治ブログの氾濫と人々が目にする政治的な言説の増加にもかかわらず、じつはインターネットは民主主義の促進には貢献していないと主張する本だ。インターネットは、言論の多様化にはつながっていない。確かに、泡沫の意見をブログやウェブサイトで発表できるようになってはいるが、そんなものはまったく読まれていない。少なくとも実際に人々が視聴するものに関する限り、インターネットはむしろ政治的な偏りを生み出し、少数の人々の声だけがやたらに広くばらまかれる極端な寡占状況をつくり出していることを、同じく実証的に示した本である。

本書はその研究を、単なる政治的な言説だけから、さらに広くメディアとしてのインターネット全般に広げた本となる。

3　本書の中身

本書の概要は、すでに述べたとおり。インターネットにまつわる様々な思いこみが幻想だったという話だ。もちろんそう言うと、「ふん、そんなことは自分はとっくに知っていた」とうそぶく人々がたくさん登場する。そして、定性的にはそうした指摘を行ってきた人もいた。インターネットは多くの人に、じつに様々な幻想を引き起こしてきた。その批判は決してむずかしいことではなく、インターネット懐疑派はこの訳者も含め、昔からそれなりにいた。が、そうした懐疑論の8割はそもそも、じつはPCにすら触れたことのない、ネット音痴の歳寄りたちによる、これまた妄想や懐古趣味でしかなかったし、それ以外の懐疑派も主張はかなり定性的で、その人の思いこみに基づくものでしかなかった。

本書を他とは一線を画するものにしているのは、その有無を言わさぬ裏づけだ。本書は理論モデルと実証データの両方を使って、なぜ各種のインターネット平等化議論がすべて幻想にすぎないかを示してくれる。

著者の議論の詳細は、本文を読んでほしい。その議論の根底にあるのは、いわゆる探索費用やサーチコストと呼ばれるものだ。検索したところで、人はあらゆるサイトをきちんと見てそれを比較検討するほどマメでも暇でもない。まわるサイトはだいたい固定され、しかもそこの更新が少なければすぐに巡回ルートから落とされる。高品質だが月に一度くらい不定期にしか更新されないサイトよりは、クズでも毎日更新されて、いつ行っても新しいものがあるサイトのほうが人を集められる。そしてサイトの読み込みが遅いと、人はすぐに別のサイトに移動してしまう。

ここまでは、多少なりともウェブで商売をしている人には常識で、そのためにSEO対策だのつまらないノウハウがたくさん出回っている。だが、それが持つ含意については、あまりきちんと理解されていない。数ミリ秒の読み込み速度の遅れがアクセス数の激減につながり、そしてそれが毎日複利計算で効いてくると、ほんのわずかな差が短期間のうちに、すさまじいアクセス格差として生じる。そしてそれが収益性を通じ、回線やサーバへの投資、サイト改善やソフト開発への壮絶な投資の差へとつながり、先行者の優位性は絶対的なものになる。さらにビッグデータや深層学習は、学習データの差がパフォーマンスを決定的に変える。こうした新技術もまた、すでにアクセスの多い先行企業――つまりはGAFA――の優位をロックインするだけなのだ。

これをモデルと実証データで裏づけてから、後半で本書はアメリカの地方メディア問題に移る。日本に限らず、アメリカでも地方メディア（新聞、テレビ等）は急激に衰退しつつある。かつての地方メディアは、その地方の人間に集中的なマーケティングが可能だったところに価値があった。でもメディアがウェブに移行した現在、その優位性は完全に崩れた。もはやだれも地方メディアのサイトなどにアクセスしない。地方メディア復活の処方箋を語る各種論者は、この基本構造を理解していないために、まったくトンチンカンな話しかできていないのだ、と。これまた、その議論は実証データで完全に裏づけられている。

そしてその過程で、本書はじつに唖然とするような小ネタ（と言うべきか）を大量に提供してくれる。たとえば……

・グーグルやフェイスブックは、じつはバーチャルな企業などでは全然なく、応答速度をほんの少しでも上げるべく、ヘタな国家予算を上回るすさまじい物理的な設備投資を続けている！

・そうした投資のおかげで、いまやインターネット自体のアーキテクチャもまるで変わってしまい、バックボーンだのエンド＝ツー＝エンド学習だの処理／知能をエッジに集中だのといった古き良きネット原理はいまや跡形もない！

・音声認識や自動翻訳、あるいは人工知能／深層学習でパフォーマンスを大きく左右するのは、ある水準を超えると訓練用データの量だけで、アルゴリズムなんかどうでもよくなってしまう！

・ケンブリッジアナリティカがフェイスブックの個人情報データをもらってトランプ有利な政治記事誘導をしたとされるけれど、おそらく彼らは個人情報なんかほとんど使っていない！

もちろん他にも、読んでいて驚愕させられるネタはいくらでもある。最もネット事情に精通したすれっからしの読者ですら、何かしら驚かされる話が必ず見つかるだろう。

4　ではどうすればいいのか？

ただし、こうした問題提起の後で、それに対する処方箋は必ずしも明解ではない。地方メディアに対しては、とにかくもっとまじめにネットに取り組み、読み込みの遅延をなくしてA／B試験を少しでも導入し、見出しにいまの100倍は力を入れろ、紙や電波メディアのおまけでウェブができると思うな、さらにウェブの現実をふまえないインチキ論者に耳を貸すな、というきわめて具体的な提案が行われている。だが前半部分、実質的にGAFAの圧倒的優位となると、特に対案はない。

独占禁止法の適用が匂わされているくらいだ。

じつは2020年3月、コロナ鎖国が開始される直前に、訳者はアメリカに著者を訪ねる機会があった。その際の疑問の一つは、いったい本書の提起する疑問に対してどうすべきか、という点だった。GAFAがいまや資本的にも技術的にもデータ的にも、圧倒的な優位をすでに持ち、それがほぼ不動になっている。で？　どうすべきなんだろうか。そもそも、それはそれ自体として問題にすべきなんだろうか？　たとえば最近邦訳が出たタイラー・コーエン『BIG BUSINESS（ビッグビジネス）』（NTT出版）は、GAFAの独占は自然なことだし、たいしたものではなく、また何も問題は生じておらず、悪く言われるのは世間のやっかみでしかないと言うに等しい主張をしている。

これに対して著者は、その独占性がある程度は問題になる、との見方だった。規模の経済が働くインフラは他にもあり、それは経済効率的に自然独占となってしまう。だがその場合には、公共的な規制が必須となる。GAFAについても、それを真面目に考えるべきではないか、ということだ。

本当に独占が問題なのか、という点については、問題だとの見解だった。一つには本書で指摘されたように、社会の実効的な声が独占されることは、それ自体が民主主義的な価値観において大きな問題だという点がある。それ以外の独占の実害を示すのはもちろん、かなりの反実仮想を必要とするのでなかなかむずかしい。グーグルやフェイスブックによる独占がなければ、競争原理が働き、イノベーションが生じたかもしれないけれど、それがどんなイノベーションだったかは、わかるはずもない。さらに現状では、グーグルやアマゾンは独自にかなりのイノベーションを次々に打ち出すことで、独占がもたらす停滞、といった批判は説得力がない部分もある。それでも、マイクロソフト社が独占禁止法違反で制裁を受けたときには、その市場シェアから見ていまのグーグルなどよりはるかに小さい規模だった。なぜネット企業だけがそれを逃れていいのか？

EUでは、個人情報保護の一般データ保護規則（GDPR）などを皮切りに、GAFAのデータ独占に対する対抗措置が執られつつある（著者はGDPRの志は評価しつつ、その実効性については疑問視していたが）。今後、アメリカでもそうした取り組みは確実にすすむはずだ。独占禁止法を適用するにしても、しないにしても、ウェブの現状を明確に理解しておくことは重要となる。自分たちへの独禁法適用（現実的には、何らかの分社化）を避けるための口実として、「ネットは技術による下剋上世界」「ワンクリックで別のサイトへ」といった常套句を最も持ち出したがるのは、当のGAFAだ。そういう逃げ口上を許さずに冷静な議論を行うためにも、そうしたインターネットをとりまく幻想を打破しておくことが必要ではないのか、と著者は語っていた。

折しもコロナ騒動の渦中2020年7月にも、アメリカではGAFAの独占問題について議会でさらに議論が展開されていた。そうした検討の中でも、本書の知見は活用されているはずだ。

5　日本への含意

そして本書の含意は日本にとってどういう意味を持つだろうか？　本書の議論から見て、個人として何かできる部分というのは悲しいほど小さい。というか、まったくない。すると本書の主張は、今後日本が国としてネットにどういった取り組みをするか、という話となる。とはいえ、GAFAに対して日本があれこれ注文をつけるのもむずかしい。かつてはグーグル対抗の官製検索エンジンを、といった声もあったが、それもナンセンスなのは明らかだ。

すると本書の議論からして、GAFAの独占はいまのところ所与のものとしつつも、その中で何を規制するのか——欧米、そして／あるいは中国の決めた枠組みをそのまま受け入れるのか、あるいはそこで何らかの独自規制をどこまで決めるのか、という話となる。そして一方で、本書がアメリカの地方メディアについて提案しているように、民主主義や言論の多様性といった価値観をわずかながらでも守るために、どのあたりを支援すべきかも考えるべきだ、ということになる。

支援と言ってももちろん、フェイスブックの対抗馬としてLINEを支援とか、今さらmixiにテコ入れ、などという話もあり得まい。実際に可能な施策は何か、訳者もことさら名案があるわけではない。しかし何をやるにしても、ネットについての変な幻想は捨て、その現実に立脚した対応を考えねばならない。そのうえで、いったい何を守りたいのかを、改めて考える必要が出てくる。本書の議論は、そのための不可欠な基盤を提供してくれるはずだ。

6 謝辞

この本は、NTT出版（当時）の柴俊一氏から翻訳の打診を受けて初めて知ったものとなる。完全にノーマークの著者／研究者で、まさかこんな衝撃的な本だとは予想もしていなかった。ありがとうございます。本書を読んだ／訳したおかげで、ネットについていわずかに残っていた希望と妄想が潰え去ったのは残念といえば残念ながら、それを温存したところでいささかも役に立つわけでもないし、さらに本棚で腐っていた通俗ネット翼賛本の束や、つまらないネットの揚げ足取り本（本書の中でいろいろやり玉に挙がっているような本）を一掃できて本棚の場所が結構空いたのは予想外の余録ではあった。みなさまにも、本書がそうした実利的な効用とともに、インターネットの現実について改めて考え直すきっかけをもたらすことになれば、訳者冥利に尽きる。

また、いくつかの疑問点に快く答えてくれたうえ、ワシントンでのインタビューにも応じてくれた著者にも感謝する。ありがとうございました。

翻訳に大きなまちがいはないと信じるが、何かお気づきの点があれば、訳者までご一報いただければ幸いだ。判明したまちがいなどは、サポートページ https://cruel.org/books/internettrap/ で随時公開する。

2020年8月　コロナ渦中の東京にて

山形浩生 hiyori13@alum.mit.edu

また市場の人種や民族構成とオンラインニュース生産にもつながりがあるか検討する。「黒人比率」「ヒスパニック比率」は、アフリカ系アメリカ人とヒスパニックの住民比率をそれぞれあらわす。多数の移民ヒスパニック人口をもつ市場は、英語の地元ニュースの消費が少ないかもしれないという仮説もあり得る。そこでモデルは、人種や民族の比率と市場規模との相互作用も含めている。「ヒスパニック比×市場人口」「黒人比率×市場人口」は、人種や民族的な多様性が市場の規模によってちがう影響をもたらすかどうかを見ている。これはこれまで論じてきたいくつかの事例が示唆するものだ。

分析はまた、所得と年齢の影響についても見ている。「所得」はBIAによる1人あたり所得データを示す。65歳以上は、市場の中で65歳以上の人口比率だ。

最後に、消費されるニュースに影響するその月に固有の要因があるかもしれないので、2月と3月についてダミー変数を入れた。どちらもなければ4月だ。こうした変数は4月とその該当月とのちがいとして解釈すべきだ。

レビ市場人口」という変数は、それぞれのテレビ市場の人口を、国勢調査局のアメリカコミュニティ調査をもとに表している。

一部の研究では、ブロードバンド利用者はダイヤルアップ利用者と比べてウェブの使い方がまったくちがうことがわかっている。ブロードバンド利用者のほうが、もっと豊かな種類のウェブコンテンツをもっとたくさん利用するのだ〔★6〕。高速アクセスの潜在的な影響を検討するため、「ブロードバンド比率」は市場のうち768bps以上の速度をもつブロードバンド契約をしている比率をFCCデータから得ている。

地方新聞や地方テレビ局は最大のオンライン地方ニュース提供者なので、オフラインの地方メディアの構造を検討するのがことさら重要となる。新聞について、モデルはいくつかの変数を検討している。「1人あたり新聞部数」は、その市場での新聞総発行部数を人口で割ったものだ。「日刊紙」は市場人口の最低5パーセントに到達する日刊紙の数だ。「新聞親会社」は、そのテレビ市場にある日刊紙の親会社の数だ。こうした変数は、どれか重要なもの（あれば）についての代理変数を提供してくれると願いたい。重要な変数とは、新聞社の数、新聞読者の規模、最低限の読者のしきい値に達するニュース源の数、といったものだ。

テレビ局も似たような扱いとなっている。非商業放送局と関連する地方サイトはほとんどないので、商業テレビ局の数と種類に注目する。「商業テレビ局」はフルパワーの商業テレビ局の数だ。さらに、所有パターンがオンラインサイトの数や地方ニュース消費に影響するか知りたい。「地元所有テレビ局」は、その市場にオーナーのいるテレビ局の数で、「少数民族所有テレビ局」は、少数民族所有の地方テレビ局をFCC記録からもってきた。「新聞テレビ持ち合い」は、その市場で日刊紙と商業テレビ局を両方もっている親会社の数を示す。

新聞とテレビの持ち合いはことさら懸念すべきだが、地方ラジオ市場も潜在的に重要だ。「ニュース形式ラジオ局」はニュース形式をもつラジオ放送局の数だ。「ラジオテレビ持ち合い」はテレビ局とラジオ局を両方もつ親会社の数だ。

このデータは、境界線上の事例や符号化にあたってのむずかしい判断はほとんど必要なかった。さっきの3条件で見つけたサイトの大半は、伝統的なメディアのサイトだった。最終的には、候補サイトのうち1074が地方ニュースサイトに分類された。

特にインターネット専門サイトを検討するという作業のため、サイトと放送や印刷メディアとのつながりを正確に記録すべくことさら注意を払った。あらゆるテレビ局サイトは、放送はケーブル配信を持っていることが確認され、あらゆる印刷新聞サイトは、紙版の新聞もあることが確認された。

1074ニュースサイトのうち95サイトでは、高い利用水準（$t>3$）が 複数のメディア市場で記録された。こうした例は圧倒的に、大規模新聞か（数は少ないが）地域テレビ局で、その州全体や広域の観衆をもつ。ここで注目しているのは、州や広域ではなく地方ニュースなので、こうした二次的な地域市場は、地方コンテンツの定義からは除外してある。『シアトル・タイムズ』はワシントン州スポケーンで平均以上の読者をもっているが、スポケーンの地方政治を一貫してカバーしているわけではない。

ただしこのルールには例外が二つある。AL.comとミシガンライブだ。どちらも州全体のサイトであり、いくつかちがった放送市場の新聞数紙からのコンテンツを掲載している。参加している新聞は、自分のサイトをあきらめて、こうした全州プラットフォームでコンテンツをホスティングしている。だからこうしたサイトは、参加しているニュース機関のあるすべての市場で地方サイトとして数えられている。

回帰分析の変数

既往研究は全国デジタルニュース消費の人口構成や、伝統的メディアでの地方ニュース消費を形成する構造要因を検討してきた[★4]。特に興味深いものとして、既往研究は市場が大きいと放送ニュースも増えることを明らかにした［★5］。「テかる追加サイトはすべて、地方市場におけるニュース市場総消費のうち、ごく小さな部分にしかならない（1% の観察到達足きり点をギリギリ上回る地方ニュースサイトは、総地方ページビューの 0.01% に満たない）。

1% のしきい値はデータ制約に基づいて選ばれたものだが、有力な学者少なくとも 1 人が、実務的だけでなく規範的な理由から同様のしきい値を採用している。Eli Noam（2004, 2009）は、そもそもメディアサイトを名乗るには市場シェア 1% はあって然るべきだと主張し、それをもとにメディア多様性のノーム指数を提案した〔★ 2〕。Noam（2004）が説明したように「この指数に実用性を持たせるため、声として成り立つための最低限の規模があるべきだ。1 パーセントが適切な最低ラインに思える。小さいとはいえ、無視できるほどではない」〔★ 3〕。

こうした要件をまとめると、地方ニュースサイト候補はすべて、標本の中で以下の特性をもつものということになる。

- 「ニュース／情報」か「地方／地域」か「娯楽」の分類になっているもの
- 観察到達が、その市場内と全国での差が t 値＞ 3 となる
- 検討された 3 か月のどれか一つで、少なくとも 1% の観察到達を達成する

この三つの特性すべてを備えるサイトは、データの中で 1800 個以上ある。符号化ガイドラインはニュースサイトについて広い定義をしている。ウェブサイトは、定期的に更新され、地元ニュースやコミュニティの出来事、地元の公職者、地域問題について独立情報を提供していれば、ニュースと情報サイトと見なされる。この定義はフォーマットには依存しないので、原理的には地元ブログなども含まれる。静的なコンテンツはそれだけでは、ニュース源と見なされるには不十分だ。サイトはトップページのコンテンツが、2 週間以内に更新されていなくてはならない。この符号化は労働集約的だったが、地元ニュースサイトがどんなものかについて、直接きわめて詳細に示してくれた。

ものとでは、質的な差はまったくなかった。ラジオですら、多くの硬派なニュース局が「娯楽」に分類されていた。

この研究は、分析に含めるために、一貫した市場横断の観衆シェアを必要とする。こうした基準がなければ、小規模市場より大規模市場ではるかに多くの地方ニュースサイトが見つかることになる。というのも、訪問者数が5人以下のサイトはデータに含まれないからだ。たとえば、ヴァーモント州バーリントンでパネリスト5人が訪問するサイトは、分析から排除されてしまうが、ニューヨーク市で8人が訪問するサイトは含まれる。でも市場到達比率はバーリントンのサイトのほうが18倍も高いのだ。

研究は、オンライン地方ニュースについて最大限の調査をしたいので、このベースとなるしきい値は、データが許す限り低く設定する。まず、分析に含める最低限の基準は、他のトラフィック指標ではなく、月間観衆到達を使う。トラフィックの少ないサイトは、ページビューや滞在時間で見るより、観衆到達で見たほうがずっとよい成績となる。第二に、こうした観衆到達指数は、一貫性ある市場横断比較が可能な範囲でなるべく低く設定する。繰り返すと、サイトがそもそもコムスコアのデータに入るためには、地方市場訪問者が少なくとも6人いなくてはならない。最小級の市場(たとえばバーリントンやウィスコンシン州のマディソン)はパネリストがそれぞれ600人と700人だ。

訪問者6人ということは、パネリスト600人の1%だから、バーリントンやマディソンのような都市を含めるために使える最小のしきい値(少なくともデータを恣意的にいじらずにすむもの)は、観衆到達1%ということになる。ここからほんのちょっとでもしきい値を下げると、100市場のうち相当部分、いやほとんどが影響を受けてしまう。サイトが0.5%の観衆到達を受けるよう要求したら、データをいじらずにすむためには、少なくとも調査対象者が1200人必要となり、33の市場が除外されてしまう。0.3%の到達を求めたらパネリスト1800人が必要だから、放送市場100か所のうち54か所が影響する。さらにしきい値を下げることで見つコムスコア社の独占「ウェブディクショナリ」を使うことにしていた。これは追跡されたサイトを多くの分類や下位の分類に分けるもので、その中に「ニュース／情報」という分類もある。

だがふたを開けてみると、コムスコア社の分類方式は深刻な制約を抱えていることがわかった。内容的に同じニュースサイトがちがう分類や下位分類に仕分けされている。同じ市場内ですら、テレビ局サイトや新聞サイトが、いくつものちがった分類に仕分けされていることがよくあった。

この当初は不思議に思えた結果は、おそらくコムスコアの購読者モデルから生じたものだろう。コムスコア社のデータを購読するメディア組織は、自分のサイトがどの分類に入るかを自分で選べるのだ。これは「ウォベゴン湖効果」〔訳注：自分の能力を過信する傾向〕を生み出しかねない。購読メディア組織は、最も有利に思える分類や下位分類を選ぶわけだ。おかげで多くの購読ニュース組織は、自分がその分類のトップなのだと言えるようになる。

オンラインニュース源と伝統的メディア機関の関係（あれば）を知るのが不可欠なので、コムスコア社のデータは補わねばならない。コムスコア社の分類にこうした制約があったため、著者は自分でサイトをニュースコンテンツ、地方性、伝統的なメディアとの関係について分類することにした。

コムスコア社のデータ分類は不正確だし一貫性がないが、ある程度の目安になる。新聞サイトは「地域／地方」分類や「ニュース／情報：新聞」や「ニュース／情報：一般情報」に分類されたりするが、「小売」に分類されるとは考えにくい。まず、random.org が生成した乱数を使い、放送市場 10 か所を選んだ。2 月、3 月、4 月について、この 10 市場では t 値＞3 となるサイトがすべて検討された。地方ニュースを提供するすべてのサイトについて、コムスコア社の分類が記録された。ニュースサイトはコムスコア社の「ニュース／情報」の下にある三つの下位分類と、「地域／地方」「娯楽」（特に「娯楽：テレビ」「娯楽：ラジオ」分類）に入っていた。「娯楽」に分類された地方テレビ局と、「ニュース／情報」「地域／地方」に入った

第7章補遺

地方デジタルニュースサイト

第7章における分析の重要な一部は、どれが地方ニュースサイトかを同定することだ。

ここでの狙いで言うと、地方ウェブサイトというのはあるメディア市場において、その他全国の標本で占めるよりも高い利用水準を経験しているサイトだとしている。どれくらい高いのか？　いちばん簡単なルールは、偶然に生じた可能性がありえないほど大きな利用度の差を探すことだ。この研究は標準的な平均差検定を使っている。そのサイトが市場内でもつ観察到達の平均を、その他の全国パネルへの到達平均と比べるのだ。

観測された利用度が地方と全国で、推計された標準誤差の3倍以上となるサイトは、地方サイトの可能性があるとして検討される。定式化すると、これは t 値 > 3 に相当する。標本は十分に大きいから、t 値と z 値は等価だ。定性的評価（以下に詳述）は、地方コンテンツを全国コンテンツと峻別するこの選別ルールは、私たちが検討したい種類のサイトについてはきわめてうまく機能していることを示す。選別のしきい値を下げる——たとえば2.5倍にする——と、本当に地方サイトといえるものはほとんど追加されず、新たに加わるサイトのほとんどは偽陽性だ。予想どおり、しきい値をぐっと下げて $t < 1.5$ とかにすると、分析は偽陽性サイトで埋もれてしまう。データがだいたい正規分布になっていることを考えると、標本抽出誤差だけでも t 値 > 2.0 が2.5%くらいは出現するはずだ。観測データが100万以上あるデータセットでは、そんなに低いしきい値だと偽陽性が多すぎて手に負えなくなる。

平均差検定が地方コンテンツと全国コンテンツを選別する強力なヒューリスティクスを提供してくれるとして、もう一つ重要な作業はニュースを提供するサイトとそうでないサイトを選り分けることだ。当初の研究設計では、この研究が

数ウェブトラフィック分布に最小二乗回帰の線を引くと、完璧に近いR^2がえられるが、この技法は最も小さい観測値に過大な重みを与えてしまう。それらが桁違いに多いからだ。私たちはNewman（2005）で述べられた最大尤度技法を使う。これだと日次指数（α）は標本中の1096日で、1.98から2.13まで変動している。

確率的動学システム、たとえば株式市場などでの日次変化は、しばしば対数正規分布でモデル化される。だから私たちのモデル化では、ウェブトラフィックの市場シェアの対数変化を考える。特に注目したいのは、日次の相対成長率、つまり次の数字だ。

$$g_t = \frac{x_{t+1} - x_t}{x_t}$$

この定義での「成長」は、プラスだけでなくマイナスにもなれることに注意。さらにトップ300から脱落するサイトについては成長率は観測できない。これは小規模サイトで観測される成長率の分布を歪めるが、それに続く結果にはまったく影響しない。

$x_j(t)$は、t時点で順位j位を占めるサイトの市場シェアを示す。だから翌日の市場シェアは次のようになる。

$$x_{(j)}(t+1) = x_j(t) + g_j x_j(t)$$

左辺ではjがカッコに入っているのは、t時点でj位につけているサイトは、翌日にはちがう順位になっているかもしれないからだ。g_j項はランダムな変数で、j位のサイトの日次成長率を示す。t時点ごとに、新しいg_jが標本抽出される。g_jが負の数なら市場シェアは下がり、$x_{(j)}(t+1) < x_j(t)$となる。g_jがゼロなら、市場シェアは変わらない。

重要な点として、私たちのデータの順位ごとのg_tは対数正規分布に近いものとなっているが、純粋な対数正規分布が生み出すよりもテールが重くなっている。

私たちのシミュレーションの根底にある動学系の数学について述べよう。

まずは、実証データにおいて何をもってべき乗則と見なすかという、ときに不毛な論争に対処しておくことだろう。定式化すると、べき乗則分布は、$1/x^{\alpha}$ に比例する密度関数が特徴であり、その（負の）乗数 α は両対数グラフにしたときの線の傾きに対応する。1990年代末以来のべき乗則に関する論文の氾濫と、それに続く通俗文献でのべき乗則解説や「ロングテール」の話のため、一部の研究者からはそれを補正しようという反発が生じている（たとえば Clauset et al., 2009）。こうした論文の一部のため、他の分布のほうがうまくフィットしそうな場合には——そのフィットがずっといいときもあれば、改善がわずかな場合もある——研究者はべき乗則という用語の利用を慎むようになった。

ここで使うデータ源の場合、観察の分布がべき乗則だろうと、極端な対数正規分布だろうと、指数カットオフをもつべき乗則だろうと、本質的なちがいはまったくといっていいほどない。ほとんどの現実世界のデータ集合は、最大の観測数が見られる「頭」の部分では純粋なべき乗則から外れる。本書ではしばしば、こうした分布の広い仲間やそれと関連するものを示すときに「対数線形分布」という用語を使う。

だが一般に、他の分布のほうがデータのフィットが少しよい場合ですら、べき乗則を好むよい理由がある。他の関連した分布のほうがフィットがよいのはあたりまえだ。パラメータが二つ以上あるからだ。純粋なべき乗則はパラメータが一つだ。モデル構築においては、変数を無用に増やさないのが決定的な美徳であり、パラメータを追加するたびに、それが悪さをする余地も出てくる。ジョン・フォン・ノイマンは「変数が四つあればゾウですらフィットさせて見せるし、五つあればそいつに鼻を振らせてみせましょう」［★1］と言ったとか。

いずれにしても、こうした議論はさておくとしても、私たちのデータは純粋なべき乗則にかなりきれいにフィットする。トラフィック分布の正規性をチェックする簡単な方法は、データで1日ごとのべき乗則の指数を推計することだ。両対

例：ある変種への強い選好、その他の拡張

このモデルの数学的な中核部分はきわめて拡張しやすい。これを本章の残りで示す。一つの拡張としては、利用者の選好の窓を限られたものにすることだ。たとえば以下のとおり。

$$\gamma_j^i = \begin{cases} \gamma : |p^i - p_j| < \epsilon \\ 0 : |p^i - p_j| \geq \epsilon \end{cases}$$

これだと、少なくとも一部の消費者の選好の窓が、この変種空間の中間点を含まない場合には、全員の完全な関心を独占するのは不可能になる。

あるいはサイトが複数の分野のコンテンツを生産し、アグリゲーターやポータルサイトに類するものを提供すると考えよう。ここでは追加の想定が必要となる。たとえば、あるコンテンツ分野から消費者が受ける効用を二極化（「1かゼロか」）するとか、利用者の分野ごとの選好が独立で、ある分野の追加コンテンツについては少なくとも多少の限界効用逓減があると想定したりするわけだ。分野の数が増えれば、中心極限定理が強く効いてきて、ポータルサイトやアグリゲーターの優位性は逓増する。

本文の章はさらなる例に入り込んでいるが、どれも中核的な結果を捉え直したり、効用のペイオフを変えたりしたもので、まったく新しい数式を持ち出すものではない。だがモデルの拡張はすべて中心的な結果を強化している。収穫逓増に関する中核の想定を受け入れたら、強い市場集中を防ぐような附随的想定を見つけるのは非常に困難だということだ。

第5章補遺

デジタル観衆の動学

第5章の議論は、デジタル観衆が時間とともにどう変化するかについてのもので、一連のきわめて専門的な内容に入り込む。この節では簡単にべき乗則を説明し、

えごとに探索費用を支払って、消費予算が尽きるまでそれを繰り返すのが合理的となる。

例：サイト2つ、消費者1人

サイトが2つ、つまり$j=1,2$の場合、最初のサイトが孤独な視聴者の選好に近いと想定しよう。つまり$|p-p_1|\leq|p-p_2|$だ。サイト2の質／量要素が高ければ、消費者はサイト2の消費のほうが多くなる。つまり

$$\frac{\gamma_1(1-|p-p_1|)}{\gamma_2(1-|p-p_2|)}\leq\frac{\lambda_2\omega_2}{\lambda_1\omega_1}$$

通分して

$$c_1=\gamma_1(1-|p-p_1|)\lambda_1\omega_1\leq\gamma_1(1-|p-p_2|)\lambda_2\omega_2=c_2$$

つまりサイトは量と質に十分な投資をすれば、消費者の選好にもっと近いサイトからでも消費者を奪えるということだ。

例：サイト2つ、消費者多数

消費者が変種選好空間に均一に分散していて、比例定数がすべてのiとjについて固定されていて$\gamma_j^i=\gamma$としよう。売上が量／質要素の関数となる生産費用よりも急速に増えれば、利潤は生産への投資にともなって増大する。定式化すると、生産費用をWとすれば、$R'>W'$なら$\pi'=R'-W'>0$だ。だから生産や売上にわずかでも規模の経済があれば、生産投資による利潤増大が生じる。

サイトにとって可能な最大の売上は、あらゆる視聴者がその消費予算をそのサイトだけに費やす場合だ。だから可能な最大の売上は$R(NC)$だ。この水準での生産が儲かるなら、ここには独占均衡が生じる。つまり、あらゆる個人は一つのサイトだけですべての予算を使い果たす。そのサイトだけが儲かり、他のサイトではまったく消費は行われない。これは消費者にとって最適だ。量／質が十分高いと感じ、貴重な消費時間をサイトの切り替えに無駄遣いせずに済むからだ。

$$C = s_i t_0 + \sum_{j=1}^{M} c_j^i$$

一般に、多くの c_j^i はゼロになるだろう。

さて完全情報だと、消費者は各サイトのコンテンツの品質、量、変種を知っている。例えて言うなら、どの市場で買い物をしようか決める消費者を考えればいい。その消費者は、市場の場所と商品を知っており、自分の欲しい品種と品質の財をずばり買うために、多くの市場に行かねばならない。この場合、高い輸送費を想定することになる。あるいは、一つのスーパーマーケットにでかけることで移動費用を引き下げ、一方では品質、量、品種についての選好を多少妥協することもできる。

サイト j の利潤を π_j と書こう。利潤は、売上から費用を引いただけだ。サイト j の売上は、総消費の関数 $R(\sum_{i=1}^{N} c_j^i)$ だとする。当初、消費者の関心をお金にかえる厳密なメカニズムは、モデルの外生だとする。ここでは保守的に、R が増えているとする。サイト j の費用には二つの要素がある。固定費 α と生産費用だ。伝統的には、生産費用は働く労働者数に賃金率をかけたものになる。コンテンツの量は労働力に等しく、コンテンツの品質は賃金率に比例するとすると、利潤関数は次のように書ける。

$$\pi_j = R\left(\sum_{i=1}^{N} c_j^i\right) - \alpha - (\beta\lambda_j)(\delta\omega_j)$$

ただし β と δ は比例定数。

消費者の効用は、サイトコンテンツの消費で生じる。サイトの量、品質、変種がその個人の消費したがるコンテンツ量を決める。つまり、消費は間接的に効用を計測している。各個人は、$k = 1, \ldots, M$ について選好の序列が次のようになっている。

$$c_{j_k}^i \geq c_{j_{k+1}}^i \geq 0$$

個人としては、サイトを選好の序列 $c_{j1}^i, c_{j2}^i, \ldots,$ の順番に消費し、サイト切り替

データ、手法、モデルに関する補遺

第4章補遺

ウェブトラフィックとオンライン広告売上の定式化モデル

第4章では、ウェブサイトのオンライン売上について単純な定式化モデルを提示した。この補遺では、モデル背後の数学を解説する。経済学の多くの分野で使われる収穫逓増モデルに馴染みのある読者は、ここでのアプローチがだいたい同じだと理解できるはずだ。

M個のサイトがあり、それぞれ1種類のコンテンツを生産するが、それぞれのサイトは独自の変種 p_j をつくり、$0 \leq p_j \leq 1$ となる。消費者はN人いて、それぞれ消費予算Cを持ち、変種p^iへの選好をもつ。記述方法として、iは上付き文字として消費者を示す。jは下付き文字としてサイトをあらわす。文脈が明確であれば、この添え字は省略する。

それぞれのサイトは、λ_j の速度で ω_j の品質のコンテンツを生産する。c^i_j は個人iによるサイトjの消費だ。消費はコンテンツの品質、更新速度（λ_j）、個人の変種選好で決まる。これをいちばん簡単に行うと、

$$c^i_j = \gamma^i_j (1 - |p^i - p_j|) \lambda_j \omega_j$$

ただしγ^i_jは比例定数となる。

各個人の消費は予算制約Cをもつ。これはその視聴者がウェブを楽しむ総時間だ。いちばん簡単な場合を考えると、最初はCが全消費者とも同じだとしよう。ウェブ検索が無料なら、それぞれの $i = 1, \ldots, N$ について $C = \sum_{j=1}^{M} c^i_j$ と言える。だが新しいサイトにナビゲートするたびに、視聴者の関心に対して固定費用がかかるとしよう。iの視聴ポートフォリオにあるサイトの数を s_i とし、探索費用を t_0 とする。すると

[★28] アマゾンは特殊例の一つで、中核事業ははやい時期から利潤より爆発的成長に最適化されていた。だが彼らのAWSクラウドコンピューティング事業は、突出して収益性が高く、同社の市場価値評価の相当部分を占めている。

[★29] Mullins, Winkler, and Kendall, 2015.

[★30] Federal Trade Commission, 2012, p. 112.

[★31] Shapiro and Varian, 1998; 第2章参照。

[★32] Federal Trade Commission, 2012, p. 112.

[★33] Scott, 2017.

[★34] Wu, 2011; だが批判としてStarr, 2011参照。

[★35] Yarow, 2013.

[★36] この点についてのよい議論としてはOrbach, 2013参照。

[★37] Easterbrook, 2008.

[★38] Zuboff, 2015.

[★39] Bradshaw and Howard, 2017.

[★40] King, Pan, and Robens, 2013, 2017.

[★41] Silverman, 2017.

[★42] Howard et al.2017.

[★43] Calabresi, 2017.

[★44] Petrova, 2011.

[★45] Starr, 2004, p. 257での引用。

[★46] Chyi and Tenenboim, 2017.

データ、手法、モデルについての補遺

[★1] Dyson, 2004での引用。

[★2] Noam, 2004 and 2009.

[★3] Noam, 2004.

[★4] Hindman, 2009; Hamilron, 2004; Napoli, 2012.

[★5] Shiman, 2007; Crawford, 2007.

[★6] Smith, 2010.

[★2]　Turner, 2006; また Helmreich, 1998 参照。

[★3]　Doheny, 2004.

[★4]　多くの技術系企業の下積み苦労話が捏造であることについては Heathand Heath, 2011 参照。

[★5]　Wheeler, 2013.

[★6]　Turner, 2006; Schumpeter, 1942.

[★7]　Dimmick, 2002.

[★8]　Napoli, 2011; また Stober, 2004 も参照。

[★9]　ダーウィンについてのこの話は、特に Ernst Mayr（1982）の古典的著作 *The Growth of Biological Thought* におけるダーウィンのまとめから特に大きく拝借している。また Bowler, 1989; Gould, 2002 も参照。

[★10]　Shirky, 2010.

[★11]　Hobbes, 1996.

[★12]　O' Hara et al., 2013; ミクロ＝マクロ問題についてのもっと一般的な議論としては Watts, 2011, pp. 61–64 参照。

[★13]　Abbatte, 1998.

[★14]　Earl and Kimport, 2011.

[★15]　Schlozman, Verba, andBrady, 2010; また Schradie, 2012 参照。

[★16]　Thrall, Stecula, and Sweet, 2014.

[★17]　Karpf, 2016.

[★18]　Benkler, Shaw, and Hill, 2015.

[★19]　MacArthur and Wilson, 1976.

[★20]　この論点については Vaidhyanathan, 2012; Mueller, 2010 参照。

[★21]　Picard, 2014.

[★22]　DeNardis, 2014.

[★23]「コンテンツこそ王様」という一節は、マイクロソフトのウェブサイトに発表された 1996 年の論説でビル・ゲイツが述べたもののようだが、ずいぶん前にオフラインとなっている。

[★24]　Bagdikian, 2004.

[★25]　E. M. Noam, 2015; また Odlyzko, 2001 も参照。

[★26]　Wu, 2003.

[★27]　FTC, n.d.

［★30］ Pontin, 2012.

［★31］ Kalogeropoulos and Newman, 2017.

［★32］ 執筆時点では、動画への転回はいまや大量のコメントを生み出している。その転落に関する有力な論説としては Moore, 2017, Josh Marshall, 2017, Thompson, 2017 がある。

［★33］ Cohen, 2017.

［★34］ Shoenfeld, 2017.

［★35］ Benes, 2017.

［★36］ Josh Marshall, 2017; また Thompson, 2017 参照。

［★37］ たとえば Schurman and Bruclag, 2009.

［★38］ Castillo, 2014.

［★39］ Moos, 2009.

［★40］ 複数のポスト紙職員と著者の会話。

［★41］ Konigsburg, 2014.

［★42］ Hamann, 2014.

［★43］ Bart et al., 2005; Wells, Valacich, and Hess, 2011.

［★44］ Das et al., 2007; Liu, Dalan, and Pedersen, 2010.

［★45］ Starkman, 2010.

［★46］ Manjoo, 2013.

［★47］ Wemple, 2014b, 2014a.

［★48］ Upworthy, 2013.

［★49］ Somaiya, 2014.

［★50］ Mitchell, Jurgowitz, and Olmstead, 2014.

［★51］ Ellis, 2012.

［★52］ Bell, 2018.

［★53］ Moses, 2018.

［★54］ Kohavi et al., 2013; 第 2 章の議論参照。

［★55］ Bakshy, Eckles, and Bernstein, 2014.

［★56］『ワシントン・ポスト』重役と著者との会話。

［★57］ Kovach and Rosenstiel, 2007.

第 8 章　インターネットの「自然」

［★1］ Barlow, 1996. 強調は原文。

［★2］ Graves, Kelly, and Gluck, 2010.

［★3］ Kanagal et a1., 2013; Pandey et al., 2011.

［★4］ Pew, 2010.

［★5］ Usher, 2014a.

［★6］ Usher, 2014b.

［★7］ Muner, 2009.

［★8］ New York Times Company, 2013. ただし 2016 年末までにデジタル購読は総売上の 15 % までじわじわ伸びたことに注意しよう——ただしこのシフトは、デジタル成長だけでなく印刷売上の減少を反映したものでもある。この問題について詳しくは、New York Times Company, 2016 の議論を参照。

［★9］ Ellis, 2014.

［★10］ New York Times, 2014; また Usher, 2014c も参照。

［★11］ Lee and Molla, 2018.

［★12］ Chinum, 2014.

［★13］ Gannett Co., 2018.

［★14］「退路を断つ」の引用は、起業家兼投資家マーク・アンドリーセンによるもので Sroonfeld, 2010 で参照されている。

［★15］ Lee and Molla, 2018.

［★16］ たとえば McClatroy Company, 2013 参照。

［★17］ Holcomb and Mitroell, 2014.

［★18］ A. Newman and Leland, 2017.

［★19］ McChesney and Nichols, 2011.

［★20］ Usher and Layser, 2010.

［★21］ Muner, 2014.

［★22］ Pew Internet and American Life Project, 2017a.

［★23］ Barthel and Mitchell, 2017.

［★24］ Mitchell, Rosenstiel, Santhanam, and Christian, 2012.

［★25］ Knight Foundation, 2016; Nielsen, 2014.

［★26］ eMarketer, 2014.

［★27］ たとえば Pontin, 2012。

［★28］ Mitchell et al., 2012.

［★29］ Boczkowski, 2010.

[★7] Mitchell, Gottfried, Barthel, and Shearer, 2016.

[★8] たとえば Noam, 2009 参照。

[★9] Prometheus v. FCC, 2004 が有力な事例である。

[★10] Kirchoff, 2010.

[★11] Olmstead, Mitchell, and Rosenstiel, 2011.

[★12] Graves, 2010.

[★13] Cook and Pettit, 2009.

[★14] Boczkowski, 2010.

[★15] Olmstcad, Mitchell, and Rosenstiel, 2011.

[★16] たとえば Hindman, 2009 参照。

[★17] Department of Justice and Federal Trade Commission, 2010.

[★18] HHI は企業の市場支配力を評価しようとするので、私は複数のサイトの市場シェアを、同じ企業が所有する同じ市場で合算している。たとえば、Atlanta Journal-Constitution サイト、WSB-TV サイト、WSB ラジオサイトはすべて合計されている。

[★19] Kopytoff, 2011.

[★20] Schaffer, 2010.

[★21] Pew, 2010.

[★22] この点については Gelman, 2010 参照。

[★23] 負の二項分布モデルはポアソン回帰モデルと密接に関係している。ポアソンモデルは一つのパラメータ λ しかなく、これが分布の平均と偏差の両方を左右するが、負の二項分布モデルはパラメータ α を加えて過剰分散を捕捉する。過剰分散計数データはしばしば社会科学では通例だが、この倍にはどちらのモデルも α の値の推計値がかなりゼロに近くなる。ここで見られるように $\alpha=0$ なら、ポアソンモデルと負の二項分布モデルは同じものになる。

[★24] Greenslade, 2012.

[★25] Morton, 2011.

[★26] Waldfogel, 2002.

[★27] Chyi and Tenenboim, 2017.

[★28] FCC 2017, p. 87.

第7章　ニュースの粘着性を高めるには

[★1] Pew Internet and American Life Project, 2017b.

[★12] Small and Singer, 1982.

[★13] Levy and Solomon, 1997.

[★14] Gabaix, 1999.

[★15] Fernholz (2002) は株式市場が分布のいちばん頭の部分といちばんのテール部分でわずかにべき乗則からはずれることを指摘している。最大級の企業は数学モデルの予測よりもわずかに小さい。ファーンホルツはこれを、反トラスト法や現実世界の限界のせいだとしている。市場のいちばんトップでの集中は増大しているが、これは反トラスト法の執行が弱まっているせいかもしれない（これについては第8章で詳述）。市場の反対の極では、多くの小企業は公開企業とならず自己保有のままに留まるため、本当ならもっと長くなれるテールが短くなっている。

[★16] Fernholz, 2002, p. 95.

[★17] Price Waterhous Coopers, 2008.

[★18] Interactive Advertising Bureau [lAB], 2010.

[★19] チャートビートなどの企業は、彼らの計測手法を使う各種サイトにおける時間計測をかなり正確に提供できるが、パートナーのサイトでの行動しか計測できない。このため、彼らのデータは提携企業ネットワークの中での分析には有用だが、重要な点でやはり制約が残る（時間計測アプローチとコムスコアのデータについては次章で詳述）。

[★20] Meiss et al., 2008; E. Johnson, Lewis, and Reiley, 2003 参照。

[★21] べき乗則と対数正規分布との主要なちがいは、興味深いことに、ゼロになる観測値がどうなるかという点だ。ゼロ（または下限）になる観測値を置きかえれば、分布はべき乗則になる。置きかえなければ分布は対数正規分布となる。Mitzenmacher, 2004; Gabaix, 1999 参照。

[★22] Clauset et al., 2009.

[★23] Fernholz, 2002.

第6章　同じモノがさらに少なく——オンライン地方ニュース

[★1] Patch.com 創設のこの話は Carlson, 2013 から。

[★2] Carr, 2013.

[★3] Romenesko, 2013.

[★4] Jack Marshall, 2016.

[★5] Carr, 2013.

[★6] Jarvis, 2013.

[★36] J. Webster, 2014; Ariely and Norton, 2008.

[★37] Monsell, 2003; Kahneman, 2011.

[★38] Krug, 2013.

[★39] Somaiya, 2014.

[★40] Hotelling, 1929; また Downs, 1957 も参照。

[★41] ブラウズ時間の不均等はまた、ポータルサイトの生産も制約する。追加のコンテンツがもはや自動的に収益性を高めることはできなくなる。というのも高い生産水準だと、追加コンテンツを消費する時間予算をもつ利用者もどんどん減るからだ。あるいは、狭い選好の窓を再導入して、一部の利用者はポータルサイトの生産するあたりさわりのないコンテンツからは効用が得られないようにしてもいい。だが――本章ですでに見たとおり――この変化はおそらくモデルの現実性を上げるよりは引き下げる可能性が高い。

[★42] Tankersley, 2015. また Steve Wildman (1994) の、ニュース生産における「一方向フロー」の研究も参照。

[★43] Benton, 2016.

[★44] Cairncross, 200t.

[★45] Hindman, 2009.

[★46] Athey, Mobius, and Pái, 2017.

[★47] P. Krugman, 2009.

[★48] D. Dean et al., 2012.

第5章　ウェブトラフィックの動学

[★1] Glaeser, 2005.

[★2] この点については Hindman, 2009 を参照。

[★3] Dahlgren, 2005; Benkler, 2006; Hindman, 2009; Meraz, 2009; Caldas et al., 2008.

[★4] Barabasi and Albert, 1999.

[★5] Newman, 2005; Clauset, Shalizi, and Newman, 2009.

[★6] この初期の例は Goel and Richter-Dyn, 1974 を参照。

[★7] Rioul and Vetterli, 2002.

[★8] Anderson and Mattingly, 2007.

[★9] Caldentey and Stacchetti, 2010.

[★10] Volz and Meyers, 2009.

[★11] Redner, 1998.

[★8] バンドリングに関する研究の概観としては Adams and Yellen, 1976; Shapiro and Varian, 1998; Bakos and Brynjolfsson, 1999 を参照。

[★9] Adams and Yellen, 1976

[★10] この例は Shapiro and Varian, 1998 のものに緩く基づいている；バンドリングの似たような例が Hamilton, 2004 にある。

[★11] Hamilton, 2004.

[★12] Carroll, 2008.

[★13] Bakos and Brynjolfsson, 1999.

[★14] デジタル製品のバンドリングがどうちがうかについては Bakos and Brynjolfsson, 2000 参照。

[★15] Nalebuff, 2004.

[★16] Chandler, 1964; Flink, 1990, だが Rill, 1991 も参照。

[★17] Peles, 1971, p. 32.

[★18] Ingram, 2017.

[★19] Meyer, 2004, p. 45.

[★20] Lewis and Rao, 2015; Johnson et al., 2016.

[★21] Brodersen et al., 2015.

[★22] Pandeyetal., 2011; 第 3 章の議論参照。

[★23] Muner, 2012.24. Last, 2002.

[★25] たとえば Bagdikian, 1985 参照。

[★26] C. Anderson, 2004.

[★27] Steiner, 1952; Beebe, 1977. だが影響力の大きな批判として J. G. Webster and Wakshlag, 1983 も参照。さらに古いがプログラム選択の経済モデルに関する優れた概論としては Owen and Wildman, 1992 を参照。

[★28] Ehrenberg, 1968; Kirsch and Banks, 1962.

[★29] Goodhardt and Ehrenberg, 1969.

[★30] J. Webster, 2014, p. 30.

[★31] Koren, 2009.

[★32] Prior, 2006.

[★33] Boczkowski and Mitchelstein, 2013.

[★34] Stroud, 2011; Iyengar and Hahn, 2009; R. K. Garren, 2009.

[★35] Levendusky, 2013; また Gentzkow and Shapiro, 2011 参照。

[★28] Koren, 2009.

[★29] Banko and Brill, 2001, p. 2B.

[★30] Funk, 2006.

[★31] Koren, 2009.

[★32] Pariser, 2011.

[★33] Amatriain and Basilico, 2012.

[★34] Ibid.

[★35] Das et al., 2007.

[★36] Ibid., p. 271.

[★37] Ibid., p. 279.

[★38] Liu, Dolan, and Pedersen, 2010.

[★39] Ibid., p. 32.

[★40] Kirshenbaum, Forman, and Dugan, 2012, p. 11.

[★41] Boyd, 2011.

[★42] Pandey et al., 2011.

[★43] Ibid.

[★44] Ibid., p. 3.

[★45] Hindman, 2018.

[★46] Cadwalladr and Graham-Harrison, 2018.

[★47] Kosinski, Stillwell, and Graepd, 2013.

[★48] Frier, 2018.

[★49] Negroponte, 1995, pp. 57-58 邦訳 p. 86。

[★50] Neuman, 1991 での議論参照。

第 4 章　サイバー空間の経済地理学

[★1] Ohlin, 1935.

[★2] Krugman, 1979, 1980.

[★3] たとえば Dixit and Stiglitz, 1977.

[★4] Pai, 2017; また Faulhaber, Singer, and Urschd, 2017 も参照。

[★5] Pooley and Winseck, 2017; また第 6 章も参照。

[★6] Box, 1979.

[★7] たとえば Steiner, 1952; Negroponte, 1995 を参照；また本章後述の議論も参照。

[★86] Arthur, 1989; David, 1985.

第3章　パーソナル化の政治経済学

[★1] Negroponte, 1995, p. 153 邦訳 p. 215。

[★2] たとえば Kennard Gates, 2000; Kennard, 1999 参照。

[★3] Sunstein, 2001, 2009.

[★4] Schafer, Konstan, and Riedl, 2001.

[★5] ザッカーバーグの引用は Pariser, 2011 より。

[★6] Zelizer, 2009.

[★7] Buey, 2004; Deuze, 2003; だが Stromer-Galley, 2004 も参照。

[★8] Thurman and Schifferes, 2012; Thurman, 2011.

[★9] たとえばHaim, Graefe, and Brosius, 2017, およびMoller, Trilling, Helberger, and van Es, 2018 を参照。

[★10] Hindman, 2018.

[★11] Stigler, 1961, p. 216.

[★12] Ibid., p. 220.

[★13] Mayer-Schoenberger and Cukier, 2013.

[★14] Nerflix, 2007.

[★15] 本章におけるコンテストへの AT&T 参加の概観は、チーム公式史（AT&T 2009, 2010）と Yehuda Koren（2009）のコンテスト回想に大きく頼っている。

[★16] Funk, 2006.

[★17] Ibid.

[★18] Ibid.; また Gorrell, 2006 参照。

[★19] AT&T, 2009.

[★20] AT&T, 2010.

[★21] AT&T, 2009, 強調ママ。

[★22] AT&T, 2009.

[★23] Hunt, 2010.

[★24] AT&T, 2009.

[★25] Netflix, 2007.

[★26] Amatriain and Basilico, 2012.

[★27] Ibid.

［★61］ Jansen, Zhang, and Schultz, 2009.

［★62］ Panetal., 2007. この結果の別の解釈としては、利用者が習慣とサイト固有技能を身にしみこませたというものだ。これについては後述。

［★63］ マイクロソフトはこの最初の研究をウェブから除いた。もしマイクロソフトがこのチャレンジで一貫してもっとひどい結果だったとしても、この種の直接的な比較から便益を得られるかもしれない。マイクロソフトの勝率が（たとえば）4割だが市場シェアが3割しかないなら、Bing利用者でグーグルを選んだと言われる利用者より、グーグル利用者でBingを選んだと呼ばれる人のほうが多くなる。ただしこれは個人の選択が、その人の現在のブラウザ利用に左右されないと想定しており、これは現実世界ではおそらく当てはまらない。ブラウザはますます利用者の過去の行動を学習するようになっているからだ。

［★64］ Ataullah and Lank, 2010, p. 337.

［★65］ Ayres et al., 2013.

［★66］ Zara, 2012.

［★67］ Ataullah and Lank, 2010, p. 337.

［★68］ Iyengar and Hahn, 2009.

［★69］ Stroud, 2011.

［★70］ Hargittai and Shaw, 2015.

［★71］ Hargittai, 2010.

［★72］ Hargittai et al., 2010.

［★73］ Stigler and Becker, 1977; Wernerfelt, 1985, 1991.

［★74］ この論点についてはたとえば Wernerfelt, 1991, p. 232 参照。

［★75］ Shapiro and Varian, 1998.

［★76］ Ajax は Asynchronous JavaScript and XML の略称。

［★77］ J. J. Garrett, 2005.

［★78］ E.Johnson, Bellman, and Lohse, 2003; また Murrary and Hiiubl, 2007, p. 62 参照。

［★79］ Brynjolfsson and Smith, 2000 での議論参照。

［★80］ Shankar, Smith, and Rangaswamy, 2003; Ha and Perks, 2005; Aksoy et al., 2013.

［★81］ Murray and Häubl, 2007.

［★82］ Beam, 2010 での引用。

［★83］ Ibid.

［★84］ Schmidt, 2014.

［★85］ Wheeler, 2013.

[★30] DeepMind, 2016.

[★31] McKusick and Quinlan, 2009.

[★32] Mayer, 2007.

[★33] Holzle, 2012.

[★34] Schurman and Bruclag, 2009.

[★35] Artz, 2009.

[★36] Holzle, 2012.

[★37] Singhal and Cutts, 2010.

[★38] Bowman, 2009.

[★39] サイトデザイン、トラフィック、売上の関係については Flavianetal., 2006; Cyr, 2008 参照。

[★40] Kohavi et al., 2013.

[★41] Tang et al., 2010.

[★42] Kohavi et al., 2013.

[★43] McKusick and Quinlan, 2009.

[★44] Pike et al., 2005; Chattopadhyay et al., 2011; Melink et al., 2010.

[★45] Palmer, 2002.

[★46] Bohn and Hamburger, 2013; また Buchanan, 2013 も参照。

[★47] Brian, 2014.

[★48] Kohavi et al., 2013.

[★49] Ibid., p. 4.

[★50] Davis, 1921, p. 169.

[★51] Nelson, 1970; Shapiro, 1983.

[★52] Hoch and Deighton, 1989.

[★53] Shaprio and Varian, 1998, pp. 113-14, 強調引用者、邦訳 p. 227。

[★54] Wells, Valacich, and Hess, 2011; McKnight, Choudhury, and Kacmar, 2002.

[★55] H. E. Krugman, 1972; Tellis, 2003, 1988.

[★56] Lambrecht and Tucker, 2013.

[★57] Semel, 2006.

[★58] Yarow, 2013.

[★59] Harginai et al., 2010.

[★60] Jansen, Zhang, and Mattila, 2012, p. 445.

［★4］　たとえば O' Reilly, 2005; Wu, 2011 を参照。

［★5］　大きな例外として、中国のサイト微博は同じ論理を示している。中国とアメリカのソーシャルネットワークがほとんど重ならないおかげで、ちがった企業が中国ではこのニッチを掌握できるようになった。他のインターネットサービスも、インスタントメッセージからスカイプまで、同じパターンを示す。

［★6］　たとえば Pariser, 2011, p. 41 邦訳 p. 51。

［★7］　Hundt, 1996.

［★8］　たとえば Briscoe, Odlyzko, and Tilly, 2006 参照。

［★9］　Cialdini and Goldstein, 2004; Asch, 1955.

［★10］　Kirkpatrick, 2011, p. 101 邦訳 p. 138。

［★11］　Ksiazek, Peer, and Lessard, 2014.

［★12］　Sonderman, 2012.

［★13］　Toth, 2014.

［★14］　Sonderman, 2011.

［★15］　Bain, 1954, 1956; Haldi and Whitcomb, 1967.

［★16］　A. D. Chandler, 1977.

［★17］　Pearn, 2012; また Muruoe, 2013 も参照。

［★18］　Ghemawat, Gobioff, and Leung, 2003.

［★19］　Burrows, 2006; Lo et al., 2015.

［★20］　J. Dean and Ghemawat, 2008; Chang et al., 2008.

［★21］　Bhatotia et al., 2011.

［★22］　Shute et al., 2012; Corbett et al., 2012.

［★23］　Verma et al., 2015, p. 1.

［★24］　イギリスの機械学習新興企業ディープマインドのグーグルによる買収については "What DeepMind brings to Alphabet," 2016 参照。グーグルの計算力へのアクセスこそが、ディープマインドが買収に合意した重要な理由だったとされる。TensorFlow については Abadi et al., 2016 参照。

［★25］　Jouppi et al., 2017.

［★26］　S. Levy, 2012; McMillan, 2012.

［★27］　TeleGeography, 2012.

［★28］　Labovitz et al., 2009.

［★29］　Google, 2013.

原註

第 1 章　関心経済を見直す

［★ 1］　グーグルの初期の実験に関する完全な議論としては Mayer, 2007 参照。Mayer は他の講演では、実験の効果を説明するときにちょっとちがう数字を使っている。

［★ 2］　その後の実験で、減速した利用者が以前の水準に戻るまでには何週間、何か月もかかることが示された。Holzle, 2012 参照。

［★ 3］　Berners-Lee, 2000, p. 23.

［★ 4］　Ingram, 2017.

［★ 5］　Simon, 1971.

［★ 6］　Goldhaber, 1997.

［★ 7］　Ibid.

［★ 8］　J. Webster, 2014, p. 1.

［★ 9］　Krugman, 1997, pp. 52-55 の議論を参照。

［★ 10］Ibid., p. 54.

［★ 11］von Thunen [1826], 1966.

［★ 12］Blumler and Kavanagh, 1999.

［★ 13］Negroponte, 1995, p. 58 邦訳 p. 86.

［★ 14］Reynolds, 2006.15. Mele, 2013.

［★ 16］Sifry, 2009.17. Bai, 2009.

［★ 18］Morton, 2011.

［★ 19］Benkler, 2006, pp. 3-4.

［★ 20］Shirky, 2009, pp. 59-60.

［★ 21］Rosen, 2011.

［★ 22］Hindman, 2009, pp. 86-87.

第 2 章　傾いた土俵

［★ 1］　Schwartz, 1998.

［★ 2］　第 1 章での議論、特に Benkler, 2006 を参照。

［★ 3］　AT&T, 1908, p. 21.

Webster, J. (2014). *The marketplace of attention.* Cambridge, MA: MIT Press. Webster, J. G., and Wakshlag, J. J. (1983). A theory of television program choice. *Communication Research, 10* (4), 430–46.

Wells, J. D., Valacich, J. S., and Hess, T. J. (2011). What signals are you sending? How website quality influences perceptions of product quality and purchase intentions. *MIS Quarterly, 35* (2), 373–96.

Wemple, E. (2014a, May). Associated Press polices story length. *Washington Post.* Retrieved from http://www.washingtonpost.com/blogs/erik-wemple/wp/2014/05/12/associated-press-polices-story-length/.

———. (2014b, May). Reuters polices story length too. *Washington Post.* Retrieved from http://www.washingtonpost.com/blogs/erik-wemple/wp/2014/05/12/reuters-polices-story-length-too/.

Wernerfelt, B. (1985). Brand loyalty and user skills. *Journal of Economic Behavior & Organization, 6* (4), 381–85.

——— (1991). Brand loyalty and market equilibrium. *Marketing Science, 10* (3), 229–45.

"What DeepMind brings to Alphabet." (2016, December). *The Economist.* Retrieved from https://www.economist.com/news/business/21711946-ai-firms-main-value-alphabet-new-kind-algorithm-factory-what-deepmind-brings.

Wheeler, T. (2013). *Net effects: the past, present, and future impact of our networks.* Washington, D.C.: Federal Communications Commission. Retrieved from http://www.amazon.com/NET-EFFECTS-Present-Future-Networks-ebook/dp/B00H1ZS4TQ.

Wildman, S. S. (1994). One-way flows and the economics of audience-making. In J. S. Ettema and D. C. Whitney (eds.), *Audiencemaking: how the media create the audience* (pp. 115–41). Thousand Oaks, CA: Sage Publications.

Wu, T. (2003). Network neutrality, broadband discrimination. *Journal of Tele- communications and High Technology Law, 2,* 141–76.

———. (2011). *The master switch: the rise and fall of information empires.* New York: Random House. [ウー、ティム『マスタースイッチ——「正しい独裁者」を模索するアメリカ』斉藤栄一郎訳、飛鳥新社、2012年]

Yarow, J. (2013, October). One last look at the giant money pit that is Microsoft's online operations. *Business Insider.* Retrieved from http://www.businessinsider.com/microsofts-online-operations-losses-2013-10.

Zara, C. (2012, September). Bing vs Google: Microsoft's Pepsi Challenge backfires. *International Business Times.* Retrieved from http://www.ibtimes.com/bing-vs-google-microsoft%C5%9B-pepsi-challenge-backfires-780715.

Zelizer, B. (2009). Journalism and the academy. In K. Wahl-Jorgensen and T. Hanitzsch (eds.), *The handbook of journalism studies* (pp. 29–41). New York: Routledge.

Zuboff, S. (2015). Big other: surveillance capitalism and the prospects of an information civilization. *Journal of Information Technology, 30* (1), 75–89.

Thurman, N. (2011). Making "The Daily Me": Technology, economics and habit in the mainstream assimilation of personalized news. *Journalism: Theory, Practice & Criticism, 12* (4), 395–415.

Thurman, N., and Schifferes, S. (2012). The future of personalization at news websites: lessons from a longitudinal study. *Journalism Studies 13* (5–6): 775–90.

Toth, O. (2014, May). Moving the conversation to where you want to have it. *Huffington Post*. Retrieved from http://www.huffingtonpost.com/otto-toth/were-moving-the-conversation_b_5423675.html.

Turner, F. (2006). *From counterculture to cyberculture: Stewart Brand, the Whole Earth Network, and the rise of digital utopianism.* Chicago, IL: University of Chicago Press.

Turow, J. (2012). *The Daily You: how the new advertising industry is defining your identity and your worth.* New Haven, CT: Yale University Press.

Upworthy. (2013, December). *What actually makes things go viral will blow your mind. (Hint: it's not headlines like this.)* Blog post. Retrieved from http://blog. upworthy.com/post/69093440334/what-actually-makes-things-go-viral-will-blow-your-mind.

Usher, N. (2014a). *Making news at the New York Times.* Ann Arbor: University of Michigan Press.

———. (2014b). Moving the newsroom: post-industrial news spaces and places. Tow Center for Digital Journalism, Columbia University, New York.

———. (2014c, May). The New York Times' digital limbo. *Columbia Journalism Review.* Retrieved from http://archives.cjr.org/the_audit/the_new_york_times_digital_li.php.

Usher, N., and Layser, M. D. (2010). The quest to save journalism: a legal analysis of new models for newspapers from nonprofit tax-exempt organizations to L3Cs. *Utah Law Review, 2010* (4), 1315–71.

Vaidhyanathan, S. (2012). *The Googlization of everything: and why we should worry.* Berkeley, CA: University of California Press.

Verma, A., Pedrosa, L., Korupolu, M. R., Oppenheimer, D., Tune, E., and Wilkes, J. (2015). Large-scale cluster management at Google with Borg. In *Proceedings of the European Conference on Computer Systems (EuroSys).* Bordeaux, France.

Volz, E., and Meyers, L. (2009). Epidemic thresholds in dynamic contact networks. *Journal of the Royal Society Interface, 6* (32), 233.

von Thunen, J. H. ([1826] 1966). *Isolated state: an English edition of der isolierte staat.* Oxford, England: Pergamon Press.［フォン・チューネン、ヨハン・ハインリヒ『孤立国』近藤康男訳、日本経済評論社、1989年］

Waldfogel, J. (2002). *Consumer substitution among media.* FCC Media Ownership Working Group Paper. Retrieved from https://transition.fcc.gov/ownership/materials/already-released/consumer090002.pdf.

Watts, D. J. (2011). *Everything is obvious: once you know the answer.* New York: Crown Business.［ワッツ、ダンカン『偶然の科学』青木創訳、ハヤカワ文庫、2014年］

———. (2012, October). How the Huffington Post handles 70+ million comments a year. *Poynter*. Blog post. Retrieved from http://www.poynter.org/latest-news/top-stories/190492/how-the-huffington-post-handles-70-million-comments-a-year/.

Starkman, D. (2010). The hamster wheel. *Columbia Journalism Review, 49*, 24–28. Starr, P. (2004). *The creation of the media: the political origins of modern communications*. New York: Basic Books.

———. (2011, June). The Manichean world of Tim Wu. *American Prospect*. Retrieved from http://prospect.org/article/manichean-world-tim-wu.

Steiner, P. O. (1952). Program patterns and preferences, and the workability of competition in radio broadcasting. *Quarterly Journal of Economics, 66* (2): 194–223.

Stigler, G. (1961). The economics of information. *Journal of Political Economy, 69* (3), 213–25.

Stigler, G. J., and Becker, G. S. (1977). De gustibus non est disputandum. *American Economic Review*, 76–90.

Stober, R. (2004). What media evolution is: a theoretical approach to the history of new media. *European Journal of Communication, 19* (4), 483–505.

Stromer-Galley, J. (2004). Interactivity-as-product and interactivity-as-process. *Information Society, 20*(5), 391–94.

Stroud, N. (2011). *Niche news: the politics of news choice*. New York: Oxford University Press.

Sunstein, C. (2001). *Republic.com*. Princeton, NJ: Princeton University Press.

———. (2009). *Republic.com 2.0*. Princeton, NJ: Princeton University Press.

Tang, D., Agarwal, A., O'Brien, D., and Meyer, M. (2010). Overlapping experiment infrastructure: more, better, faster experimentation. In *Proceedings of the 16th ACM SIGKDD International Conference on Knowledge Discovery and Data Mining*, Washington, D.C. (pp. 17–26). ACM.

Tankersley, J. (2015, April). Why the PR industry is sucking up Pulitzer winners. *Washington Post*. Retrieved from http://www.washingtonpost.com/news/wonk/wp/2015/04/23/why-the-pr-industry-is-sucking-up-pulitzer-winners/.

TeleGeography. (2012). *Global internet map 2012*. Retrieved from http://global-internet-map-2012.telegeography.com/.

Tellis, G. J. (1988). Advertising exposure, loyalty, and brand purchase: a two-stage model of choice. *Journal of Marketing Research, 25*(2): 134–44.

———. (2003). *Effective advertising: understanding when, how, and why advertising works*. Thousand Oaks, CA: Sage Publications.

Thompson, D. (2017, November). How to survive the media apocalypse. *The Atlantic*. Retrieved from https://www.theatlantic.com/business/archive/2017/11/media-apocalypse/546935/.

Thrall, A. T., Stecula, D., and Sweet, D. (2014). May we have your attention please? Human-rights NGOs and the problem of global communication. *International Journal of Press/Politics*, 135–59.

programming. Federal Communications Commission Media Ownership Study. Retrieved from https://apps.fcc.gov/edocs_public/attachmatch/DA-07-3470A5.pdf.

Shirky, C. (2009). *Here comes everybody: the power of organizing without organizations.* New York: Penguin. ［シャーキー、クレイ『みんな集まれ！ ネットワークが世界を動かす』岩下慶一訳、筑摩書房、2010年］

———. (2010, November). *The Times' paywall and newsletter economics.* Blog post. Retrieved from http://www.shirky.com/weblog/2010/11/the_times_paywall_and_newsletter_economics/.

Shoenfeld, Z. (2017, June). MTV News—and other sites—are frantically pivoting to video. It won't work. *Newsweek.* Retrieved from http://www.newsweek.com/mtv-news-video-vocativ-media-ads-pivot-630223.

Shute, J., Oancea, M., Ellner, S., Handy, B., Rollins, E., Samwel, B.,..., Jegerlehner, B., et al. (2012). F1: the fault-tolerant distributed RDBMS supporting Google's ad business. In *Proceedings of the 2012 International Conference on Management of Data*, Scottsdale, AZ (pp. 777–78). ACM.

Sifry, M. (2009, November). Critiquing Matthew Hindman's "The Myth of Digital Democracy". *TechPresident.* Retrieved from http://techpresident.com/blog-entry/critiquing-matthew-hindmans-myth-digital-democracy.

Silverman, C. (2017, November). This analysis shows how viral fake election news stories outperformed real news on Facebook. Retrieved from https://www.buzzfeed.com/craigsilverman/viral-fake-election-news-outperformed-real-news-on-facebook.

Simon, H. A. (1971). Designing organizations for an information-rich world. In Greenberger, M., ed., *Computers, communications, and the public interest.* Baltimore, MD: Johns Hopkins University Press.

Singhal, A., and Cutts, M. (2010, April). Using site speed in web search ranking. Blog post, Google. Retrieved from http://googlewebmastercentral.blogspot.com/2010/04/using-site-speed-in-web-search-ranking.html.

Small, M., and Singer, J. (1982). *Resort to arms: international and civil wars, 1816–1980.* Thousand Oaks, CA: Sage Publications.

Smith, A. (2010). *Home broadband 2010.* Retrieved from http://www.pewinternet.org/2010/08/11/home-broadband-2010/.

Somaiya, R. (2014, November). *Washington Post* releases free app for Kindle, in first collaboration with Amazon. *New York Times.* Retrieved from http://www.nytimes.com/2014/11/20/business/media/jeff-bezos-makes-his-mark-on-washington-post-with-new-kindle-app.html.

Sonderman, J. (2011, August). News sites using Facebook comments see higher quality discussion, more referrals. *Poynter.* Blog post. Retrieved from http://www.poynter.org/latest-news/media-lab/social-media/143192/news-sites-using-facebook-com ments-see-higher-quality-discussion-more-referrals/.

Retrieved from http://www.economist.com/debate/overview/208/The_news_industry.

Schafer, J., Konstan, J., and Riedl, J. (2001). E-commerce recommendation applications. *Data Mining and Knowledge Discovery, 5* (1), 115–53.

Schaffer, J. (2010). Exploring a networked journalism collaborative in Philadelphia: an analysis of the city's media ecosystem with final recommendations. J-Lab: The Institute for Interactive Journalism. Retrieved from http://www.issuelab.org/resource/exploring_a_networked_journalism_collaborative_in_philadelphia.

Schlozman, K. L., Verba, S., and Brady, H. E. (2010). Weapon of the strong? Participatory inequality and the Internet. *Perspectives on Politics, 8* (2), 487–509.

Schmidt, E. (2014, October). Native Instruments（ドイツ、ベルリン）での演説。Retrieved from http://googlepolicyeurope.blogspot.com/2014/10/the-new-grundergeist.html.

Schonfeld, E. (2010, March). Andreessen's advice to old media: "burn the boats." *TechCrunch*. Retrieved from http://techcrunch.com/2010/03/06/andreessen-media-burn-boats/.

Schradie, J. (2012). The trend of class, race, and ethnicity in social media inequality: who still cannot afford to blog? *Information, Communication & Society, 15* (4), 555–71.

Schumpeter, J. A. (1942). *Socialism, capitalism and democracy*. New York: Harper and Brothers.［シュンペーター、ヨーゼフ『資本主義、社会主義、民主主義』1-2巻、大野一訳、日経 BP、2016年］

Schurman, E., and Brutlag, J. (2009). Performance related changes and their user impact. O'Reilly Velocity conference presentation, San Jose, CA. Retrieved from http://blip.tv/oreilly-velocity-conference/velocity-09-eric-schurman-and-jake-brutlag-performance-related-changes-and-their-user-impact-2292767.

Schwartz, S. (1998). *Atomic audit: the costs and consequences of U.S. nuclear weapons since 1940*. Washington, D.C.: Brookings Institution Press.

Scott, M. (2017, June). Google fined record $2.7 billion in EU antitrust ruling. *New York Times*. Retrieved from https://www.nytimes.com/2017/06/27/technology/eu-google-fine.html.

Semel, T. (2006, May). Navigating Yahoo! Interview with Ken Auletta. Retrieved from http://www.newyorker.com/videos/060511onvi_video_semel.

Shankar, V., Smith, A. K., and Rangaswamy, A. (2003). Customer satisfaction and loyalty in online and offline environments. *International Journal of Research in Marketing, 20* (2), 153–75.

Shapiro, C. (1983). Optimal pricing of experience goods. *Bell Journal of Economics, 14* (2), 497–507.

Shapiro, C., and Varian, H. R. (1998). *Information rules: a strategic guide to the network economy*. Cambridge, MA: Harvard Business Press.［シャピロ、カール／ヴァリアン、ハル『情報経済の鉄則——ネットワーク型社会を生き抜くための戦略ガイド』大野一訳、日経 BP社、2018年］

Shiman, D. (2007). The impact of ownership structure on television stations' news and public affairs

Pearn, J. (2012, January). *How many servers does Google have?* Blog post. Retrieved from https://plus.google.com/114250946512808775436/posts/VaQu9sNxJuY.

Peles, Y. (1971). Economies of scale in advertising beer and cigarettes. *Journal of Business, 44* (1): 32–37.

Petrova, M. (2011). Newspapers and parties: how advertising revenues created an independent press. *American Political Science Review, 105* (04), 790–808.

Pew. (2010). How news happens: a study of the news ecosystem of one American ciy. The Pew Research Center Project for Excellence in Journalism. Retrieved from http://www.journalism.org/analysis_report/how_news_happens/.

Pew Internet and American Life Project. (2017a). *Mobile technology fact sheet.* Accessed June 2017. Retrieved from http://www.pewinternet.org/fact-sheets/mobile-technology-fact-sheet/.

———. (2017b). *Newpsapers fact sheet.* Accessed June 2017. Retrieved fiom http://www.journalism.org/fact-sheet/newspapers/.

Picard, R. G. (2014). The future of the political economy of press freedom. *Communication Law and Policy, 19*(1), 97–107.

Pike, R., Dorward, S., Griesemer, R., and Quinlan, S. (2005). Interpreting the data: parallel analysis with Sawzall. *Scientific Programming, 13* (4), 277–98.

Pontin, J. (2012, May). Why publishers don't like apps. *MIT Technology Review.* Retrieved from http://www.technologyreview.com/news/427785/why-publishers-dont-like-apps/.

Pooley, J., and Winseck, D. (2017). A curious tale of economics and common carriage (net neutrality) at the FCC: a reply to Faulhaber, Singer, and Urschel. *International Journal of Communication, 11*, 2702–33.

PriceWaterhouseCoopers. (2008, December). Independent audit report to Hitwise. Retrieved from http://www.hitwise.com/us/privacy-policy/audit-report.

Prior, M. (2006). *Post-broadcast democracy.* New York: Cambridge University Press.

Raff, D. M. (1991). Making cars and making money in the interwar automobile industry: economies of scale and scope and the manufacturing behind the marketing. *Business History Review, 65* (04), 721–53.

Redner, S. (1998). How popular is your paper? An empirical study of the citation distribution. *European Physical Journal B, 4*(2), 131–34.

Reynolds, G. (2006). *An army of Davids: how markets and technology empower ordinary people to beat big media, big government, and other Goliaths.* Washington, D.C.: Nelson Current.

Rioul, O., and Vetterli, M. (2002). Wavelets and signal processing. *Signal Processing Magazine, 8* (4), 14–38.

Romenesko, J. (2013, August). Listen to AOL CEO Tim Armstrong fire Patch's creative director during a conference call. *JimRomenesko.com.* Retrieved from http://jimromenesko.com/2013/08/10/listen-to-aol-ceo-tim-armstrong-fire-his-creative-director-during-a-conference-call/.

Rosen, J. (2011, July). This house believes: *The Economist* debates. *The Economist.*

Newman, M. (2005). Power laws, Pareto distributions and Zipf's Law. *Contemporary Physics, 46* (5), 323–51.

Nielsen. (2014, July). So many apps, so much time. Retrieved from http://www.nielsen.com/us/en/insights/news/2014/smartphones-so-many-apps–so-much-time.html.

Noam, E. M. (2004). How to measure media concentration. *Financial Times.*September 7.

———. (2009). *Media ownership and concentration in America.* New York: Oxford University Press.

Noam, E. M. (2015). Is content king? Columbia Business School Research Paper 15-42. Retrieved from https://ssrn.com/abstract=2588295.

Odlyzko, A. (2001). Content is not king. *First Monday, 6* (2). Retrieved from http://firstmonday.org/article/view/833/742.

O'Hara, K., Contractor, N. S., Hall, W., Hendler, J. A., and Shadbolt, N. (2013). Web science: understanding the emergence of macro-level features on the World Wide Web. *Foundations and Trends in Web Science, 4* (2–3), 103–267.

Ohlin, B. (1935). *Interregional and international trade.* Cambridge, MA: Harvard University Press.

Olmstead, K., Mitchell, A., and Rosenstiel, T. (2011). *The top 25: navigating news online.* Pew Journalism Project. Retrieved from http://www.journalism.org/2011/05/09/top-25/.

Orbach, B. (2013). How antitrust lost its goal. *Fordham Law Review, 81* (5), 2253–77.

O'Reilly, T. (2005). Web 2.0: Compact definition. *O'Reilly Radar.* Retrieved from http://radar.oreilly.com/2005/10/web-20-compact-definition.html.

Owen, B. M., and Wildman, S. S. (1992). *Video economics.* Cambridge, MA: Harvard University Press.

Pai, A. (2017, April). *The importance of economic analysis at the FCC.* Remarks of the FCC Chairman at the Hudson Institute. Retrieved from https://apps.fcc.gov/edocs_public/attachmatch/DOC-344248A1.pdf.

Palmer, J. W. (2002). Website usability, design, and performance metrics. *Information Systems Research, 13*(2), 151–67.

Pan, B., Hembrooke, H., Joachims, T., Lorigo, L., Gay, G., and Granka, L. (2007). *Journal of Computer-Mediated Communication, 12* (3), 801–23.

Pandey, S., Aly, M., Bagherjeiran, A., Hatch, A., Ciccolo, P., Ratnaparkhi, A., and Zinkevich, M. (2011). Learning to target: what works for behavioral targeting. In *Proceedings of the 20th ACM International Conference on Information and Knowledge Management*, Glasgow, Scotland (pp. 1805–14). ACM.

Pariser, E. (2011). *The filter bubble: what the internet is hiding from you.* New York: Penguin. ［パリサー、イーライ『閉じこもるインターネット——グーグル・パーソナライズ・民主主義』井口耕二訳、早川書房、2012年＝改題『フィルターバブル——インターネットが隠していること』ハヤカワ文庫、2016年］

Mueller, M. L. (2010). *Networks and states: the global politics of internet governance.* Cambridge, MA: MIT Press.

Mullins, B., Winkler, R., and Kendall, B. (2015, March). Inside the U.S. antitrust probe of Google. *Wall Street Journal.* Retrieved from http://www.wsj.com/articles/inside-the-u-s-antitrust-probe-of-google-1426793274.

Munroe, R. (2013). Google's data centers on punch cards. *XKCD.* Retrieved from https://what-if.xkcd.com/63/.

Murray, K. B., and Häubl, G. (2007). Explaining cognitive lock-in: the role of skill-based habits of use in consumer choice. *Journal of Consumer Research, 34* (1), 77–88.

Mutter, A. (2009, February). Mission possible? Charging for web content. *Newsosaur.* Retrieved from http://newsosaur.blogspot.com/2009/02/mission-possible-charging-for-content.html.

———. (2012, December). Digital ad share dives sharply at newspapers. *Newsosaur.* Retrieved from https://newsosaur.blogspot.com/2012/12/digital-ad-share-dives-sharply-at.html.

———. (2014, January). Mobile offers local media a digital do-over. *Newsosaur.* Retrieved from http://newsosaur.blogspot.com/2014/01/mobile-offers-local-media-digital-do.html.

Nalebuff, B. (2004). Bundling as an entry barrier. *Quarterly Journal of Economics, 119* (1), 159–87.

Napoli, P. M. (2011). *Audience evolution: new technologies and the transformation of media audiences.* New York: Columbia University Press.

———. (2012). *Audience economics: media institutions and the audience marketplace.*

New York: Columbia University Press.

Negroponte, N. (1995). *Being digital.* New York: Knopf. [ネグロポンテ、ニコラス『ビーイング・デジタル——ビットの時代』福岡洋一訳、アスキー、1995年]

Nelson, P. (1970). Information and consumer behavior. *Journal of Political Economy, 78* (2): 311–29.

Netflix. (2007). *Frequently asked questions.* Retrieved from http://www.netflixprize.com/faq.

Neuman, W. (1991). *The future of the mass audience.* Cambridge, UK: Cambridge University Press.

New York Times. (2014, March). Innovation. Internal report. Retrieved from http://mashable.com/2014/05/16/full-new-york-times-innovation-report/.

New York Times Company. (2013). Annual report. Retrieved from http://investors.nytco.com/files/doc_financials/annual/2013/2013_Annual_Report.pdf.

———. (2016). Annual report. Retrieved from http://s1.q4cdn.com/156149269/files/doc_financials/annual/2016/Final-Web-Ready-Bookmarked-Annual-Report-(1).pdf.

Newman, A. and Leland, J. (2017, November). DNAinfo and Gothamist are shut down after vote to unionize. *New York Times.* Retrieved from https://www.nytimes.com/2017/11/02/nyregion/dnainfo-gothamist-shutting-down.html.

Google with underwater cable to Asia. Retrieved from http://www.wired.com/2012/07/facebook-submarine/.

Meiss, M., Menczer, F., Fortunato, S., Flammini, A., and Vespignani, A. (2008). Ranking web sites with real user traffic. In *Proceedings of the International Conference on Web Search and Web Data Mining*, Palo Alto, CA (pp. 65–76). ACM.

Mele, N. (2013). *The end of big: how the Internet makes David the new Goliath*. New York: Macmillan.

Melnik, S., Gubarev, A., Long, J. J., Romer, G., Shivakumar, S., Tolton, M., and Vassilakis, T. (2010). Dremel: interactive analysis of web-scale datasets. *Proceedings of the VLDB Endowment, 3*(1-2), 330–39.

Meraz, S. (2009). Is there an elite hold? traditional media to social media agenda setting influence in blog networks. *Journal of Computer-Mediated Communication, 14* (3), 682–707

Meyer, P. (2004). *The vanishing newspaper: saving journalism in the information age*. Columbia: University of Missouri Press.

Mitchell, A., Gottfried, J., Barthel, M., and Shearer, E. (2016). *The modern news consumer*. Pew Research Center. Retrieved from http://www.journalism.org/2016/07/07/the-modern-news-consumer/.

Mitchell, A., Jurgowitz, M., and Olmstead, K. (2014, March). Search, social and direct: pathways to digital news. Pew Research Center. Retrieved from http://www.journalism.org/2014/03/13/social-search-direct/.

Mitchell, A., Rosenstiel, T., Santhanam, L. H., and Christian, L. (2012, October). The future of mobile news. Pew Research Center. Retrieved from http://www.journalism.org/2012/10/01/future-mobile-news/.

Mitzenmacher, M. (2004). A brief history of generative models for power law and lognormal distributions. *Internet Mathematics, 1*(2), 226–51.

Möller, J., Trilling, D., Helberger, N., and van Es, B. (2018). Do not blame it on the algorithm: an empirical assessment of multiple recommender systems and their impact on content diversity. *Information, Communication & Society, 21*(7), 959–77.

Monsell, S. (2003). Task switching. *Trends in Cognitive Sciences, 7* (3), 134–40. Moore, H. N. (2017, September). The secret cost of pivoting to video. *Columbia Journalism Review*. Retrieved from https://www.cjr.org/business_of_news/pivot-to-video.php.

Moos, J. (2009, April). Transcript of Google CEO Eric Schmidt's Q&A at NAA [Newspaper Association of America]. Retrieved from http://www.poynter.org/latest-news/top-stories/95079/transcript-of-google-ceo-eric-schmidts-qa-at-naa/.

Morton, J. (2011). Costly mistakes. *American Journalism Review*. Retrieved from http://ajrarchive.org/article.asp?id=4994.

Moses, L. (2018, February). Little Things shuts down, a casualty of Facebook news feed change. *Digiday*. Retrieved from https://digiday.com/media/littlethings-shuts-casualty-facebook-news-feed-change/.

Levy, S. (2012, April). Going with the flow: Google's secret switch to the next wave of networking. *Wired.* Retrieved from http://www.wired.com/2012/04/going-with-the-flow-google/.

Lewis, R. A., and Rao, J. M. (2015). The unfavorable economics of measuring the returns to advertising. *Quarterly Journal of Economics, 130* (4), 1941–73.

Liu, J., Dolan, P., and Pedersen, E. (2010). Personalized news recommendation based on click behavior. In *Proceedings of the 15th International Conference on Intelligent User Interfaces,* Hong Kong (pp. 31–40). ACM.

Lo, D., Cheng, L., Govindaraju, R., Ranganathan, P., and Kozyrakis, C. (2015). Heracles: improving resource efficiency at scale. In *Proceedings of the 42th Annual International Symposium on Computer Architecture,* Portland, OR.

MacArthur, R. H., and Wilson, E. O. (1976). *The theory of island biogeography.* Princeton, NJ: Princeton University Press.

Manjoo, F. (2013, June). You won't finish this article. *Slate.* Retrieved from http://www.slate.com/articles/technology/technology/2013/06/how_people_read_online_why_you_won_t_finish_this_article.html.

Marshall, J. [Jack]. (2016, February). Patch rebounds after spilt from AOL. *Wall Street Journal.* Retrieved from https://www.wsj.com/articles/patch-rebounds-after-split-from-aol-1454445340.

Marshall, J. [Josh]. (2017, November). There's a digital media crash. But no one will say it. *Talking Points Memo.* Retrieved from http://talkingpointsmemo.com/edblog/theres-a-digital-media-crash-but-no-one-will-say-it.

Mayer, M. (2007, June). *Scaling Google for every user.* Keynote presentation, Google Seattle Conference on Scalability. Retrieved from http://www.youtube.com/watch?=Syc3axgRsBw.

Mayer-Schoenberger, V., and Cukier, K. (2013). *Big data.* New York: Houghton Mifflin Harcourt.

Mayr, E. (1982). *The growth of biological thought: Diversity, evolution, and inheritance.* Cambridge, MA: Harvard University Press.

McChesney, R., and Nichols, J. (2011). *The death and life of American journalism: the media revolution that will begin the world again.* New York: Nation Books.

McClatchy Company. (2013). Annual report. Retrieved from http://media.mcclatchy.com/smedia/2014/03/24/17/45/SYS83.So.32.pdf.

McKnight, D. H., Choudhury, V., and Kacmar, C. (2002). The impact of initial consumer trust on intentions to transact with a website: a trust building model. *Journal of Strategic Information Systems, 11*(3), 297–323.

McKusick, M. K., and Quinlan, S. (2009, August). GFS: evolution on fast-forward. *ACM Queue.* Retrieved from http://queue.acm. org/detail.cfm?id=1594206. McMillan, R. (2012, July). Facebook mimics

Koren, Y. (2009). The Netflix Prize: quest for $1,000,000. Lecture, Rutgers University. Retrieved from http://www.youtube.com/watch?v=YWMzgCsFIFY.

Kosinski, M., Stillwell, D., and Graepel, T. (2013). Private traits and attributes are predictable from digital records of human behavior. *Proceedings of the National Academy of Sciences, 110*(15), 5802–5.

Kovach, B., and Rosenstiel, T. (2007). *The elements of journalism: what newspeople should know and the public should expect.* New York: Three Rivers Press.

Krug, S. (2014). *Don't make me think, revisited: a common sense approach to web usability.* Berkeley, CA: New Riders. ［クルーグ、スティーブ『超明解Webユーザビリティ——ユーザーに「考えさせない」デザインの法則』福田篤人訳、BNN新社、2016年］

Krugman, H. E. (1972). Why three exposures may be enough. *Journal of Advertising Research, 12* (6), 11–14.

Krugman, P. (1979). Increasing returns, monopolistic competition, and international trade. *Journal of International Economics, 9* (4), 469–79.

———. (1980). Scale economies, product differentiation, and the pattern of trade. *American Economic Review, 70*(5), 950–59.

———. (1997). *Development, geography, and economic theory.* Cambridge, MA: MIT Press. ［クルーグマン、ポール・R『経済発展と産業立地の理論』高中公男訳、文眞堂、1999年］

———. (2009). The increasing returns revolution in trade and geography. *American Economic Review, 99*(3), 561–71.

Ksiazek, T. B., Peer, L., and Lessard, K. (2014). User engagement with online news: conceptualizing interactivity and exploring the relationship between online news videos and user comments. *New Media & Society, 65*(10), 1988–2005.

Labovitz, C., Iekel-Johnson, S., McPherson, D., Oberheide, J., Jahanian, F., and Karir, M. (2009). ATLAS Internet Observatory 2009 annual report. Retrieved from https://www.nanog.or/meetings/nanog47/presentations/monday/Labovitz_Observe Report_N47_Mon.pdf

Lambrecht, A., and Tucker, C. (2013). When does retargeting work? information specificity in online advertising. *Journal of Marketing Research, 50* (5), 561–76.

Last, J. (2002, March). Reading, writing, and blogging. *Weekly Standard.* Retrieved from http://www.weeklystandard.com/Content/Public/Articles/000/000/001/ 009flofq.asp.

Lee, E., and Molla, R. (2018, February). The New York Times digital paywall business is growing as fast as Facebook and faster than Google. *Recode.* Retrieved from https://www.recode.net/2018/2/8/16991090/new-york-times-digital-paywall-business-growing-fast-facebook-google-newspaper-subscription.

Levendusky, M. (2013). *How partisan media polarize America.* Chicago, IL: University of Chicago Press.

Levy, M., and Solomon, S. (1997). New evidence for the power-law distribution of wealth. *Physica A: Statistical and Theoretical Physics, 242* (1–2), 90–94.

from https://papers.ssrn.com/sol3/papers.cfm?abstract_id=3005412.

Kanagal, B., Ahmed, A., Pandey, S., Josifovski, V., Garcia-Pueyo, L., and Yuan, J. (2013). Focused matrix factorization for audience selection in display advertising. In *Proceedings of the 29th International Conference on Data Engineering (ICDE)* (pp. 386–97). IEEE.

Karpf, D. (2016). *Analytic activism: digital listening and the new political strategy.* New York: Oxford University Press.

Kennard, W. E. (1999, April). From the vast wasteland to the vast broadband. Speech to the National Association of Broadcasters. Retrieved from http://transition.fcc.gov/Speeches/Kennard/spwek914.html.

King, G., Pan, J., and Roberts, M. E. (2013). How censorship in China allows government criticism but silences collective expression. *American Political Science Review, 107* (2), 326–43.

———. (2017). How the Chinese government fabricates social media posts for strategic distraction, not engaged argument. *American Political Science Review, 111* (3), 484–501.

Kirchoff, S. M. (2010, September). The U.S. newspaper industry in transition. Congressional Research Service. Retrieved from http://fas.org/sgp/crs/misc/R40700.pdf

Kirkpatrick, D. (2011). *The Facebook effect: the inside story of the company that is connecting the world.* New York: Simon and Schuster. ［カークパトリック、デビッド『フェイスブック——若き天才の野望』滑川海彦ほか訳、日経BP社、2011年］

Kirsch, A. D., and Banks, S. (1962). Program types defined by factor analysis. *Journal of Advertising Research, 2* (3), 29–31.

Kirshenbaum, E., Forman, G., and Dugan, M. (2012). A live comparison of methods for personalized article recommendation at Forbes.com. *Joint European Conference on Machine Learning and Knowledge Discovery in Databases*, Bristol, England (pp. 51–66).

Knight Foundation. (2016, May). Mobile first news: how people use smartphones to access information. Retrieved from https://www.knightfoundation.org/media/uploads/publication_pdfs/KF_Mobile-Report_Final_050916.pdf.

Kohavi, R., Deng, A., Frasca, B., Walker, T., Xu, Y., and Pohlmann, N. (2013). Online controlled experiments at large scale. In *Proceedings of the 19th ACM SIGKDD international conference on Knowledge Discovery and Data Mining*, Chicago, IL (pp. 1168–76). ACM.

Konigsburg, E. (2014). *The surprising path to a faster NYTimes.com.* Velocity New York conference, September 16. Retrieved from https://speakerdeck.com/nytdevs/the-surprising-path-to-a-faster-nytimes-dot-com.

Kopytoff, V. G. (2011, January). AOL bets on hyperlocal news, finding progress where many have failed. *New York Times.* Retrieved from http://www.nytimes.com/2011/01/17/business/media/17local.html.

Hotelling, H. (1929). Stability in competition. *Economic Journal, 39*(153), 41–57.

Howard, P. N., Bolsover, G., Kollanyi, B., Bradshaw, S., and Neudert, L.-M. (2017). *Junk news and bots during the U.S. election: what were Michigan voters sharing over Twitter?* Data Memo. Oxford, England: Project on Computational Propaganda. Retrieved from http://comprop.oii.ox.ac.uk/2017/03/26/junk-news-and-bots-during-the-uselection-what-were-michigan-voters-sharing-over-twitter.

Hundt, R. (1996). Speech delivered at the Wall Street Journal Business and Technology Conference. Washington, D.C., September 18. Retrieved from http://transition.fcc.gov/Speeches/Hundt/spreh636.txt.

Hunt, N. (2010). Netflix Prize update. Blog Post, March 23. Retrieved from http://blog.netflix.com/2010/03/this-is-neil-hunt-chief-product-officer.html.

Ingram, M. (2017, January). How Google and Facebook have taken over the digital ad industry. *Fortune.* Retrieved from http://fortune.com/2017/01/04/google-facebook-ad-industry/.

Interactive Advertising Bureau [iab]. (2010). *Measurement guidelines.* Retrieved from http://www.iab.net/iab_products_and_industry_services/508676/guidelines.

Iyengar, S., and Hahn, K. S. (2009). Red media, blue media: evidence of ideological selectivity in media use. *Journal of Communication, 59* (1), 19–39.

Jansen, B. J., Zhang, L., and Mattila, A. S. (2012). User reactions to search engines logos: investigating brand knowledge of web search engines. *Electronic Commerce Research, 12* (4), 429–54.

Jansen, B. J., Zhang, M., and Schultz, C. D. (2009). Brand and its effect on user perception of search engine performance. *Journal of the American Society for Information Science and Technology, 60* (8), 1572–95.

Jarvis, J. (2013, December). The almost-post mortem for Patch. *BuzzMachine.* Retrieved from http://buzzmachine.com/2013/12/16/patch-almost-post-mortem/.

Johnson, E., Bellman, S., and Lohse, G. (2003). Cognitive lock-in and the power law of practice. *Journal of Marketing, 67* (2), 62–75.

Johnson, G. A., Lewis, R. A., and Reiley, D. H. (2016). When less is more: data and power in advertising experiments. *Marketing Science, 36* (1), 43–53.

Jouppi, N. P., Young, C., Patil, N., Patterson, D., Agrawal, G., Bajwa, R., ..., Borchers, A., et al. (2017). In-datacenter performance analysis of a tensor processing unit. In *Proceedings of the 44th Annual International Symposium on Computer Architecture,* Toronto, Canada (pp. 1–12). ACM.

Kahneman, D. (2011). *Thinking, fast and slow.* New York: Farrar, Straus and Giroux. ［カーネマン、ダニエル『ファスト&スロー——あなたの意思はどのように決まるか?』上下巻、村井章子訳、ハヤカワ文庫、2014年］

Kalogeropoulos, A., and Newman, N. (2017). "I saw the news on Facebook": brand attribution when accessing news from distributed environments. Reuters Institute for the Study of Journalism. Retrieved

Greenslade, R. (2012, June). Local news crisis: what crisis? audiences are bigger than ever. *The Guardian.* Retrieved from http://www.theguardian.com/media/greenslade/2012/jun/29/local-newspapers-newspapers.

Ha, H.-Y., and Perks, H. (2005). Effects of consumer perceptions of brand experience on the web: brand familiarity, satisfaction and brand trust. *Journal of Consumer Behaviour, 4* (6), 438–52.

Haim, M., Graefe, A., and Brosius, H. B. (2017). Burst of the filter bubble? Effects of personalization on the diversity of Google News. *Digital Journalism,* 6 (3), 330–343.

Haldi, J., and Whitcomb, D. (1967). Economies of scale in industrial plants. *Journal of Political Economy, 75*(4), 373–85.

Hamann, P. (2014). Breaking news at 1000ms. TECH.insight conference. Retrieved from https://speakerdeck.com/patrickhamann/breaking-news-at-1000ms-tech-dot-insight-2014.

Hamilton, J. (2004). *All the news that's fit to sell: how the market transforms information into news.* Princeton, NJ: Princeton University Press.

Hargittai, E. (2010). Digital na(t)ives? variation in internet skills and uses among members of the "net generation." *Sociological Inquiry, 80* (1), 92–113.

Hargittai, E., Fullerton, L., Menchen-Trevino, E., and Thomas, K. Y. (2010). Trust online: young adults' evaluation of web content. *International Journal of Communication, 4* (1), 468–94.

Hargittai, E., and Shaw, A. (2015). Mind the skills gap: the role of internet know-how and gender in differentiated contributions to Wikipedia. *Information, Communication & Society, 18* (4), 424–42.

Heath, C., and Heath, D. (2011). *The myth of the garage.* New York: Crown Business. Helmreich, S. (1998). *Silicon second nature: culturing artificial life in a digital world.* Berkeley: University of California Press.

Hindman, M. (2009). *The myth of digital democracy.* Princeton, NJ: Princeton University Press.

———. (2018, March). How Cambridge Analytica's Facebook targeting model really worked—according to the person who built it. *The Conversation.* Retrieved from https://theconversation.com/how-cambridge-analyticas-facebook-targeting-model-really-worked-according-to-the-person-who-built-it-94078.

Hobbes, T. (1651 [1996]). *Leviathan* (R. Tuck, ed.). Cambridge, England: Cambridge University Press. ［ホッブズ『リヴァイアサン』1-2 巻、角田安正訳、光文社古典新訳文庫、2014年］

Hoch, S. J., and Deighton, J. (1989). Managing what consumers learn from experience. *Journal of Marketing, 53* (2): 1–20.

Holcomb, J., and Mitchell, A. (2014). The revenue picture for American journalism and how it is changing. State of the News Media, 2014. Washington, D.C.: Pew Research Center.

Hölzle, U. (2012, January). The Google gospel of speed. *Think Quarterly.* Retrieved from http://www.google.com/think/articles/the-google-gospel-of-speed-urs-hoelzle.html.

Funk, S. (2006, December). *Try this at home.* Blog post. Retrieved from http://sifter.org/~simon/journal/20061211.html.

Gabaix, X. (1999). Zipf's law for cities: an explanation. *Quarterly Journal of Economics, 114* (3), 739–67.

Gannett Co. (2018, February). Gannett Reports Fourth Quarter and Full-Year 2017 Results. Press release. Retrieved from https://www.gannett.com/news/press- releases/2018/2/20/gannett-reports-fourth-quarter-and-full-year-2017-results/

Garrett, J. J. (2005). Ajax: a new approach to web applications. Retrieved from http://www.adaptivepath.com/ideas/ajax-new-approach-web-applications.

Garrett, R. K. (2009). Politically motivated reinforcement seeking: reframing the selective exposure debate. *Journal of Communication, 59* (4), 676–99.

Gates, B. (2000). *Business at the speed of thought: succeed in the digital economy.* New York: Warner Business Books. ［ゲイツ、ビル『思考スピードの経営――デジタル経営教本』大原進訳、日本経済新聞社、1999年］

Gelman, A. (2010). When small numbers lead to big errors. *Scientific American, 303* (4), 31.

Gentzkow, M., and Shapiro, J. M. (2011). Ideological segregation online and offline. *Quarterly Journal of Economics, 126* (4), 1799–839.

Ghemawat, S., Gobioff, H., and Leung, S.-T. (2003). The Google file system. In *ACM SIGOPS Operating Systems Review, 37* (5), pp. 29–43. ACM.

Glaeser, E. L. (2005). Urban colossus: why is New York America's largest city? *Federal Reserve Bank of New York Economic Policy Review, 11* (2), 7.

Goel, N. S., and Richter-Dyn, N. (1974). *Stochastic models in biology.* Caldwell, NJ: Blackburn Press.

Goldhaber, M. H. (1997). The attention economy and the net. *First Monday, 2* (4).

Goodhardt, G., and Ehrenberg, A. (1969). Duplication of television viewing between and within channels. *Journal of Marketing Research, 6* (2).

Google. (2013). *Efficiency: how we do it.* Retrieved from http://www.google.com/about/datacenters/efficiency/internal/.

Gorrell, G. (2006). Generalized Hebbian algorithm for incremental singular value decomposition in natural language processing. In *Proceedings of EACL*, Trento, Italy (pp. 97–104).

Gould, S. J. (2002). *The structure of evolutionary theory.* Cambridge, MA: Harvard University Press.

Graves, L. (2010). Traffic jam: we'll never agree about online audience size. *Columbia Journalism Review.* Retrieved from https://archives.cjr.org/reports/traffic_jam.php.

Graves, L., Kelly, J., and Gluck, M. (2010). Confusion online: faulty metrics and the future of digital journalism. Tow Center for Digital Journalism, Columbia University, New York. Retrieved from http://towcenter.org/research/confusion-online-faults-metrics-and-the-future-of-journalism/

Enrico Fermi. *Nature, 427*, 297. [ダウンズ、アンソニー『民主主義の経済理論』吉田精司訳、成文堂、1980年]

Earl, J., and Kimport, K. (2011). *Digitally enabled social change: activism in the Internet age.* Cambridge, MA: MIT Press.

Easterbrook, F. H. (2008). The Chicago School and exclusionary conduct. *Harvard Journal of Law and Public Policy, 31*, 439.

Ehrenberg, A.S.C. (1968). The factor analytic search for program types. *Journal of Advertising Research, 8* (1), 55–63.

Ellis, J. (2012, May). The Guardian: yep, it was "major changes" by Facebook that caused drop in social reader traffic. *NeimanLab.* Retrieved from http://www.niemanlab.org/2012/05/the-guardian-yep-it-was-major-changes-by-facebook-that-caused-drop-in-social-reader-traffic/.

———. (2014, May). If my newspaper puts up a metered paywall, how many people will pay? here's some data. *NeimanLab.* Retrieved from http://www.niemanlab.org/2014/05/if-my-newspaper-puts-up-a-metered-paywall-how-many-people-will-pay-heres-some-data/.

eMarketer. (2014, March). *Driven by Facebook and Google, mobile ad market soars 105% in 2013.* Retrieved from http://www.emarketer.com/Article/Driven-by-Facebook- Google-Mobile-Ad-Market-Soars-10537-2013/1010690.

Faulhaber, G. R., Singer, H. J., and Urschel, A. H. (2017). The curious absence of economic analysis at the Federal Communications Commission: an agency in search of a mission. *International Journal of Communication, 11*, 1214–33.

Federal Communication Commission [FCC]. (2017, November). Order on reconsideration and proposed rulemaking FCC-17-156. Retrieved from https://apps.fcc.gov/edocs_public/attachmatch/FCC-17-156A1.pdf.

Federal Trade Commission. (2012). *Google inc.* Memorandum. File 111-0163. Project DXI. Retrieved from https://graphics.wsj.com/google-ftc-report/img/ftc-ocr-water mark.pdf.

———. (n.d.). *Monopolization defined.* Retrieved from https://www.ftc.gov/tips-advice/competition-guidance/guide-antitrust-laws/single-firm-conduct/monopolization-defined.

Fernholz, E. R. (2002). *Stochastic portfolio theory.* New York: Springer.

Flavián, C., Guinalíu, M., and Gurrea, R. (2006). The role played by perceived usability, satisfaction and consumer trust on website loyalty. *Information & Management, 43* (1), 1–14.

Flink, J. J. (1990). *The automobile age.* Cambridge, MA: MIT Press.

Frier, S. (2018, March). Trump's campaign said it was better at Facebook. Facebook agrees. *Bloomberg.* Retrieved from https://www.bloomberg.com/news/articles/2018-04-03/trump-s-campaign-said-it-was-better-at-facebook-facebook-agrees.

System Design and Implementation, Hollywood, CA (pp. 251–264).

Crawford, G. (2007). Television station ownership structure and the quantity and quality of TV programming. Federal Communications Commission Media Ownership Study, Washington, D.C.

Cyr, D. (2008). Modeling web site design across cultures: relationships to trust, satisfaction, and e-loyalty. *Journal of Management Information Systems, 24* (4), 47–72.

Dahlgren, P. (2005). The Internet, public spheres, and political communication: dispersion and deliberation. *Political Communication, 22*(2), 147–62.

Das, A., Datar, M., Garg, A., and Rajaram, S. (2007). Google News personalization: scalable online collaborative filtering. In *Proceedings of the 16th International Conference on World Wide Web* (pp. 271–280). ACM.

David, P. A. (1985). Clio and the economics of QWERTY. *American Economic Review, 75* (2), 332–37.

Davis, E. (1921). *The history of the New York Times 1851–1921.* New York: New York Times.

Dean, D., DiGrande, S., Field, D., Lundmark, A., O'Day, J., Pineda, J., and Zwillenberg, P. (2012). The Internet economy in the G-20. *BCG Perspectives.* Retrieved from https://www.bcgperspectives.com/content/articles/media_entertainment_strategic_planning_4_2_trillion_opportunity_internet_economy_g20/.

Dean, J., and Ghemawat, S. (2008). MapReduce: simplified data processing on large clusters. *Communications of the ACM, 51* (1), 107–13.

DeepMind. (2016). *DeepMind AI reduces Google data centre cooling bill by 40%.* Press release. Retrieved from https://deepmind.com/blog/deepmind-ai-reduces-google-data-centre-cooling-bill-40/.

DeNardis, L. (2014). *The global war for Internet governance.* New Haven, CT: Yale University Press. 〔デナルディス、ローラ『インターネットガバナンス——世界を決める見えざる戦い』岡部晋太郎訳、河出書房新社、2015年〕

Department of Justice & Federal Trade Commission. (2010, August). *Horizontal merger guidelines.* Revised August 19. Retrieved from https://www.justice.gov/sites/default/files/atr/legacy/2010/08/19/hmg-2010.pdf.

Deuze, M. (2003). The web and its journalisms: considering the consequences of different types of newsmedia online. *New Media & Society, 5*(2), 203–30.

Dimmick, J. W. (2002). *Media competition and coexistence: the theory of the niche.* New York: Routledge.

Dixit, A. K., and Stiglitz, J. E. (1977). Monopolistic competition and optimum product diversity. *American Economic Review, 67* (3), 297–308.

Doherty, B. (2004, August). John Perry Barlow 2.0. *Reason.* Retrieved from https://reason.com/archives/2004/08/01/john-perry-barlow-20.

Downs, A. (1957). *An economic theory of democracy.* New York: Harper. Dyson, F. (2004). A meeting with

Business Insider. Retrieved from http://www.businessinsider.com.au/tim-armstrong-patch-aol-2013-10.

Carr, D. (2013, December). AOL chief's white whale finally slips his grasp. *New York Times*. Retrieved from http://www.nytimes.com/2013/12/16/business/media/aol-chiefs-white-whale-finally-slips-his-grasp.html.

Carroll, J. (2008, April). This is really a newspaper. *San Francisco Chronicle*. Retrieved from http://www.sfgate.com/entertainment/article/This-is-really-a-newspaper-3287998.php.

Castillo, M. (2014, November). News sites top list of slowest-loading websites. *Adweek*.Retrieved from http://www.adweek.com/news/technology/news-sites-top-list-slowest-loading-web-pages-161619.

Chandler, A. D. (1964). *Giant enterprise: Ford, General Motors, and the automobile industry*. New York: Harcourt Brace.

———. (1977). *The visible hand: The managerial revolution in American business*.

Cambridge, MA: Bellknap.

Chang, F., Dean, J., Ghemawat, S., Hsieh, W. C., Wallach, D. A., Burrows, M., . . . Gruber, R. E. (2008). Bigtable: a distributed storage system for structured data. *ACM Transactions on Computer Systems (TOCS), 26* (2), 4.

Chattopadhyay, B., Lin, L., Liu, W., Mittal, S., Aragonda, P., Lychagina, V., ... Wong, M. (2011). Tenzing: a SQL implementation on the MapReduce framework. In *Proceedings of the VLDB Endowment*, Seattle, WA (pp. 1318–1327).

Chittum, R. (2014). Gannett's print-focused paywalls flounder: the quality imperative and charging for news online. *Columbia Journalism Review*. Retrieved from https://archives.cjr.org/the_audit/gannetts_paywall_plan-flounder.

Chyi, H. I., and Tenenboim, O. (2017). Reality check: multiplatform newspaper readership in the United States, 2007–2015.*Journalism Practice, 11* (7), 798–819.

Cialdini, R. B., and Goldstein, N. J. (2004). Social influence: compliance and conformity. *Annual Review of Psychology, 55*, 591–621.

Clauset, A., Shalizi, C. R., and Newman, M. E. (2009). Power-law distributions in empirical data. *SIAM Review, 51* (4), 661–703.

Cohen, D. (2017, April). Facebook's new video content deals with publishers that emphasize produced videos. *Ad Age*. Retrieved from http://www.adweek.com/digital/facebook-video-content-deals-publishers-produced-video-content/.

Cook, W. A., and Pettit, R. C. (2009). *comScore Media Metrix U.S. methodology*. Advertising Research Foundation.

Corbett, J. C., Dean, J., Epstein, M., Fikes, A., Frost, C., Furman, J., ..., Hochschild, P., et al. (2012). Spanner: Google's globally-distributed database. In *Proceedings of OSDI 2012: Tenth Symposium on Operating*

Retrieved from http://www.fastcompany.com/1770673/brains-and-bots-deep-inside-yahoos-core-grab-billion-clicks.

Bradshaw, S., and Howard, P. N. (2017). *Troops, trolls and troublemakers: a global inventory of organized social media manipulation.* Retrieved from http://comprop.oii.ox.ac.uk/wp-content/uploads/sites/89/2017/07/Troops-Trolls-and-Troublemakers.pdf.

Brian, M. (2014, June). Google's new "material design" UI coming to Android, Chrome OS and the web. *Engadget.* Retrieved from https://www.engadget.com/2014/06/25/googles-new-design-language-is-called-material-design/.

Briscoe, B., Odlyzko, A., and Tilly, B. (2006). Metcalfe's Law is wrong: communications networks increase in value as they add members, but by how much? *IEEE Spectrum, 43* (7), 34–39.

Brodersen, K. H., Gallusser, F., Koehler, J., Remy, N., Scott, S. L., et al. (2015). Inferring causal impact using Bayesian structural time-series models. *The Annals of Applied Statistics, 9* (1), 247–74.

Brynjolfsson, E., and Smith, M. D. (2000). Frictionless commerce: a comparison of internet and conventional retailers. *Management science, 46* (4), 563–85.

Buchanan, M. (2013, May). The design that conquered Google. *New Yorker.* Retrieved from http://www.newyorker.com/online/blogs/elements/2013/05/the-evolution-of-google-design.html.

Bucy, E. (2004). Second generation net news: interactivity and information accessibility in the online environment. *International Journal on Media Management, 6* (1–2), 102–13.

Burrows, M. (2006). The Chubby lock service for loosely-coupled distributed systems. In *Proceedings of the 7th Symposium on Operating Systems Design and Implementation*, Seattle, WA (pp. 335–50). USENIX Association.

Cadwalladr, C., and Graham-Harrison, E. (2018, March). Revealed: 50 million Facebook profiles harvested for Cambridge Analytica in major data breach. *The Guardian.* Retrieved from https://www.theguardian.com/news/2018/mar/17/cambridge-analytica-facebook-influence-us-election.

Cairncross, F. (2001). *The death of distance: how the communications revolution is changing our lives.* Cambridge, MA: Harvard Business School Press.

Calabresi, M. (2017, May). Inside Russia's social media war on America. *Time.* Retrieved from http://time.com/4783932/inside-russia-social-media-war-america/.

Caldas, A., Schroeder, R., Mesch, G., and Dutton, W. (2008). Patterns of information search and access on the World Wide Web: democratizing expertise or creating new hierarchies? *Journal of Computer-Mediated Communication, 13* (4), 769–93.

Caldentey, R., and Stacchetti, E. (2010). Insider trading with a random deadline.*Econometrica, 78* (1), 245–83.

Carlson, N. (2013, November). The cost of winning: Tim Armstrong, Patch, and the struggle to save AOL.

Beebe, J. H. (1977). Institutional structure and program choices in television markets.*Quarterly Journal of Economics, 91* (1), 15–37.

Bell, E. (2018, January). Why Facebook's news feed changes are bad news for democracy. *The Guardian*. Retrieved from https://www.theguardian.com/media/media-blog/2018/jan/21/why-facebook-news-feed-changes-bad-news-democracy.

Benes, R. (2017). Side effect of the pivot to video: audience shrinkage. *Digiday*. Retrieved from https://digiday.com/media/side-effect-pivot-video-audience-shrinkage/.

Benkler, Y. (2006). *The wealth of networks: how social production transforms markets and freedom*. New Haven, CT: Yale University Press.

Benkler, Y., Shaw, A., and Hill, B. M. (2015). Peer production: a form of collective intelligence. In T. Malone and M. Bernstein (eds.), *Handbook of collective intelligence* (pp. 175–203). Cambridge, MA: MIT Press.

Benton, J. (2016, March). The game of concentration: the internet is pushing the American news business to New York and the coasts. *NiemanLab*. Retrieved from http://www.niemanlab.org/2016/03/the-game-of-concentration-the-internet-is-pushing-the-american-news-business-to-new-york-and-the-coasts/.

Berners-Lee, T. (2000). *Weaving the Web*. New York: HarperBusiness. [バーナーズ=リー、ティム『Webの創成——World Wide Webはいかにして生まれどこに向かうのか』高橋徹訳、毎日コミュニケーションズ、2001年]

Bhatotia, P., Wieder, A., Akkuş, İ. E., Rodrigues, R., and Acar, U. A. (2011). Large-scale incremental data processing with change propagation. In *Proceedings of the 3rd USENIX Conference on Hot Topics in Cloud Computing*, Portland, OR. Retrieved from https://dl.acm.org/citation.cfm?id=2170462.

Blumler, J., and Kavanagh, D. (1999). The third age of political communication: influences and features. *Political Communication, 16* (3), 209–30.

Boczkowski, P. J. (2010). *News at work: imitation in an age of information abundance*. Chicago, IL: University of Chicago Press.

Boczkowski, P. J., and Mitchelstein, E. (2013). *The news gap: when the information preferences of the media and the public diverge*. Cambridge, MA: MIT Press.

Bohn, D., and Hamburger, E. (2013, January). Redesigning Google: how Larry Page engineered a beautiful revolution. *The Verge*. Retrieved from http://www.theverge.com/2013/1/24/3904134/google-redesign-how-larry-page-engineered-beautiful-revolution.

Bowler, P. J. (1989). *Evolution: the history of an idea*. Berkeley: University of California Press.

Bowman, D. (2009). *Goodbye, Google*. Blog post, March 20. Retrieved from http://stopdesign.com/archive/2009/03/20/goodbye-google.html.

Box, G. E. (1979). Robustness in the strategy of scientific model building. *Robustness in statistics, 1*, 201–36.

Boyd, E. B. (2011, August). Brains and bots deep inside Yahoo's CORE grab a billion clicks. *Fast Company*.

pdf/1908ATTar_Complete.pdf.

———. (2009). *Statistics can find you a movie.* Retrieved from http://www.research.att.com/articles/featured_stories/2010_01/2010_02_netflix_article.html.

———. (2010). *From the lab: winning the Netflix Prize.* Retrieved from http://www.youtube.com/watch?v=ImpV70uLxyw.

Ayres, I., Atiq, E., Li, S., and Lu, M. (2013). Randomized experiment assessing the accuracy of Microsoft's Bing It On challenge. *Loyola Consumer Law Review, 26,* 1.

Bagdikian, B. H. (1985). The U.S. media: supermarket or assembly line? *Journal of Communication, 35* (3), 97–109.

Bagdikian, B. H. (2004). *The new media monopoly.* Boston, MA: Beacon Press. Bai, M. (2009). Bloggers at the gate. *Democracy, 12,* 108–14.

Bain, J. S. (1954). Economies of scale, concentration, and the condition of entry in twenty manufacturing industries. *American Economic Review, 44* (1): 15–39.

———. (1956). *Barriers to new competition: their character and consequences in manufacturing industries.* Cambridge, MA: Harvard University Press.

Bakos, Y., and Brynjolfsson, E. (1999). Bundling information goods: pricing, profits, and efficiency. *Management Science, 45* (12), 1613–30.

———. (2000). Bundling and competition on the internet. *Marketing Science, 19*(1), 63–82.

Bakshy, E., Eckles, D., and Bernstein, M. S. (2014). Designing and deploying online field experiments. In *Proceedings of the 23rd International Conference on the World Wide Web* (pp. 283–92). ACM.

Banko, M., and Brill, E. (2001). Scaling to very very large corpora for natural language disambiguation. In *Proceedings of the 39th Annual Meeting of the Association for Computational Linguistics*, Toulouse, FR (pp. 26–33). Association for Computational Linguistics.

Barabási, A., and Albert, R. (1999). Emergence of scaling in random networks. *Science, 286* (5439), 509.

Barlow, J. P. (1996). *A declaration of the independence of cyberspace.* ［バーロウ、J・P『サイバースペース独立宣言』］

Bart, Y., Shankar, V., Sultan, F., and Urban, G. L. (2005). Are the drivers and role of online trust the same for all websites and consumers? A large-scale exploratory empirical study. *Journal of Marketing, 69* (4), 133–52.

Barthel, M., and Mitchell, A. (2017). Americans' attitudes about the news media deeply divided along partisan lines. Pew Internet and American Life Project. Retrieved from http://www.journalism.org/2017/05/10/americans-attitudes-about-the-news-media-deeply-divided-along-partisan-lines/.

Beam, C. (2010, September). The other social network. *Slate.* Retrieved from http://www.slate.com/articles/technology/technology/2010/09/the_other_social_network.html.

参考文献

Abadi, M., Barham, P., Chen, J., Chen, Z., Davis, A., Dean, J., ..., Isard, M., et al. (2016). Tensorflow: a system for large-scale machine learning. In OSDI (16, 265–83).

Abbatte, J. (1998). *Inventing the Internet.* Cambridge, MA: MIT Press.

Adams, W. J., and Yellen, J. L. (1976). Commodity bundling and the burden of monopoly. *Quarterly Journal of Economics,* 90: 475–98.

Aksoy, L., van Riel, A., Kandampully, J., Wirtz, J., den Ambtman, A., Bloemer, J., ..., Gurhan Canli, Z., et al. (2013). Managing brands and customer engagement in online brand communities. *Journal of Service Management, 24*(3), 223–44.

Amatriain, X., and Basilico, J. (2012, April). *Netflix recommendations: beyond the 5 stars.* Blog post. Retrieved from http://techblog.netflix.com/2012/04/netflix-recommenda tions-beyond-5-stars.html.

Anderson, C. (2004, December). The long tail. *Wired.* Retrieved from http://www.wired.com/wired/archive/12.10/tail.html.

Anderson, D., and Mattingly, J. C. (2007). Propagation of fluctuations in biochemical systems, II: nonlinear chains. *IET Systems Biology, 1* (6), 313–25.

Ariely, D., and Norton, M. I. (2008). How actions create—not just reveal—preferences. *Trends in Cognitive Sciences, 12* (1), 13–16.

Arthur, W. (1989). Competing technologies, increasing returns, and lock-in by historical events. *The Economic Journal, 99* (394), 116–31.

Artz, D. (2009). *The secret weapons of the AOL optimization team.* Presentation, O'Reilly Velocity Conference, June 22–24. Retrieved from http://assets.en.oreilly.com/1/event/29/The_Secret_Weapons_of_the_AOL_Optimization_Team_Presentation.pdf.

Asch, S. E. (1955). Opinions and social pressure. *Scientific American 193* (5), 31–35.

Ataullah, A. A., and Lank, E. (2010). Googling Bing: reassessing the impact of brand on the perceived quality of two contemporary search engines. In *Proceedings of the 24th BCS Interaction Specialist Group Conference,* Dundee, September 6–10 (pp. 337–45). British Computer Society.

Athey, S., Mobius, M. M., and Pál, J. (2017). The impact of aggregators on internet news consumption. Stanford University Graduate School of Business Research Paper 17–8. Retrieved from https://ssrh.com/abstract-2897960.

AT&T. (1908). Annual report. Retrieved from http://www.beatriceco.com/bti/porticus/bell/

索引

著者紹介

マシュー・ハインドマン（Matthew Hindman）

ジョージ・ワシントン大学メディア公共問題学校准教授。プリンストン大学Ph.D. 政治的コミュニケーション、デジタル観察、オンライン虚報などを中心に研究。最初の著書『デジタル民主主義の神話』（The Myth of Digital Democracy, Princeton University Press, 2009）でハーバード・ゴールドスミス・ブック賞およびコミュニケーション研究に対するドナルド・マッギャノン賞を受賞。本書もハーバード・ゴールドスミス・ブック賞を受賞している。

訳者紹介

山形浩生（やまがた・ひろお）

評論家、翻訳家。開発援助コンサルタント。東京大学大学院工学系研究科都市工学科およびマサチューセッツ工科大学不動産センター修士課程修了。コンピュータ、経済、脳科学からSFまで幅広い分野で翻訳と執筆を手がける。著書＝『新教養主義宣言』（河出文庫）ほか。訳書＝ピケティ『21世紀の資本』（共訳、みすず書房）、バナジー＆デュフロ『貧乏人の経済学』（みすず書房）、スノーデン『スノーデン 独白』（河出書房新社）ほか多数。

デジタルエコノミーの罠　なぜ不平等が生まれ、メディアは衰亡するのか

2020年11月20日　初版第1刷発行
2021年 2 月19日　初版第3刷発行

著　者　マシュー・ハインドマン
訳　者　山形浩生

発行者　長谷部敏治
発行所　NTT出版株式会社
〒108-0023 東京都港区芝浦3-4-1 グランパークタワー
営業担当 TEL 03（5434）1010 FAX 03(5434)0909
編集担当 TEL 03（5434）1001
http://www.nttpub.co.jp/

装　丁　加藤賢策（LABORATORIES）
印刷・製本　中央精版印刷株式会社

ISBN 978-4-7571-2377-9 C0033

データ資本主義

ビッグデータがもたらす新しい経済

ビクター・マイヤー＝ショーンベルガー、トーマス・ランジ著／斎藤栄一郎訳

四六判並製　定価（本体2700円＋税）　ISBN 978-4-7571-0382-5

アルゴリズムが人間に代わり、膨大な情報を参照することで、最適に近い取引を実現する未来が近づいている。貨幣・銀行・大企業はなぜ時代遅れになり、雇用はどう変わるのか。情報が市場を動かす新しい資本主義の可能性と課題を、第一人者が描き出す。

入門 オークション

市場をデザインする経済学

ティモシー・P・ハバード／ハリー・J・パーシュ著／安田洋祐監訳／山形浩生訳

四六判並製　定価（本体2400円＋税）　ISBN 978-4-7571-2361-8

ネットオークションから政府調達まで、現代経済に実装されたマーケットデザイン。ノーベル賞で話題の最先端の経済学「オークション理論」の入門書。「数式が一切登場しないにもかかわらず、内容に富んだ理想的なオークションのテキスト」（安田洋祐氏）。

モラル・エコノミー

インセンティブか善き市民か

サミュエル・ボウルズ著／植村博恭・磯谷明徳・遠山弘徳訳

A5判上製　定価（本体3000円＋税）　ISBN 978-4-7571-2358-8

進化社会科学に基づくミクロ経済学を発展させてきた世界的経済学者ボウルズの到達点。行動科学やミクロ経済学の研究をもとにアメリカ的なリベラリズムを発展させた、ボウルズの奥深い経済思想が鮮明に示されている。経済学と社会思想のパラダイムシフト。